DRESSLER

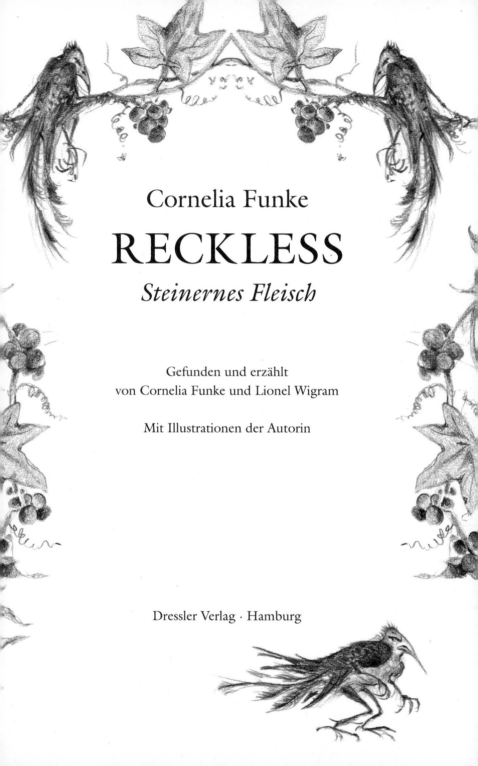

Cornelia Funke

RECKLESS

Steinernes Fleisch

Gefunden und erzählt
von Cornelia Funke und Lionel Wigram

Mit Illustrationen der Autorin

Dressler Verlag · Hamburg

Dieses Buch wurde klimaneutral produziert. Dadurch fördern wir anerkannte
Nachhaltigkeitsprojekte auf der ganzen Welt. Erfahre mehr über die Projekte,
die wir unterstützen, und begleite uns auf unserem Weg unter www.oetinger.de

MIX
Papier | Fördert
gute Waldnutzung
FSC® C014496
FSC www.fsc.org

Überarbeitete, broschierte Neuausgabe
2. Auflage
© 2010 Dressler Verlag GmbH,
Max-Brauer-Allee 34, 22765 Hamburg
© 2010 Cornelia Funke und Lionel Wigram
Alle Rechte vorbehalten
Einbandgestaltung: Mirada
© Innenillustrationen: Cornelia Funke
Satz: Sabine Conrad, Bad Nauheim
Druck und Bindung: GGP Media GmbH
Karl-Marx-Straße 24, 07381 Pößneck, Deutschland
Printed 2022
ISBN 978-3-7915-0095-9
www.dressler-verlag.de
www.corneliafunke.com

Für Lionel, der die Tür zu dieser Geschichte fand
und oft mehr über sie wusste als ich,
Freund und Ideenfinder,
unersetzlich auf beiden Seiten
des Spiegels

Und für Oliver,
der dieser Geschichte immer wieder
englische Kleider schneiderte, damit der Brite und
die Deutsche sie zusammen erzählen konnten

1

ES WAR EINMAL

Die Nacht atmete in der Wohnung wie ein dunkles Tier. Das Ticken einer Uhr. Das Knarren der Holzdielen, als Jacob sich aus seinem Zimmer schlich – alles ertrank in ihrer Stille. Aber Jacob liebte die Nacht. Sie war wie ein schwarzer Mantel, gewebt aus Freiheit und Gefahr, und ihre Dunkelheit füllte die Wohnung mit dem Flüstern vergessener Geschichten, von Menschen, die in ihr gewohnt hatten, lange bevor er und sein Bruder geboren worden waren. Will nannte die Wohnung »Das Königreich«. Jacob war sicher, dass die Märchenbücher ihres Großvaters den Namen inspiriert hatten, mit all ihren vergilbten Seiten, angefüllt mit fremd klingenden deutschen Wörtern und Bildern von Schlössern und Hütten, die so anders aussahen als die Hochhäuser und Wohnblocks, auf die sie von ihren Zimmern herabblickten. Es war leicht gewesen, Will davon zu überzeugen, dass die Wohnung verzaubert war, weil sie sieben Zimmer hatte und im siebten Stock lag. Bis zu seinem sechsten Geburtstag hatte er Jacob sogar geglaubt, dass das ganze Gebäude von einem Riesen gebaut worden war, der im Keller lebte. Es gab nichts, was Will seinem älteren Bruder nicht glaubte.

Draußen ließen die grellen Lichter der Stadt die Sterne verblassen und die große Wohnung war stickig von der Traurigkeit ihrer Mutter. Für Jacob roch Traurigkeit wie ihr Parfüm, das so selbstverständlich zu den weiten Zimmern gehörte wie die verblassten Fotografien im Flur und die altmodischen Möbel und Tapeten.

Sie wachte wie üblich nicht auf, als Jacob sich in ihr Zimmer stahl. Sie hatten wieder mal Streit gehabt, und für einen Augenblick sehnte er sich danach, ihr über das schlafende Gesicht zu streichen. Manchmal träumte er davon, etwas zu finden, das ihr all die Traurigkeit vom Gesicht wischen würde – ein verzaubertes Taschentuch oder einen Handschuh, mit dem er ihr ein Lächeln auf die Lippen tupfen könnte. Nicht nur Will verbrachte viel zu viele Nachmittage damit, den Märchen ihres Großvaters zu lauschen.

Jacob zog die Nachttischschublade auf. Der Schlüssel lag gleich neben den Pillen, die sie schlafen ließen. *Du schon wieder?*, schien er ihn zu verspotten, als er ihn herausnahm. *Alberner vaterloser Kindskopf. Hoffst du immer noch, dass ich dir eines Nachts mehr als ein leeres Zimmer aufschließe?*

Vielleicht. Mit zwölf Jahren konnte man sich solche Wunder noch vorstellen.

In Wills Zimmer brannte noch Licht – sein Bruder hatte Angst im Dunkeln. Will fürchtete sich vor vielen Dingen, im Gegensatz zu seinem älteren Bruder. Jacob überzeugte sich, dass er fest schlief, bevor er die Tür zum Arbeitszimmer ihres Vaters aufschloss. Ihre Mutter hatte es seit seinem Verschwinden nicht betreten, doch Jacob konnte die Nächte nicht zählen, in denen er sich in das leere Zimmer

8

gestohlen hatte, um dort nach den Antworten zu suchen, die sie ihm nicht geben wollte.

Der Raum war so unberührt, als hätte John Reckless noch vor einer Stunde an seinem Schreibtisch gesessen. Über dem Stuhl hing die Strickjacke, die er so oft getragen hatte, und ein benutzter Teebeutel vertrocknete auf einem Teller neben dem Kalender, der immer noch das letzte Jahr zeigte.

Komm zurück! Jacob schrieb es mit dem Finger auf das beschlagene Fenster, auf den staubigen Schreibtisch und die Scheiben des Glasschranks, in dem die alten Pistolen lagen, die sein Vater gesammelt hatte. Aber das Zimmer blieb still – und leer. Er war zwölf Jahre alt und hatte keinen Vater mehr.

Verschwunden.

Als hätte er nie existiert. Als wäre er nichts als eine der kindischen Geschichten, die Jacob und Will sich ausdachten. Jacob trat gegen die Schubladen, die er in so vielen Nächten vergebens durchsucht hatte, erstickend an der hilflosen Wut, die er jedes Mal fühlte, wenn er den leeren Stuhl seines Vaters vor dem Schreibtisch stehen sah. Fort. Er zerrte die Bücher und Zeitschriften aus den staubigen Regalen und riss die Flugzeugmodelle herunter, die über dem Schreibtisch hingen, voll Scham darüber, wie stolz er gewesen war, als sein Vater ihm erlaubt hatte, sie mit rotem und weißem Lack zu bepinseln.

Komm zurück! Er wollte es durch die Straßen schreien, die sieben Stockwerke tiefer Schneisen aus Licht durch die Häuserblocks schnitten, in die tausend Fenster, die leuchtende Quadrate in die Nacht stanzten. Aber stattdessen stand er nur zwischen den Regalen und lauschte seinem eigenen Herzschlag, so laut in dem stillen Raum.

Das Blatt Papier fiel aus einem Buch über Flugzeugtriebwerke. Jacob hob es nur auf, weil er die Handschrift darauf für die seines

Vaters hielt. Aber er erkannte seinen Irrtum schnell. Symbole und Gleichungen, die Skizze eines Pfaus, eine Sonne, zwei Monde. Nichts davon machte Sinn. Bis auf einen Satz, den er auf der Rückseite des Blattes fand.

DER SPIEGEL ÖFFNET SICH NUR FÜR DEN, DER SICH SELBST NICHT SIEHT.

Der Spiegel. Jacob drehte sich um – und sah sich selbst in dem dunklen Glas. Sein Vater und er hatten den Spiegel in den weitläufigen Kellern entdeckt, die sich unter dem Apartmenthaus befanden, verhängt mit einem staubigen Laken, umgeben von alten Möbeln und Koffern voller vergessener Dinge, Besitztümer längst toter Verwandter seiner Mutter. Das ganze Gebäude hatte einst ihrer Familie gehört. Einer ihrer Vorfahren hatte es sogar entworfen und erbaut, »und dabei eine finstere Vorstellungskraft bewiesen«, hätte sein Vater hinzugefügt. Will fürchtete sich immer noch vor den steinernen Gesichtern über dem Hauptportal, die mit goldverkrusteten Augen auf jeden Besucher herabstarrten.

Jacob trat näher an den Spiegel heran. Er war zu schwer für den Aufzug gewesen. Man konnte im Treppenhaus immer noch die Schrammen sehen, die der Rahmen in die Wände gefurcht hatte, als drei Männer ihn fluchend und schwitzend in den siebten Stock hinaufgetragen hatten. Jacob war der Überzeugung gewesen, dass der Spiegel älter als alles war, was er je gesehen hatte, auch wenn sein Vater darüber gelacht und ihm erklärt hatte, dass Spiegel solcher Größe erst im sechzehnten Jahrhundert hergestellt werden konnten.

Das Glas war so dunkel, als wäre die Nacht darin ausgelaufen, und so uneben, dass man sich kaum darin erkannte. Jacob berührte die mit Dornen gespickten Rosenranken, die sich über den Silberrahmen wanden. Sie sahen so echt aus, als könnten die Blüten jeden Moment verwelken.

Im Gegensatz zum Rest des Raumes schien der Spiegel niemals Staub anzusetzen. Er hing wie ein schimmerndes Auge zwischen den Bücherregalen, ein Abgrund aus Glas, der verzerrt all das spiegelte, was John Reckless zurückgelassen hatte: seinen Schreibtisch, die alten Pistolen, seine Bücher – und seinen ältesten Sohn.

DER SPIEGEL ÖFFNET SICH NUR FÜR DEN, DER SICH SELBST NICHT SIEHT.

Was sollte das bedeuten?

Jacob schloss die Augen. Er kehrte dem Spiegel den Rücken zu und tastete hinter dem Rahmen nach irgendeinem Schloss oder Riegel. Nichts.

Er blickte immer wieder nur seinem eigenen Spiegelbild in die Augen.

Es dauerte eine ganze Weile, bis er begriff.

Seine Hand war kaum groß genug, um das verzerrte Abbild seines Gesichts zu verdecken. Aber das kühle Glas schmiegte sich an seine Finger, als hätte es auf sie gewartet, und plötzlich war der Raum, den ihm der Spiegel zeigte, nicht mehr das Zimmer seines Vaters.

Jacob wandte sich um.

Mondlicht fiel durch ein schmales, glasloses Fenster auf Mauern aus grauem, grob behauenem Stein. Der Raum, den sie umschlossen, war rund und sehr viel größer als das Zimmer seines Vaters. Die schmutzigen Fußbodendielen waren mit Eichelschalen und abgenagten Vogelknochen bedeckt und Spinnweben hingen wie Schleier von den Balken eines spitz zulaufenden Daches.

Wo war er?

Das Mondlicht malte Jacob Flecken auf die Haut, als er auf das Fenster zutrat. An dem rauen Sims klebten die blutigen Federn eines Vogels, und tief unter sich sah er verbrannte Mauern und schwarze Hügel, in denen ein paar verlorene Lichter glimmten. Verschwunden waren das Häusermeer und die erleuchteten Straßen – alles, was er kannte, war fort. Und hoch über ihm zwischen den Sternen hingen zwei Monde, der kleinere rot wie eine rostige Münze.

Jacob blickte sich zu dem Spiegel um, dem Einzigen, was sich nicht verändert hatte – und sah die Angst auf seinem Gesicht. Aber Angst war ein Gefühl, das Jacob fast genoss. Sie lockte ihn an dunkle Orte, durch verbotene Türen und weit fort von ihm selbst. Sogar die Sehnsucht nach seinem Vater ertrank in ihr.

Es gab keine Tür in den grauen Mauern, nur eine Luke im Boden. Als Jacob sie öffnete, sah er die Reste einer verbrannten Treppe, die sich in der Dunkelheit verlor, und für einen Augenblick glaubte er, einen winzigen Mann daran heraufklettern zu sehen. Aber bevor er sich über die Öffnung lehnen und einen genaueren Blick hinunterwerfen konnte, ließ ihn ein Scharren herumfahren.

Spinnweben fielen auf ihn herab, als etwas ihm auf die Schulter sprang. Sein heiseres Knurren klang nach einem Tier, doch das verzerrte Gesicht, das die Zähne nach seiner Kehle bleckte, war so bleich und faltig wie das eines alten Mannes. Die Kreatur – ein Stilz, wie er später lernte – war sehr viel kleiner als Jacob und mager wie eine Heuschrecke, aber entsetzlich stark. Seine Kleider schienen aus Spinnweben gemacht, das graue Haar hing ihm bis zur Hüfte, und als Jacob seinen dürren Hals packte, gruben sich gelbe Zähne tief in seine Hand. Mit einem Aufschrei stieß er den Angreifer von seiner Schulter und stolperte auf den Spiegel zu. Der Spinnenmann sprang Jacob nach, während er sich das Blut von den Lippen leckte, doch bevor er ihn einholen konnte, fand Jacobs unverletzte Hand das kühle Spiegelglas.

Die dürre Gestalt verschwand ebenso wie die grauen Mauern und hinter ihm stand erneut nur der Schreibtisch seines Vaters.

»Jacob?«

Wills Stimme drang kaum durch das Klopfen seines Herzens. Jacob rang nach Atem und wich von dem Spiegel zurück.

»Jake, bist du da drin?«

Er zog den Ärmel über die zerbissene Hand und öffnete die Tür.

Wills Augen waren weit vor Angst. Er hatte wieder schlecht geträumt. Kleiner Bruder. Will folgte seinem älteren Bruder wie ein junger Hund und Jacob beschützte ihn auf dem Schulhof und im Park. Manchmal verzieh er Will sogar, dass ihre Mutter ihn mehr liebte.

»Mum sagt, wir sollen nicht in das Zimmer.«

»Seit wann tue ich, was Mum sagt? Wenn du mich verrätst, nehme ich dich morgen nicht mit in den Park.«

Jacob glaubte, das Glas des Spiegels wie Eis im Nacken zu spüren. Will lugte an ihm vorbei, aber er senkte hastig den Kopf, als Jacob die Tür hinter sich zuzog. Will war vorsichtig, wo sein Bruder leichtsinnig, sanft, wo er aufbrausend, ruhig, wo er rastlos war. Als Jacob nach seiner Hand griff, bemerkte Will das Blut an seinen Fingern und blickte ihn fragend an, aber Jacob zog ihn nur wortlos zu seinem Zimmer zurück.

Was der Spiegel ihm gezeigt hatte, gehörte ihm.

Ihm allein.

Zwölf Jahre lang würde das die Wahrheit sein. Bis zu dem Tag, an dem Jacob sich wünschte, dass er seinen Bruder in jener Nacht vor dem Spiegel gewarnt hätte und vor all dem, was das dunkle Glas ihm bescheren würde. Aber die Nacht verging und er bewahrte sein Geheimnis.

Es war einmal … so beginnt es immer.

2

ZWÖLF JAHRE SPÄTER

Die Sonne stand schon tief über den Mauern der Ruine, aber Will schlief immer noch, erschöpft von den Schmerzen und der Furcht vor dem, was in seinem Fleisch wuchs. Ein Fehler. Nach zwölf Jahren Vorsicht.

Jacob deckte Will mit seinem Mantel zu und blickte zum Himmel. Die zwei Monde waren bereits sichtbar und die untergehende Sonne färbte die umliegenden Hügel schwarz. Kein Ausblick in der anderen Welt konnte sich damit messen. Nicht in seinen Augen. Zwölf Jahre sind eine lange Zeit und sie hatten diese Welt zu seinem Zuhause gemacht. Schon mit vierzehn hatte er die Monate nicht mehr gezählt, die er hinter dem Spiegel verbracht hatte, trotz der Tränen seiner Mutter, trotz ihrer hilflosen Angst um ihn ... »Wo bist du gewesen, Jacob? Bitte! Sag es mir!« Wie? Wie hätte er ihr die Wahrheit verraten können, ohne die kostbare Freiheit zu verlieren, die der Spiegel ihm gewährte, all das Leben, das er dahinter gefunden hatte, das Gefühl, so viel mehr er selbst zu sein hinter dem dunklen Glas.

»Wo bist du gewesen, Jacob?« Sie hatte es niemals herausgefunden.

Er hatte Will von dieser Welt erzählt, überzeugt, dass sein Bruder all die Geschichten für nichts als Märchen halten würde. Er hätte ihn besser kennen müssen. Warum hatte er nicht begriffen, dass seine Geschichten Will mit derselben Sehnsucht erfüllen würden, die ihn durch den Spiegel trieb? *Sei ehrlich, Jacob, du wolltest nicht darüber nachdenken.* Nein. Er hatte sich nur danach gesehnt, mit jemandem zu teilen, was er gefunden hatte, und da das Arbeitszimmer seines Vaters das Geheimnis des Spiegels so viele Jahre lang sicher verwahrt hatte, war es viel zu leicht gewesen, sich einzureden, dass es dort für alle Zeit sicher sein würde.

Vielleicht wäre es das auch wirklich gewesen, wenn er es nicht so eilig gehabt hätte, zurückzugehen. Er hatte zum ersten Mal vergessen, die Tür abzuschließen, und die Hand bereits gegen das dunkle Glas gepresst, als Will hereingekommen war. Es ist so verführerisch, dem eigenen schlechten Gewissen zu entkommen, indem man die Welt wechselt. Jeder Winkel der Wohnung, in der er aufgewachsen war, hatte Jacob daran erinnert, dass er, während seine Mutter gestorben war, nach einem gläsernen Schuh gesucht hatte. *Du hast sie im Stich gelassen, Jacob,* hatte ihr leeres Zimmer geflüstert. *Genau wie dein Vater.*

Im Märchen werden die Helden bestraft, wenn sie vor einer Aufgabe davonlaufen. Die Helden, nicht ihre jüngeren Brüder ...

Die Wunden an Wills Hals waren gut verheilt, aber am linken Unterarm zeigte sich bereits der Stein. Jade. Das war ungewöhnlich. Meist war es Karneol, Jaspis, Mondstein ...

»Er riecht schon wie ein Goyl.«

Die Füchsin löste sich aus den Schatten, die die zerstörten Mau-

15

ern warfen. Ihr Fell war so rot, als hätte der Herbst es ihr gefärbt. Am Hinterlauf war es gestreift mit blassen Narben. Es war fast fünf Jahre her, dass Jacob Fuchs aus den Eisenfängen einer Wildererfalle befreit hatte, und seither bewachte sie seinen Schlaf, warnte ihn vor Gefahren, die seine stumpfen Menschensinne nicht bemerkten, und gab Rat, den man besser befolgte.

»Worauf wartest du? Weck ihn auf und bring ihn zurück! Wir sind seit Stunden hier.« Die Ungeduld in ihrer Stimme war nicht zu überhören. »Dafür sind wir hergekommen, oder?«

Jacob blickte auf seinen schlafenden Bruder. Ja, dafür hatte er Will zurück zu dem Turm gebracht: um ihn zurück in die Welt zu bringen, die sie beide geboren hatte. Aber wie sollte er in ihr leben mit einer Haut, die sich in Jade verwandelte?

Jacob trat unter den Torbogen, in dem die verkohlten Reste des Schlossportals hingen. Ein Heinzel huschte davon, als Jacobs Schatten auf ihn fiel. Er war kaum größer als eine Maus, mit roten Augen über der spitzen Nase, Hose und Hemd genäht aus gestohlenen Menschenkleidern. Die Ruine wimmelte von ihnen.

»Ich hab es mir anders überlegt«, sagte Jacob. »Es gibt nichts in der anderen Welt, das ihm helfen könnte.«

Jacob hatte schon vor Jahren versucht, Fuchs von der Welt zu erzählen, aus der er kam, aber sie wollte nichts davon hören. Ihr reichte, was sie wusste: dass es der Ort war, an den er allzu oft verschwand und mit Erinnerungen zurückkam, die ihm wie Schatten folgten.

»Und? Was glaubst du, was hier mit ihm passieren wird?«

Fuchs sprach es nicht aus, doch Jacob wusste, was sie dachte. In ihrer Welt erschlugen Männer ihre eigenen Söhne, sobald sie den Stein in ihrer Haut entdeckten. Aber Jacob war sicher: Falls es eine Medizin gegen das Steinerne Fleisch gab, dann würden sie sie hier finden.

Am Fuß des Hügels, auf dem die Ruine stand, verloren die roten Dächer von Schwanstein sich in der Dämmerung, und in den Häusern flammten die ersten Lichter auf. Während seines ersten Jahres hinter dem Spiegel hatte Jacob dort in einem der Ställe gearbeitet, in dem Reisende ihre Pferde unterbrachten. Die Stadt sah von fern aus wie eins der Bilder, die man auf Lebkuchendosen druckte. Aber die hohen Fabrikschornsteine, die grauen Rauch in den Abendhimmel schickten, passten nicht ins Bild. Die neue Magie ... So nannte man Technologie und Wissenschaft in dieser Welt. Aber das Steinerne Fleisch wurde nicht von mechanischen Webstühlen oder anderen modernen Errungenschaften gesät, sondern von dem alten Zauber, der in ihren Hügeln und Tälern zu Hause war, in Flüssen und Meeren, Blumen und Bäumen, in Siebenmeilenstiefeln, Hexennadeln und zahllosen anderen Zauberdingen, die zu finden Jacob zu seinem Handwerk gemacht hatte.

Ein Goldrabe landete auf der Mauer, in deren Schatten Will schlief. Jacob scheuchte ihn fort, bevor er einen seiner finsteren Flüche krächzen konnte.

Sein Bruder stöhnte im Schlaf. Die Menschenhaut machte dem Stein nicht kampflos Platz. Jacob spürte den Schmerz wie seinen eigenen und zum ersten Mal verfluchte er den Spiegel. Seit Jahren hatte ihn nur die Liebe zu seinem Bruder in die andere Welt zurückgebracht, immer bei Nacht, wenn er sicher war, dass seine Mutter schlief. Ihre Tränen hatten es zu schwer gemacht, wieder zu gehen, aber Will hatte ihm nur die Arme um den Hals geschlungen und gefragt, was er ihm mitgebracht hatte. Die Schuhe eines Heinzels, die Mütze eines Däumlings, einen Knopf aus Elfenglas, ein Stück schuppige Wassermannhaut – Will hatte Jacobs Geschenke hinter seinen Büchern versteckt und dann um mehr Geschichten über die Welt gebettelt, in denen sein Bruder solche Schätze fand, bis das erste

Morgenlicht auf die verblassten Tapeten gefallen war und Jacob sich, sobald Will fest schlief, durch den Spiegel davongestohlen hatte.

Er griff nach seinem Rucksack. »Ich bin bald zurück. Falls er aufwacht, sag ihm, er soll auf mich warten. Erlaub ihm nicht, in den Turm zurückzugehen.«

»Und wohin gehst du?« Die Füchsin trat ihm in den Weg. »Du kannst ihm nicht helfen, Jacob.«

»Ich weiß. Aber ich muss es versuchen.«

Fuchs folgte ihm mit den Augen, als er auf die verwitterte Treppe zuging, die den Hügel hinabführte. Die einzigen Stiefelabdrücke auf den vermoosten Stufen waren seine eigenen. Die Ruine galt als verflucht. Die Bewohner von Schwanstein erzählten Hunderte von Geschichten über das Feuer, das das Jagdschloss zerstört hatte, das einst auf dem Hügel über der Stadt gestanden hatte, aber nach all den Jahren wusste Jacob immer noch nicht, wer den Spiegel in dem Turm hinterlassen hatte. Oder wohin sein Vater verschwunden war.

3

GOYL

Das abgeerntete Feld roch immer noch nach Blut, der Geruch aller Schlachtfelder. Hentzaus Pferd war ebenso an ihn gewöhnt wie seine Soldaten. Der Regen hatte die Gräben mit feuchtem Schlamm gefüllt, und hinter den Wällen, die beide Seiten errichtet hatten, war die Erde bedeckt mit Flinten und zerschossenen Helmen. Kami'en hatte befohlen, die Pferde- und Menschenkadaver zu verbrennen, bevor sie verwesten und die Luft mit ihrem Gestank verpesteten. Seine eigenen Soldaten aber hatte der König, wie es Goylsitte war, dort gelassen, wo sie gefallen waren. Schon in wenigen Tagen würden sie nicht mehr von den Steinen zu unterscheiden sein, die aus der zertretenen Erde ragten, und die Köpfe derer, die besonders heldenhaft gekämpft hatten, waren in die Königsfeste geschickt worden, um dort die unterirdische Ehrenstraße der Toten zu säumen.

Eine weitere Schlacht. Hentzau war ihrer müde, aber er hoffte, dass diese für eine Weile die letzte gewesen war. Die Kaiserin war endlich bereit zu verhandeln und selbst Kami'en wollte Frieden. Hentzau presste sich die Hand vor den Mund, als der Wind die Asche ihrer gefallenen Feinde von der Anhöhe herabwehte. Sechs Jahre an der Oberfläche, sechs Jahre ohne den schützenden Schild der Erde zwischen ihm und der Sonne. Seine Augen schmerzten von all dem Tageslicht und die Luft machte seine Haut so spröde wie Muschelkalk. Hentzaus Haut glich braunem Jaspis. Nicht die edelste Hautfarbe für einen Goyl. Hentzau war der erste Jaspisgoyl, der in die obersten Militärränge aufgestiegen war. Aber die Goyl hatten vor Kami'en auch noch nie einen König gehabt und Hentzau gefiel seine Haut. Jaspis lieferte wesentlich bessere Tarnung als Onyx oder Mondstein.

Kami'en hatte unweit des Schlachtfelds Quartier bezogen, im Jagdschloss eines kaiserlichen Generals, der wie der Großteil seiner Offiziere in der Schlacht gefallen war.

Zwei Goylposten bewachten das Tor. Sie salutierten, als Hentzau an ihnen vorbeiritt. Den Bluthund des Königs nannten sie ihn, seinen Jaspisschatten. Hentzau diente Kami'en, seit der zum ersten Mal die anderen Anführer herausgefordert hatte. Sie hatten zwei Jahre gebraucht, um sie alle zu töten, und danach hatten die Goyl ihren ersten König gekrönt.

Die Straße, die vom Tor zu dem Jagdschloss hinaufführte, war von Statuen gesäumt. Es amüsierte Hentzau stets aufs Neue, dass Menschen ihre Götter und Helden durch Abbilder aus Stein verewigten, während sie seinesgleichen verabscheuten. Selbst die Teighäute mussten zugeben, dass in dieser Welt Stein das Einzige war, was blieb.

Sie hatten die Fenster des Schlosses zugemauert, wie sie es bei allen Gebäuden taten, die sie besetzten, doch Hentzau fühlte sich erst wohl, als er die Treppe zu den Kellern hinabstieg und ihn endlich die wohltuende Dunkelheit umgab, die man bloß unter der Erde fand.

Die weitläufigen Gewölbe, die einst mit Vorräten und verstaubten Jagdtrophäen gefüllt gewesen waren, beherbergten nun Kami'ens Generalstab, und Goylaugen brauchten weder Lampen noch Kerzen in der Dunkelheit.

Kami'en. Sein Name bedeutete in ihrer Sprache nichts anderes als Stein. Kami'ens Vater hatte eine der unteren Städte regiert, aber Väter zählten nicht viel bei ihnen. Es waren die Mütter, die sie aufzogen, und vom neunten Geburtstag an galten Goyl als erwachsen und waren auf sich gestellt. In dem Alter erkundeten die meisten von ihnen die Untere Welt, die Kristallhöhlen, schwarzen Seen und versteinerten Wälder unter der Erde, ihren Mut beweisend, indem sie tiefer und tiefer hinabstiegen, zu den Verlorenen Palästen mit ihren Spiegeln und Silbersäulen, bis die Hitze selbst für Goylhaut unerträglich wurde. Doch Kami'en hatten die Tiefen seiner Welt nie interessiert. Ihn faszinierte nur die Obere Welt. Er hatte für eine Weile in einer der Höhlenstädte gelebt, die die Goyl an der Oberfläche gebaut hatten, weil die Kupferpest in den unteren Städten wütete. Als eine seiner Schwestern bei einem Menschenangriff ums Leben gekommen war, hatte er damit begonnen, deren Waffen und Kriegsstrategien zu studieren. Mit neunzehn hatte er eine ihrer Städte erobert. Die erste von vielen …

Als die Wachen Hentzau in den Lagerraum winkten, der als Kommandozentrale diente, stand Kami'en vor dem Tisch, auf dem jeden Morgen die Positionen seiner Gegner nachgestellt wurden. Er hatte die Figuren anfertigen lassen, nachdem er die erste Schlacht gewonnen hatte: Soldaten, Kanoniere, Scharfschützen, Reiterfiguren für die Kavallerie … Die Goyl waren aus Karneol, die Truppen der Kaiserin marschierten in Echsenbein, Lothringen trug Gold, Albions Soldaten waren aus Kupfer. Kami'en blickte auf die Figuren herab, als suchte er nach einem Weg, sie alle auf einen Schlag zu besiegen. Er trug

Schwarz, wie immer, wenn er die Uniform ablegte. Es ließ seine matt-rote Haut wie versteinertes Feuer aussehen. Nie zuvor war Karneol die Hautfarbe eines Goylanführers gewesen. Jahrhundertelang war Onyx die Farbe ihres Adels gewesen.

Kami'ens Geliebte trug wie immer Grün, Schichten aus smaragd-farbenem Samt, die sie einhüllten wie die Blätter einer Blüte. Selbst die schönste Goylfrau verblasste neben ihr wie ein Kiesel neben ge-schliffenem Mondstein, aber Hentzau hatte seinen Soldaten befoh-len, sie nicht anzusehen. Der alte Goyl glaubte schon lange nicht mehr an Märchen, aber er glaubte all die Geschichten, die man sich über die Feen erzählte und über die liebeskranken Idioten, die sie mit einem Blick in Disteln oder hilflos zappelnde Fische verwandelten. Ihre Schönheit war tödlicher als Spinnengift. Das Wasser hatte sie alle geboren, und Hentzau fürchtete sie ebenso sehr wie die Meere, die an den Felsen seiner Welt nagten. Er hasste sie besonders für diese Furcht.

Die Dunkle Fee lächelte, als hätte sie seine Gedanken gelesen. Viele waren überzeugt, dass die Feen das konnten, aber Hentzau war si-cher, dass die Dunkle ihn längst getötet hätte, für das, was er über sie dachte. Sie war die Mächtigste von ihnen – vielleicht war das der Grund, warum ihre eigenen Schwestern sie verstoßen hatten.

Er kehrte ihr den Rücken zu und verbeugte sich vor seinem König. »Mir wurde gesagt, dass Ihr mich braucht, um jemanden zu finden.«

Kami'en griff nach einer der Echsenbeinfiguren und stellte sie zur Seite. Jede stand für hundert Soldaten.

»Ja. Du musst mir einen Menschen bringen, dem das Steinerne Fleisch wächst.«

Hentzau warf der Fee einen raschen Blick zu.

»Und wie soll ich das anstellen? Von denen gibt es inzwischen Tausende.«

Die Dunkle konnte wie all ihre Schwestern keine Kinder gebären, aber nun hatte sie einen Weg gefunden, Kami'en Armeen von Söhnen zu schenken. Menschengoyl ... Durch ihre dunkle Zauberei gaben seine Soldaten ihren Feinden eine Haut aus Stein und erschufen so eine neue Spezies, von Goyl und Menschen gleichermaßen gefürchtet.

»Keine Sorge. Dieser Menschengoyl ist leicht von den anderen zu unterscheiden.« Kami'en stellte zwei weitere Echsenbeinfiguren zur Seite. »Die Haut, die ihm wächst, ist aus Jade.«

Die Wachen wechselten einen raschen Blick, aber Hentzau runzelte nur ungläubig die Stirn. Die Lavamänner, die das Blut der Erde kochten, der augenlose Vogel, der alles sah – und der Goyl mit der Jadehaut, der den König, dem er diente, unbesiegbar machte ... Geschichten, die man Kindern erzählte, um die Dunkelheit unter der Erde mit Bildern zu füllen.

»Ich werde den Kundschafter erschießen lassen, der Euch das erzählt hat.« Hentzau rieb sich die schmerzende Haut. Die verdammte Kälte würde ihn bald aussehen lassen wie einen zersprungenen Krug. »Der Jadegoyl ist ein Märchen! Seit wann verwechselt Ihr die mit der Wirklichkeit?«

Die Wachen senkten nervös die Köpfe. Jeder andere Goyl hätte solche Worte mit dem Leben bezahlt, aber Hentzau wusste, dass Kami'en seine Ehrlichkeit liebte. Ebenso wie die Tatsache, dass er sich immer noch nicht vor ihm fürchtete.

»Du hast deine Befehle!«, sagte er so beiläufig, als wäre ihm Hentzaus Spott entgangen. »Finde ihn. Sie hat ihn in ihren Träumen gesehen.«

Ah, das war die Quelle.

Die Fee strich über den Samt ihres Kleides. Sechs Finger an jeder Hand, alle für einen anderen Zauber. Hentzau spürte, wie der Zorn in ihm erwachte, der ihnen allen im steinernen Fleisch nistete. Er würde für seinen König sterben, wenn es nötig war, aber es war etwas anderes, nach den Traumgespinsten seiner Geliebten zu suchen.

»Der König der Goyl braucht keinen Jadegoyl, um unbesiegbar zu sein!«

König. Immer noch ein unvertrautes Wort für Goylzungen. Aber selbst Hentzau zögerte inzwischen, Kami'en nur mit seinem Namen anzureden.

»Finde ihn!«, wiederholte er, während er Hentzau wie einen Fremden ansah. »Sie sagt, es ist wichtig, und bisher hatte sie immer recht.«

Die Fee trat an Kami'ens Seite. Hentzau malte sich aus, ihr den blassen Hals zu brechen, aber nicht einmal das brachte Trost. Sie war unsterblich und eines Tages würde sie ihm beim Sterben zusehen. Ihm und dem König. Und Kami'ens Kindern und Kindeskindern. Sie alle waren nur ihr sterbliches Spielzeug. Aber Kami'en liebte sie. Mehr als seine beiden Goylfrauen, die ihm drei Töchter und zwei Söhne geschenkt hatten.

Weil sie ihn verhext hatte!

»Ich habe ihn im Schwarzen Wald gesehen.« Selbst ihre Stimme klang nach Wasser.

»Der Wald ist mehr als sechzig Quadratmeilen groß!«

Die Fee lächelte erneut. Vermutlich stellte sie sich vor, wie er als Fisch nach Atem ringend vor ihren Füßen zappelte. Hentzau erstickte fast an seinem Hass.

»Das klingt, als könntet Ihr etwas Hilfe gebrauchen.« Sie genoss es sichtlich, wie alarmiert er die Schultern straffte, als sie die sechsfingrigen Hände hob und die Perlenspangen öffnete, die ihr Haar zusammenhielten. Es reichte ihr bis zur Hüfte, als es herabfiel. Die meisten verglichen es mit fein gesponnenem Kupfer oder rotem Gold, aber für Hentzau hatte es die Farbe von getrocknetem Blut. Schwarze Motten flatterten ihr zwischen den Fingern hervor, als sie mit den Händen hindurchfuhr. Die blassen Flecken auf ihren Flügeln waren geformt wie Schädel.

Die Wachen öffneten hastig die Türen, als die Motten auf sie zuschwärmten. Hentzaus Soldaten, die draußen auf dem dunklen Korridor warteten, wichen ebenso eilig zurück. Sie alle wussten, dass die Stiche von Feenmotten sogar durch Goylhaut drangen – und dass die Opfer sie selten überlebten.

»Sie werden dir Bescheid geben, sobald sie den Jadegoyl gefunden haben«, sagte die Fee, während sie sich das Haar wieder hochsteckte. »Und du bringst ihn zu mir.«

Seine Männer starrten sie durch die offene Tür an.

Feen.

Verflucht sollten sie alle sein, sie und die Nacht, in der die dunkelste von ihnen plötzlich in ihrem Lager gestanden hatte. Nach der dritten Schlacht, ihrem dritten Sieg. Sie war zwischen den Zelten aufgetaucht, als hätte das Stöhnen der Verwundeten sie herbeigerufen. Hentzau war ihr in den Weg getreten, aber sie war einfach durch ihn hindurchgegangen, wie Wasser durch porösen Stein, und dann hatte sie Kami'en das Herz gestohlen, um sich die eigene herzlose Brust damit zu füllen. Zugegeben, selbst die besten Waffen der Goyl verbreiteten nicht halb so viel Furcht unter ihren Feinden wie der Zauber der Dunklen. Doch Hentzau war sicher, dass sie diesen Krieg auch ohne sie gewonnen hätten und dass der Sieg so viel süßer geschmeckt hätte.

Kami'en beobachtete ihn. Nein, die Fee konnte Hentzaus Gedanken nicht lesen, aber sein König las sie ihm mühelos von der Stirn.

Er presste die Faust aufs Herz, die traditionelle Geste aller Goyl, wenn sie ihren Respekt ausdrücken wollten.

»Ich werde den Menschengoyl finden«, sagte er. »Falls er tatsächlich mehr ist als ein Traum.«

Er spürte den Blick der Fee immer noch, als er hinaus in das grelle Tageslicht trat, das ihm die Augen trübte und die Haut springen ließ.

Er konnte sich nicht erinnern, jemals so sehr gehasst zu haben.

4

CLARA

Wills Stimme hatte so anders geklungen. Clara hatte sie kaum erkannt. Seit Wochen kein Anruf oder irgendein anderes Lebenszeichen und dann dieser Fremde am Telefon, der nicht wirklich sagte, warum er anrief. Angst. Das war es, was Clara in seiner Stimme gehört hatte. Schlimmer als die Angst, die sie von den Krankenhausfluren kannte, auf denen sie täglich versuchte zu lernen, wie man Krankheit und Tod ins Auge sah.

Sie musste Will sehen. Das war das Einzige, was sie wusste. Herausfinden, was geschehen und warum er seit Wochen verschwunden war.

Das Gedränge auf den Straßen schien noch dichter als gewöhnlich, und sie brauchte eine Ewigkeit, bis sie endlich vor dem alten Apartmenthaus stand, in dem Will aufgewachsen war. Gemeißelte Gesichter starrten von der grauen Fassade, die verzerrten Züge zerfressen

27

von Abgasen. Die Augen waren vergoldet. Clara bemerkte das zum ersten Mal. Der Portier in der Eingangshalle war wie üblich schlecht gelaunt. Tomkins. Ja, das war sein Name. Er erinnerte Clara an einen Kater in seiner grauen Uniform, einen fetten Kater, der sich jedes Mal die Lippen leckte, wenn er sie sah.

»Da oben ist niemand zu Hause, Miss«, sagte er, während er sie ohne Scham von Kopf bis Fuß musterte.

Clara merkte erst unter seinem Blick, dass sie immer noch den blassgrünen Krankenhauskittel unter dem Mantel trug. Sie hatte es so eilig gehabt, dass sie sich nicht die Zeit genommen hatte, sich umzuziehen. Er hatte so verloren geklungen. Wie ein Ertrinkender.

Die Gittertüren des Aufzugs klemmten wie üblich. Will nannte ihn den Hänsel-Käfig. Tomkins kam ihr nicht zu Hilfe, und Clara war erleichtert, als der Aufzug sich endlich in Bewegung setzte. »Du musst ihn nicht ernst nehmen«, hatte Will gesagt, als sie sich über die Dreistigkeit des Portiers beklagt hatte. »Er behandelt jeden so. Wenn er Besucher nicht mag, erzählt er ihnen manchmal sogar, dass wir nicht zu Hause sind. Obwohl er mich und Jacob seit unserer Geburt kennt.« Und dann hatte er sie geküsst.

Will.

Der alte Aufzug brauchte so lange, dass es Clara jedes Mal so vorkam, als hätte sie das Dach der Welt erreicht, wenn sie im siebten Stock ausstieg. Sie versuchte es zuerst mit der Klingel, aber es kam keine Antwort. Das kupferne Namensschild neben der Tür war so angelaufen, dass Clara immer versucht war, mit dem Ärmel darüberzuwischen.

RECKLESS. Will machte sich oft darüber lustig, wie wenig der Name zu ihm passte. Als Clara schließlich den Schlüssel benutzte, den er ihr gegeben hatte, stolperte sie hinter der Wohnungstür in einen Stapel ungeöffneter Post. Hatte Will sie von woanders angerufen?

Sie ging in die Küche. Ein schmutziger Kaffeebecher stand auf dem Tisch. Neben einem Buch, das er gelesen hatte.

»Will?«

Das Zimmer seiner Mutter war unverändert, obwohl sie vor mehr als vier Monaten gestorben war. Clara zögerte, bevor sie die Tür zum Zimmer seines Bruders öffnete. Jacob. Sie hatte ihn immer noch nicht getroffen. »Jacob ist auf Reisen.« Wills älterer Bruder war immer auf Reisen. Manchmal war sie nicht sicher, ob er tatsächlich existierte.

Wills Zimmer war gleich daneben. Es war ebenfalls leer. Nur die übliche Unordnung. Seine Kleider auf dem Boden. Eine Schüssel mit eingetrockneten Müsliresten.

Wo war er?

Sie bemerkte, dass die Tür zum Arbeitszimmer seines Vaters offen stand, erst, als sie wieder auf dem Flur stand. Will betrat das Zimmer nie. Er ignorierte alles, was mit seinem Vater zu tun hatte. »Er ist fort. Hat uns ohne ein Wort verlassen und meiner Mutter das Herz gebrochen.« Das war alles, was er Clara je über ihn erzählt hatte.

Sie trat durch die offene Tür.

Ein Schreibtisch, Bücherregale, ein Vitrinenschrank mit antiken Pistolen. Über dem Schreibtisch hingen ein paar Modellflugzeuge, auf denen der Staub so dick wie schmutziger Schnee lag.

Zwischen den Bücherregalen lehnte ein riesiger Spiegel an der Wand. Der Silberrahmen war bedeckt mit Rosen. Ihre metallenen Dornen zerstachen Clara fast die Finger, als sie sie berührte. Jede Blüte war so vollkommen geformt, dass ihr Duft in der staubigen Luft zu hängen schien. Das Glas, das sie rahmten, war dunkel, als hätte es die Nacht eingefangen. Es war so klar, dass Clara sich fragte, wer es poliert hatte, aber dort, wo ihr Gesicht sich darin spiegelte, war der Abdruck einer Hand zu sehen.

5

SCHWANSTEIN

Das Laternenlicht füllte die Straßen von Schwanstein wie ausgelaufene Milch. Gaslicht und hölzerne Kutschräder, die über holpriges Kopfsteinpflaster rollten, Frauen in langen Röcken, die Säume nass vom Regen. Jacob konnte sich nicht erinnern, wann er begonnen hatte, all das als normal anzusehen und die Welt, aus der er kam, als die bisweilen befremdendere Wirklichkeit. Mit vierzehn? Sechzehn? Nein, vermutlich sehr viel früher. Der Vater ihrer Mutter hatte nur Deutsch mit ihnen gesprochen, das hatte ihm von Anfang geholfen, zumindest ein paar Brocken Austrisch zu verstehen. In den ersten Jahren war er oft hungrig gewesen und hatte stets mit der Furcht vor dem Armenhaus gelebt. Jacob verdankte es zwei Menschen, dass er diese Jahre überlebt hatte. Einer davon war eine Hexe, keine der Kinderfresserinnen, sondern eine weiße. Alma Spitzweg praktizierte als Heilerin in einem Dorf auf der anderen Seite des

Schlosshügels und hatte ihn viele Male gerettet, aber diesmal konnte nicht einmal Almas Zauberei helfen. Falls es irgendjemanden in dieser Welt gab, der wusste, wie sein Bruder noch zu retten war, dann war es sein alter Schatzjagdlehrer Albert Chanute. Der andere Mensch, der Jacob durch die ersten Jahre geholfen hatte.

Die Glocken läuteten zur Abendmesse, als Jacob die Straße hinunterging, die zum Marktplatz von Schwanstein führte. Vor einer Bäckerei verkaufte eine Zwergin geröstete Kastanien. Der süße Duft mischte sich mit dem Geruch der Pferdeäpfel, die überall auf dem Straßenpflaster lagen. Die Idee des Automotors war bislang nicht durch den Spiegel gedrungen. Das Denkmal in der Mitte des Marktplatzes zeigte Karolus, den Goylhetzer, einen Vorfahren der derzeitigen Kaiserin Therese von Austrien, der nicht nur Halsketten für seine Geliebte aus der Haut von Mondsteingoyl anfertigen ließ, sondern auch unermüdlich Jagd auf Riesen in den umliegenden Hügeln gemacht hatte. Jacob bedauerte immer noch zutiefst, dass er erst durch den Spiegel gekommen war, als die Riesen und Drachen dahinter bereits ausgerottet worden waren. Er musste zugeben, dass er dem Stilz nicht nachgetrauert hätte, der ihm bei seinem ersten Besuch fast die Kehle zerbissen hatte. Aber was war mit den Graselfen, Heinzeln, Däumlingen, Nymphen oder Hexen? Würden sie als Nächste verschwinden? Schwanstein hatte sich verändert, seit Jacob zum ersten Mal durch den Spiegel getreten war. Die feuchte Herbstluft roch nach Rauch, und Ruß schwärzte die Wäsche, die zwischen den spitzen Giebeln hing. Es gab inzwischen einen Bahnhof gleich gegenüber der Postkutschstation, ein Telegrafenbüro und einen Fotografen, der steife Hüte und berüschte Röcke auf Platten aus Silber bannte. Fahrräder lehnten an Hauswänden, an denen Plakate vor Wassermännern und Goldraben warnten. Manchmal fragte Jacob sich, ob Schwanstein die modernen Zeiten noch enthusiastischer als der Rest der

Spiegelwelt willkommen hieß und wie sehr das mit dem Spiegel im Arbeitszimmer seines Vaters zusammenhing.

Graselfen, Heinzel, Däumlinge, Nymphen oder Hexen ... was ist mit den Goyl, Jacob? Jeder Mensch hinter dem Spiegel hätte ihre Ausrottung gefeiert.

Der Zeitungsjunge, der neben dem Denkmal des Goylhetzers die neuesten Nachrichten in den Abend rief, hatte nie mehr als den Fußabdruck eines Riesen oder die verblassten Spuren von Drachenfeuer an der Stadtmauer zu Gesicht bekommen. Aber die Goyl waren ebenso sehr Bestandteil seiner Wirklichkeit wie die Kastanien feilbietende Zwergenfrau oder die Heinzel, die den Bäckern halfen, ihren Teig auszurollen.

Entscheidende Schlacht, schreckliche Verluste ... geheime Verhandlungen mit den Goyl ...

Es herrschte Krieg in der Spiegelwelt und er wurde nicht von Menschen gewonnen. Vier Tage waren vergangen, seit Will und er einem ihrer Stoßtrupps in die Arme gelaufen waren, aber Jacob sah sie immer noch aus dem Wald kommen: drei Soldaten und einen Offizier, die steinernen Gesichter feucht vom Regen. Augen aus Gold und schwarze Klauen, die den Hals seines Bruders aufrissen ... Goyl.

»Pass auf Will auf, Jacob. Er ist so anders als du.«

Er drückte dem Zeitungsjungen drei Kupfergroschen in die schmutzige Hand. Der Heinzel, der auf seiner Schulter hockte, beäugte die Münzen voller Misstrauen. Viele Heinzel schlossen sich Menschen an und ließen sich von ihnen füttern und kleiden, aber das änderte nichts an ihrer ständig schlechten Laune.

»Wie weit entfernt stehen die Goyl?« Jacob nahm sich eine Zeitung.

»Keine fünf Meilen von hier.« Der Junge zeigte nach Südosten.

»Wenn der Wind günstig stand, hat man die Kanonen gehört. Aber seit gestern ist es still.«

Er klang fast enttäuscht. In seinem Alter war selbst der Krieg nur ein Abenteuer. Die kaiserlichen Soldaten, die aus dem Wirtshaus von Albert Chanute kamen, wussten es besser. ZUM MENSCHENFRES-SER. Jacob war Zeuge bei dem Ereignis gewesen, das dem Wirtshaus seinen Namen gegeben und seinen Besitzer den rechten Arm gekostet hatte.

*

Albert Chanute stand mit mürrischer Miene hinter dem Tresen, als Jacob in die dunkle Schankstube trat. Chanute war ein solcher Klotz von Mann, dass man ihm nachsagte, Trollblut in den Adern zu haben – nicht gerade ein Kompliment in der Spiegelwelt –, aber bis zu dem Tag, an dem der Menschenfresser ihm den Arm abgehackt hatte, war Albert Chanute der beste Schatzjäger von ganz Austrien gewesen, und Jacob war viele Jahre bei ihm in die Lehre gegangen. Chanute hatte ihm gezeigt, wie man es hinter dem Spiegel zu Ruhm und Reichtum brachte, und Jacob hatte zum Dank verhindert, dass der Menschenfresser dem alten Schatzsucher auch noch den Kopf abschlug.

Die Wände des Schankraums waren bedeckt mit Andenken an Chanutes ruhmreichere Tage: der Kopf eines Braunwolfs, die Ofen-tür aus einem Lebkuchenhaus, ein Knüppelausdemsack, der von der Wand sprang, wenn ein Gast sich nicht benahm, und, gleich über dem Tresen, aufgehängt an den Ketten, mit denen er seine Opfer gefesselt hatte, der rechte Arm des Menschenfressers, der Chanutes Schatzjägertage beendet hatte. Die bläuliche Haut schimmerte immer noch wie Echsenleder.

»Sieh an, wer da reinspaziert kommt.« Chanutes mürrischer Mund verzog sich tatsächlich zu einem Lächeln. »Jacob Reckless. Ich dachte, du wärst in Lothringen, auf der Suche nach einem Stundenglas.«

Chanute war eine Legende als Schatzjäger gewesen, aber Jacob hatte es inzwischen auf ebensolche Berühmtheit gebracht, und die drei Männer, die an einem der fleckigen Tische saßen, hoben neugierig die Köpfe.

»Werde deine Kundschaft los!«, raunte Jacob Chanute über den Tresen zu. »Ich muss mit dir reden.«

Dann stieg er die ausgetretenen Stufen zu Chanutes Gästezimmern hinauf. Jacob hatte vor Jahren eins gemietet, um seine wenigen Besitztümer in Sicherheit zu wissen, wenn er auf Schatzsuche war. Es gab keinen Ort, den er Zuhause nannte, weder in dieser noch in der anderen Welt. Er sehnte sich stets nach unbekannten Orten, Geheimnissen, die auf Entdeckung warteten, Schätzen, die darauf harrten, gefunden zu werden … Es gab so viel, was er noch nicht gesehen hatte. Mit Fuchs an seiner Seite zu reisen – nur das fühlte sich wie Zuhause an.

Ein Tischleindeckdich, ein Gläserner Schuh, der Goldene Ball einer Prinzessin – die meisten Schätze, die Jacob in dieser Welt fand, verkaufte er an Könige oder Kaiserinnen oder an reiche Männer und Frauen, deren Wünsche nur Zauberei erfüllen konnte. Einige aber hatte er für sich selbst behalten und bewahrte sie in der schlichten Kammer unter Chanutes Dach auf. Die Truhe, die Jacob unter dem Bett hervorzog, hatte ein Troll angefertigt, der für seine Tischlerkünste berühmt war, und die Schätze, die seine meisterlichen Schnitzkünste bewachten, waren das Werkzeug für Jacobs Handwerk. Nun würden sie ihm helfen müssen, seinen Bruder zu retten.

Das Taschentuch, das er als Erstes aus der Truhe nahm, war aus einfachem Leinen, aber wenn man es zwischen den Fingern rieb, brachte es zuverlässig ein bis zwei Goldtaler hervor. Jacob hatte es vor Jahren von einer Hexe bekommen, für einen Kuss, der ihm noch Wochen auf den Lippen gebrannt hatte. Die anderen Dinge, die er in seinem Rucksack verstaute, sahen ebenso unscheinbar aus: eine silberne Schnupftabakdose, ein Schlüssel aus Messing, ein Zinnteller und ein Fläschchen aus grünem Glas. Doch jedes einzelne hatte ihm schon mehr als einmal das Leben gerettet.

Die Schankstube war leer, als Jacob wieder die Treppe hinunterstieg. Chanute saß an einem der Tische. Er schob Jacob einen Becher Wein hin, als er sich zu ihm setzte.

»Also? In welchem Dreck steckst du diesmal?« Chanute warf dem Wein einen begehrlichen Blick zu. Er selbst hatte nur ein Glas Wasser vor sich stehen. Früher war er so oft betrunken gewesen, dass Jacob die Flaschen vor ihm versteckt hatte, obwohl er dafür häufig mit blauen Flecken oder zersprungenen Lippen bezahlt hatte. Chanute hatte ihn oft geschlagen, auch in nüchternem Zustand – bis Jacob ihn eines Tages mit seiner eigenen Pistole bedroht hatte. Albert Chanute war auch in der Höhle des Menschenfressers betrunken gewesen. Vermutlich hätte er seinen Arm behalten, hätte er damals geradeaus sehen können. Aber danach hatte er das Trinken aufgegeben. Albert Chanute war ein lausiger Vaterersatz gewesen, aber ein sehr guter Lehrer und an den meisten Tagen sogar ein Freund, und Jacob hatte sich schon zahllose Male Rat bei ihm geholt, aber bislang hatte nicht das Leben seines Bruders auf dem Spiel gestanden.

»Was würdest du tun, wenn einer deiner Freunde die Klauen der Goyl zu spüren bekommen hätte?«

Chanute verschluckte sich an seinem Wasser und musterte Jacob, als wollte er sichergehen, dass er nicht von sich selbst sprach.

»Wer ist es?«, grunzte er. »Der Soldat, mit dem du den Blaubart gejagt hast? Oder der mit dem Rattenschwanz, oben in Albion?«

Jacob schüttelte den Kopf. »Du kennst ihn nicht.«

»Natürlich. Jacob Reckless liebt es geheimnisvoll! Wie konnte ich das vergessen?«, spottete Chanute, aber er klang gekränkt. Jacob hatte manchmal den Verdacht, dass Chanute ihn als den Sohn betrachtete, den er nie gehabt hatte. »Wann haben sie ihn erwischt?«

»Vor vier Tagen.«

Die Goyl hatten sie unweit eines Dorfes angegriffen, in dem Jacob nach dem Stundenglas gesucht hatte. Er hatte unterschätzt, wie weit ihre Stoßtrupps schon in kaiserliches Gebiet vordrangen, und Will hatte nach dem Angriff solche Schmerzen gehabt, dass sie Tage für den Rückweg gebraucht hatten. Zurück, wohin? Es gab kein Zurück mehr, aber Jacob hatte nicht das Herz gehabt, Will das zu sagen.

Chanute fuhr sich durch das borstige graue Haar. »Vier Tage? Vergiss es. Dann ist er schon halb einer von ihnen. Erinnerst du dich noch an die Zeit, in der die Kaiserin sie in allen Farben gesammelt hat und dieser Bauer uns einen Toten als Onyx andrehen wollte, dem er die Mondsteinhaut mit Lampenruß gefärbt hatte?«

Ja, Jacob erinnerte sich. Die Steingesichter. So hatte man sie damals noch genannt und Kindern Geschichten über sie erzählt, damit sie sich nachts nicht aus dem Haus zu stehlen trauten. Auf seinen Reisen mit Chanute hatte er oft Goyljagden gesehen. Aber nun hatten sie einen König und er hatte aus den Gejagten Jäger gemacht.

Neben der Hintertür raschelte es und Chanute zog sein Messer. Er warf es so schnell, dass er die Ratte im Sprung an die Wand nagelte.

»Diese Welt geht zugrunde«, knurrte er und schob den Stuhl zurück. »Die Ratten werden groß wie Hunde. Auf der Straße stinkt es wie in einer Trollhöhle von all den Fabriken und die Goyl stehen nur ein paar Meilen von hier.«

Er hob die tote Ratte auf und warf sie auf den Tisch.

»Es gibt nichts, was gegen das Steinerne Fleisch hilft. Aber wenn es mich erwischt hätte, würde ich zu einem Hexenhaus reiten und im Garten nach einem Busch mit schwarzen Beeren suchen. Allerdings muss es der Garten einer Kinderfresserin sein.«

»Ich dachte, die wären alle nach Lothringen gezogen, seit die anderen Hexen sie jagen.«

Chanute wischte das blutige Messer an seinem Ärmel ab.

»Ihre Häuser sind noch da. Die Büsche wachsen dort, wo sie die Knochen ihrer Opfer vergraben haben. Die Beeren sind das stärkste Gegenmittel gegen Flüche, von dem ich weiß.«

Hexenbeeren. Jacob musterte die Ofentür, die an der Wand hing. »Die Hexe im Schwarzen Wald war eine Kinderfresserin, oder?«

»Sie war eine der schlimmsten. Ich hab in ihrem Haus mal nach einem dieser Kämme gesucht, die dich in eine Krähe verwandeln, wenn du sie ins Haar steckst.«

»Ich weiß. Du hast mich vorgeschickt.«

»Tatsächlich?« Chanute rieb sich die fleischige Nase. Er hatte Jacob weisgemacht, dass die Hexe ausgeflogen war.

»Du hast mir Schnaps auf die Wunden gegossen.« Man sah die Abdrücke ihrer Finger immer noch an seinem Nacken. Es hatte Wochen gedauert, bis die Brandwunden geheilt waren.

Jacob warf sich den Rucksack über die Schulter. »Ich brauch ein Packpferd, Proviant, zwei Flinten und Munition.«

Chanute schien ihn nicht gehört zu haben. Er starrte auf seine Trophäen. »Gute alte Zeiten«, murmelte er. »Die Kaiserin hat mich drei Mal empfangen. Höchstpersönlich! Auf wie viele Audienzen hast du es gebracht?«

Jacob rieb das Tuch in seiner Tasche, bis er zwei Goldtaler zwischen den Fingern hielt.

»Zwei«, sagte er und warf die Taler auf den Tisch. Er brachte es inzwischen auf sechs Audienzen mit der Kaiserin, aber Chanute machte die Lüge sehr glücklich.

»Steck das Gold wieder ein!«, knurrte er. »Ich nehm kein Geld von dir.«

»Hier«, sagte er und hielt Jacob sein Messer hin. »Es gibt nichts, was diese Klinge nicht zerschneidet. Ich hab so eine Ahnung, dass du sie nötiger brauchen wirst als ich.«

6

WAHRHEIT ODER LÜGE

Vorräte für zwei Wochen, ein Packpferd und zwei Reitpferde für ihn und Will … Obwohl Jacob nicht sicher war, dass sein Bruder mit den Schmerzen, die er hatte, würde reiten können. Munition. Ja, er hatte reichlich davon gekauft und eine zusätzliche Flinte. *Was denkst du, was hier mit ihm passieren wird?* Von nun an würde jeder, der ihnen begegnete, ob Mensch oder Goyl, ihr Feind sein. Ein Menschengoyl hatte keine Freunde und so würde man seinen Bruder von nun an nennen.

Jacob hatte Will einen Umhang mit einer Kapuze gekauft, damit er sein Gesicht verbergen konnte, falls die Jade sich auch dort zeigte. Falls? Das Steinerne Fleisch wuchs schnell.

Auf dem Weg zurück zu der Ruine versuchte Jacob, Worte zu finden, die Will schonend klarmachten, dass er nicht nach Hause zurückkehren konnte. Für Will hatte es nie einen Zweifel gegeben, wo das war. Soweit Jacob wusste, hatte sein jüngerer Bruder sich nie nach anderen Orten gesehnt, danach, alles Vertraute hinter sich zu lassen ... Sollte er ihm von dem Lebkuchenhaus erzählen? Oder Will endlich erklären, was mit ihm passierte? Nein. Er brachte es einfach nicht übers Herz. Wahrheit oder Lüge ... Er hatte immer die Lüge gewählt, um seinem kleinen Bruder unangenehme Wahrheiten zu ersparen. Seine Mutter hatte dasselbe getan. *Erzähl Will nichts davon!* Aber es war Will gewesen, der ihr beim Sterben zugesehen hatte.

Was wirst du tun, Jacob?

Lügen.

Ja, fürs Erste würde er weiterlügen.

Aber als er die Pferde durch die verwitterten Tore der Ruine führte, war Will fort.

»Ich hab versucht, ihn aufzuhalten, aber er ist so stur wie du.« Die Füchsin erschien wie immer ohne einen Laut zwischen den verkohlten Mauern. Die Nacht färbte ihr das Fell schwarz.

Verdammt, Jacob, was hast du erwartet? Er hätte Will mit nach Schwanstein nehmen sollen.

Er band die Pferde unter den Bäumen fest und hastete auf den Turm zu.

Der Efeu wuchs so dicht an den Mauern hinauf, dass die immergrünen Ranken den Eingang wie ein Vorhang verdeckten. Der Turm und die Kapelle weiter unten am Hang waren die einzigen Teile des Schlosses, die das Feuer fast unbeschadet überstanden hatten.

»Will?«

Es kam keine Antwort. Seine Stimme scheuchte nur ein paar Fledermäuse auf. Die Strickleiter, die Jacob angebracht hatte, um die verbrannte Treppe zu ersetzen, schimmerte silbrig in der Dunkelheit. Die Graselfen hinterließen gern ihren Staub darauf.

Das Turmzimmer war erfüllt vom Licht des roten Mondes, als Jacob sich durch die Bodenluke schob. Es färbte das Glas des Spiegels und zeichnete die Silhouette seines Bruders in die Nacht.

Will war nicht allein.

Das Mädchen löste sich aus seinen Armen, sobald sie Jacob hinter sich hörte. Sie war noch hübscher als auf den Fotos, die Will ihm gezeigt hatte.

»Hast du den Verstand verloren?« Jacob spürte den eigenen Ärger wie Frost auf der Haut. »Du hast es ihr erzählt?«

In all den Jahren hatte Jacob oft erwogen, den Spiegel vom Arbeitszimmer seines Vaters an einen Ort zu bringen, den nur er kannte, aber er hatte sich stets dagegen entschieden, aus Furcht, dass er seinen Zauber verlieren könnte. Furcht war nie ein guter Grund.

»Clara.« Will sprach ihren Namen aus, als hätte er Perlen auf der Zunge. Er hatte die Liebe schon immer zu ernst genommen. »Das ist mein Bruder. Jacob.«

Jacob wischte sich den Elfenstaub von den Händen. Er bescherte süße Träume, wenn man ihn einatmete.

»Schick sie zurück. Sofort.«

Was hast du erwartet, Jacob? Will hatte die ganze Zeit von ihr gesprochen. Sein Name war das Erste gewesen, was ihm über die Lippen gekommen war, nachdem die Goyl ihn verletzt hatten. Aber Jacob wünschte sich nur einen der verzauberten Säcke herbei, in denen der König von Lothringen seine Feinde verschwinden ließ.

Sie hatte Angst, aber sie gab sich Mühe, sie zu verbergen. Angst vor dem Ort, den es nicht geben konnte, vor dem roten Mond – *und vor dir, Jacob.* Sie schien überrascht, dass er tatsächlich existierte. Wills älterer Bruder. Er kam ihr vermutlich so unwirklich vor wie die Welt, in die sie geraten war.

»Was ist das in deiner Haut?« Sie zeigte auf Wills Arm. Ah, sie kam gleich zur Sache. »Ich habe so einen Ausschlag noch nie gesehen!«

41

Natürlich. Studentin der Medizin ... Du willst die Antwort nicht wissen, dachte Jacob. *Ebenso wenig wie Will.* Wie sie seinen Bruder anblickte. Sie war genauso liebeskrank wie Will. So liebeskrank, dass sie ihm in eine andere Welt gefolgt war.

Warum schickte er sie nicht einfach beide zurück? Wer weiß, vielleicht wirkten Feenflüche auf der anderen Seite nicht. Schließlich hatten alle Zauberdinge, die Jacob durch den Spiegel gebracht hatte, ihre magischen Eigenschaften dort sofort verloren. Aber er wusste, dass das diesmal nicht so sein würde. Will würde das Steinerne Fleisch mit sich nehmen.

Aus dem Dachstuhl über ihnen war ein Scharren zu hören und ein hageres Gesicht lugte von einem der Balken auf sie herab. Die Zähne des Stilzes waren immer noch so scharf und gelb wie in der Nacht, in der sie sich in Jacobs Hand gegraben hatten. Er hatte mehrmals versucht, ihn zu vertreiben, aber bislang ohne Erfolg. Sein hässliches Gesicht verschwand hastig hinter den Spinnweben, als Jacob die Pistole zog. Es war einer der alten Revolver aus der Sammlung seines Vaters, aber Jacob hatte das altmodische Gehäuse von einem Waffenschmied in New York mit dem Innenleben einer modernen Pistole ausstatten lassen.

Clara starrte entgeistert hinauf zu dem Stilz und dann auf die Pistole.

»Schick sie nach Hause, Will.« Jacob schob die Waffe zurück in den Gürtel. »Ich sag es nicht noch mal.«

»Kann ich mit ihr gehen? Wir sind hierhergekommen, um zurückzugehen, oder?«

»Noch nicht. Wir müssen erst noch etwas finden.«

Will erwiderte Jacobs Blick mit derselben stillen Hartnäckigkeit, mit der er ihm schon als Kind widerstanden hatte. Will wusste allzu gut, wie sehr sein älterer Bruder ihn liebte – selbst wenn er so zornig auf ihn war wie jetzt. Aber schließlich wandte er sich zu Clara um.

»Er hat recht«, hörte Jacob ihn flüstern. »Ich komme bald nach. Es wird verschwinden, du wirst sehen. Jacob findet einen Weg. Das tut er immer.«

Nichts hatte dieses Vertrauen in seinen älteren Bruder je erschüttern können, nicht einmal all die Jahre, in denen Will ihn kaum je zu Gesicht bekommen hatte. Dafür hatte Jacob ihn zu oft auf Schulhöfen und Spielplätzen beschützt, Will und die verletzten Vögel und streunenden Hunde, die er überall aufsammelte. Oder seine Freunde, die ebenso sanft und taubenäugig waren wie er und so leicht Opfer von weniger netten Exemplaren der menschlichen Rasse wurden. »Ich hol meinen Bruder! Der hat keine Angst! Jacob hat vor gar nichts Angst!«

Jeder fürchtet sich vor etwas. Aber solche Wahrheiten gesteht man seinem kleinen Bruder nicht. Ebenso wenig wie die, dass er in die falsche Welt gestolpert war und bald eine Haut aus Stein haben würde. Oder dass sein älterer Bruder ihn diesmal vielleicht nicht würde beschützen können.

»Komm, lass uns gehen.« Jacob wandte sich um und ging auf die Bodenluke zu.

»Geh zurück, Clara. Bitte!«, hörte er Will sagen.

Jacob stand bereits am Fuß der Strickleiter, als Will endlich nachkam. Er kletterte so zögernd, als wollte er niemals unten ankommen. Als er endlich an Jacobs Seite stand, starrte er erst auf den Elfenstaub an seinen Händen und dann hinauf zu der offenen Luke.

»Ich musste sie anrufen. Ich bin nur dafür noch mal zurückgegangen. Sie hatte seit Wochen nichts von mir gehört! Ich hab nicht damit gerechnet, dass sie mir nachkommt!«

Das war eine Lüge. Will war schon immer ein miserabler Lügner gewesen. Jacob war sicher, dass er in den Spiegel gestarrt und auf

Clara gewartet hatte. Hatte er nach den ersten Spuren von Jade in seinem Gesicht gesucht?

Fuchs wartete bei den Pferden. Es gefiel ihr nicht, dass Will mit ihm zurückkam.

Niemand kann ihm helfen. Ihr Blick sagte es immer noch.

Wir werden sehen, Fuchs.

Die Pferde waren unruhig. Sie witterten den Stein und wichen vor Will zurück. Eine neue Erfahrung für ihn. Will schloss gewöhnlich mit jedem Geschöpf Freundschaft. Als Kind hatte er bittere Tränen über die vergifteten Ratten im Park vergossen.

»Wohin reiten wir?« Er blickte zum Turm hinauf.

Jacob gab ihm eine der Flinten. »Zum Schwarzen Wald.«

Fuchs hob den Kopf.

Ja, ich weiß, Fuchs. Nicht einer unserer Lieblingsorte.

Jacobs Stute gefiel das Ziel auch nicht. Sie stieß ihm die Schnauze in den Rücken. Er hatte Chanute den Verdienst eines ganzen Jahres für sie bezahlt und sie war jeden Taler wert.

»In den Schwarzen Wald?« Fuchs setzte sich neben ihn. »Mit deinem milchgesichtigen Bruder? War das Chanutes Idee?«

Jacob kam nicht dazu, zu antworten. Die Füchsin ließ ein Knurren hören.

Der Efeu vor dem Eingang des Turmes bewegte sich. Clara schob sich durch die Ranken und musterte ungläubig die verrußten Mauern, die Pferde, die Füchsin …

Nein.

Wills Gesicht hellte sich auf, aber dann blickte er zu Jacob hinüber. Nein, Will war sich auch nicht sicher, ob er sie hierhaben wollte. Er wusste inzwischen allzu gut, wie gefährlich diese Welt war.

Clara blickte Jacob an. Sie wusste, wen sie davon überzeugen musste, dass es besser war, wenn sie blieb.

»Ich geh nicht zurück.«

Sie lauschte besorgt, als ein Wolf in der Ferne heulte. Aber sie rührte sich nicht.

»Bitte!« Sie sah immer noch Jacob an, nicht Will. »Er braucht mich. Und ich muss wissen, was geschehen ist.«

Fuchs musterte sie wie ein fremdartiges Tier. Die Frauen in ihrer Welt trugen lange Kleider und steckten sich das Haar hoch oder flochten es wie Bauerntöchter. Claras Haar war fast so kurz wie das eines Jungen.

Will zog sie mit sich. Für einen Augenblick erinnerte Claras Gesicht Jacob an das ihrer Mutter. Warum hatte er ihr nie von dem Spiegel erzählt? Lügen auch da. Sie waren ihm immer zu leichtgefallen. Manchmal war die Wahrheit das Einzige, was ihm Angst machte. Sie auszusprechen. Oder ihr ins Gesicht zu sehen. Vielleicht hätte diese Welt seiner Mutter wenigstens etwas von ihrer Traurigkeit vom Gesicht gewischt.

Zu spät, Jacob. Viel zu spät.

Ein zweiter Wolf heulte. Sie waren gewöhnlich sehr friedlich, aber es gab neuerdings ein paar braune Wölfe weiter unten auf dem Hügel, und die ließen sich gern etwas Menschenfleisch schmecken.

Will redete immer noch auf Clara ein.

»Wir sollten aufbrechen.« Fuchs sah ihn auffordernd an. Augen aus Bernstein. »Nimm sie mit.«

»Was? Sie wird uns nur aufhalten!« Und er musste Fuchs nicht erklären, dass seinem Bruder die Zeit davonlief. Auch wenn er Will das noch klarmachen musste.

Fuchs wandte sich um.

»Nimm sie mit!«, sagte sie noch einmal. »Dein Bruder wird sie brauchen. Oder traust du meiner Nase nicht mehr?«

45

7

DAS HAUS DER HEXE

Der Schwarze Wald hatte schon viele Menschen verschluckt, die unter seinen Bäumen nach Schätzen gesucht hatten. Nach Schätzen, einem heilenden Kraut oder dunklerem Zauber – einem Liebestrank vielleicht oder einer Wurzel, die, auf die Türschwelle gelegt, einem ungeliebten Nachbarn den Tod brachte. Der Schwarze Wald war alt, sehr alt. Er war ein fast undurchdringliches Dickicht aus Wurzeln, Dornen und Blättern, moosbedeckten Baumriesen und jungen Bäumen, die sich nach dem Licht streckten, mit Farnen so hoch, dass man sich unter ihren Wedeln verlaufen konnte, Irrlichterschwärmen über fauligen Tümpeln und Lichtungen, auf denen Fliegenpilze in giftigen Kreisen aus der feuchten Erde trieben …

Jacob war zum letzten Mal vor vier Monaten unter die finsteren Bäume geritten, um dort nach einem Menschenschwan zu suchen, der ein Hemd aus Nesseln über den Federn trug. Aber die Stacheln einer Fieberdistel hatten ihn nach sechs schlaflosen Nächten gezwungen, die Suche aufzugeben.

Sie erreichten den Waldrand erst um die Mittagszeit, weil Will erneut Schmerzen hatte. Die Jade hatte sich über seinen ganzen Hals ausgebreitet, aber Clara tat, als sähe sie sie nicht. Liebe macht blind. Sie schien das Sprichwort beweisen zu wollen. Sie wich nicht von Wills Seite und schlang die Arme um ihn, wenn der Stein wieder zu wachsen begann und er sich im Sattel krümmte. Nur wenn sie sich unbeobachtet fühlte, sah Jacob die eigene Angst auch auf ihrem Gesicht. Auf ihre Frage, was er über den Stein wusste, hatte er ihr dieselben Lügen erzählt wie seinem Bruder: dass sich nur Wills Haut veränderte und es in dieser Welt etliche Zauber gab, die den jadefarbenen Ausschlag heilen konnten. Es war nicht schwer gewesen, ihr das weiszumachen. Wie Will glaubte sie ihm nur allzu gern jede tröstliche Lüge, die er ihnen erzählte.

Clara ritt besser als erwartet. Jacob hatte unterwegs auf einem Markt ein Kleid für sie gekauft, aber sie hatte es ihn gegen Männerkleider eintauschen lassen, nachdem sie vergebens versucht hatte, mit dem weiten Rock auf das Packpferd zu steigen. Ein Mädchen in Männerkleidern und die Jade in Wills Haut – Jacob war froh, als sie endlich unter die Bäume ritten, obwohl er wusste, was dort auf sie wartete.

Rindenbeißer, Pilzler, Fallensteller, Krähenmänner – der Schwarze Wald hatte viele unangenehme Bewohner, auch wenn die Kaiserin seit Jahren versuchte, ihm seinen Schrecken zu nehmen. Trotz der Gefahren gab es einen regen Handel mit den Hörnern, Zähnen, Häuten und anderen Körperteilen seiner Bewohner. Jacob hatte nie auf die Art sein Geld verdient, aber es gab viele, die gut davon lebten: fünfzehn Silbertaler für einen Pilzler (zwei Taler Zuschlag, wenn er Fliegenpilz-Gift spuckte), dreißig für einen Rindenbeißer (nicht allzu viel angesichts der Tatsache, dass diese Jagd leicht mit dem Tod endete) und vierzig für einen Krähenmann (der es immerhin nur auf die Augen abgesehen hatte).

Viele Bäume verloren bereits ihr Laub, aber das Blätterdach über ihnen war immer noch so dicht, dass der Tag sich in herbstgeschecktem Zwielicht verlor. Sie mussten die Pferde schon bald führen, weil sie sich immer öfter in dem dornigen Unterholz verfingen. Jacob hatte Will und Clara angewiesen, die Bäume nicht zu berühren. Aber die schimmernden Perlen, die ein Rindenbeißer als Köder auf einer Eiche hatte sprießen lassen, ließen Clara seine Warnung vergessen. Jacob konnte ihr den garstigen Wicht gerade noch rechtzeitig vom Handgelenk pflücken, bevor er ihr in den Ärmel kroch.

»Sieh ihn dir genau an«, sagte er und hielt Clara den Rindenbeißer so dicht vor die Augen, dass sie die scharfen Zähne zwischen den borkigen Lippen sah. »Sein erster Biss macht dich schwindelig. Der zweite lähmt dich, aber du bist bei vollem Bewusstsein, während seine ganze Sippschaft anfängt, sich an deinem Blut satt zu trinken. Glaub mir, es ist keine angenehme Art, zu sterben.«

Von da an war sie vorsichtig. Als sich das taufeuchte Netz eines Fallenstellers vor ihnen über den Weg spannte, war sie es, die Will rechtzeitig zurückzerrte, und sie scheuchte sogar die Goldraben fort, die ihnen Flüche in die Ohren krächzen wollten.

Der Wald gab sich alle Mühe, dass sie sich zwischen seinen Bäumen verloren, aber Fuchs ließ sich auf sein Spiel nicht ein. Die Irrlichter, die in dichten Schwärmen zwischen den Ästen hingen, hatten Jacob mit ihrem Summen schon oft hoffnungslos in die Irre gelockt, aber die Füchsin schüttelte sie sich aus dem Fell wie lästige Fliegen und führte sie weiter in den Teil des Waldes, in dem einst die kinderfressende Hexe gehaust hatte.

Nach drei Stunden tauchte zwischen Eichen und Eschen der erste

Hexenbaum auf, und Jacob warnte Clara und Will gerade vor den Zweigen, die allzu gern nach Menschenaugen stachen, als Fuchs abrupt stehen blieb.

Das Geräusch ertrank fast in dem Summen der Irrlichter. Es klang wie das Schnippschnapp einer Schere. Kein allzu bedrohliches Geräusch. Will und Clara bemerkten es nicht einmal. Aber das Fell der Füchsin sträubte sich und Jacob legte die Hand an den Säbel. Nur ein Bewohner dieses Waldes machte ein solches Geräusch, und er war der einzige, dem Jacob auf keinen Fall begegnen wollte.

»Wie weit ist es noch bis zu dem Haus?«, flüsterte er Fuchs zu.

Schnippschnapp. Er kam näher.

»Wir müssen schneller gehen«, flüsterte Fuchs zurück.

Das Schnippen verstummte, aber die plötzliche Stille klang ebenso bedrohlich. Kein Vogel sang. Selbst die Irrlichter waren verschwunden. Fuchs warf einen besorgten Blick zwischen die Bäume, bevor sie so hastig weiterhuschte, dass die Pferde in dem dichten Unterholz kaum nachkamen.

Der Wald wurde dunkler, und Jacob zog eine Taschenlampe aus der Satteltasche, obwohl er es meist vermied, Dinge aus der anderen Welt zu benutzen. Sie mussten immer öfter den Hexenbäumen ausweichen, Schwarzdorn ersetzte die Eschen und Eichen, Tannen erstickten das spärliche Licht zwischen schwarzgrünen Nadeln und dann … sahen sie das Hexenhaus hinter den Bäumen auftauchen.

Die Pferde scheuten bei dem Anblick. Sie konnten sie kaum dazu bringen, weiterzugehen. Als Jacob vor Jahren mit Chanute hergekommen war, hatten die Dachschindeln so rot durch die Bäume geleuchtet, als hätte die Hexe sie mit Kirschsaft gefärbt. Jetzt waren sie mit Moos bedeckt, und von den Fenstern blätterte die Farbe, aber an den Mauern und auf dem spitzgiebligen Dach klebten immer noch ein paar Kuchen. Von der Regenrinne und den Fensterbänken hingen Zapfen aus Zuckerguss, und das ganze Haus roch nach Zimt und Honig, wie es sich für eine Kinderfalle gehörte. Die Hexen hatten oft versucht, die Kinderfresserinnen aus ihrer Sippe zu verstoßen, und vor zwei Jahren hatten sie ihnen schließlich den Krieg erklärt. Die Hexe, die im Schwarzen Wald ihr Unwesen getrieben hatte, war von ihren Schwestern dazu verurteilt worden, den Rest ihres Daseins als Warzenkröte in einem morastigen Tümpel zu verbringen. Jacob fand, dass das eine sehr milde Strafe war. Er erinnerte sich noch allzu gut daran, wie sie ihn mit ihren heißen Fingern gepackt hatte, aber er hatte sich von dem Geld, das der Kamm eingebracht hatte, den er in Chanutes Auftrag gestohlen hatte, sein erstes Pferd gekauft.

An dem schmiedeeisernen Zaun, der das Haus umgab, klebten immer noch die Überreste von ein paar bunten Zuckerstangen. Jacobs Stute zitterte, als er sie durch das Tor führte. Der Zaun eines Lebkuchenhauses ließ jeden ein, aber es war weit weniger leicht, wieder herauszukommen. Chanute hatte das Tor bei ihrem Besuch damals weit offen stehen lassen, doch der, der ihnen folgte, machte Jacob mehr Sorge als das verlassene Hexenhaus. Als er das Tor hinter Clara schloss, war das Schnippen erneut deutlich zu hören, und diesmal klang es fast zornig. Aber wenigstens kam es nicht näher. Fuchs warf Jacob einen erleichterten Blick zu. Es war, wie sie gehofft hatten: Ihr Verfolger war kein Freund der Hexe gewesen.

»Was, wenn er auf uns wartet?« Fuchs fasste Jacobs Gedanken wie so oft in Worte.

Ja, was dann, Jacob? Es war ihm gleich. Solange nur der Busch, den Chanute ihm beschrieben hatte, noch hinter dem Haus wuchs – und ein paar Beeren an den Zweigen trug.

Will führte die Pferde zum Brunnen. Sie hatten sich an die Goylwitterung gewöhnt. Vielleicht rochen sie Wills Sanftmut darunter. Oder die Drohung des Hexenhauses ließ sie die Jade vergessen. Will

musterte das Haus wie eine giftige Pflanze. Aber Clara strich über den Zuckerguss, als könnte sie nicht glauben, dass das, was sie sah, wirklich war.

Knusper, knusper, Knäuschen, wer knuspert an meinem Häuschen …

Welche Version der Geschichte hatte Clara gehört?

Da packte sie Hänsel mit ihrer dürren Hand und trug ihn in einen kleinen Stall und sperrte ihn mit einer Gittertüre ein: Er mochte schreien, wie er wollte. Es half ihm nichts.

»Pass auf, dass sie nicht von den Kuchen isst«, sagte Jacob zu Fuchs. Und machte sich auf die Suche nach den Beeren.

Hinter dem Haus wuchsen die Nesseln so hoch, dass es aussah, als stünden sie Wache um den Garten der Hexe. Sie verbrannten Jacob die Haut, als er sich seinen Weg durch sie hindurchbahnte, aber die Belohnung wuchs gleich hinter ihnen, zwischen Schierling und Tollkirschen: ein unscheinbarer Busch mit gefiederten Blättern. Jacob füllte sich die Hand mit den schwarzen Beeren, als er Schritte hinter sich hörte.

Clara stand zwischen den verwilderten Beeten.

»Eisenhut. Schattenblumen. Schierlingskraut … Die Hexen benutzten also tatsächlich all die Pflanzen, die man mit ihnen verbindet.«

Jacob fragte sich, ob sie sich als Medizinstudentin mit Hexenpflanzen beschäftigt hatte oder ob sie sie aus den Märchenbüchern ihrer Kindheit kannte. Will hatte ihm erzählt, wie er ihr im Krankenhaus begegnet war, in dem ihre Mutter behandelt wurde. *Als du nicht da warst, Jacob.* Er war nicht sicher, wonach er gerade gesucht hatte, als sie krank geworden war. Nach dem Goldenen Ball einer Prinzessin, soweit er sich erinnerte.

Er richtete sich auf. »Das hier sind fast alles Pflanzen, die man nur in den Gärten von Kinderfresserinnen findet. Die weißen Hexen ziehen andere Kräuter, und falls sie diese hier pflanzen, dann wissen sie, wie sie sie zum Heilen benutzen.«

Aus dem Wald war wieder das Schnippen zu hören.

Jacob füllte Clara die Hände mit den schwarzen Beeren, für die sie gekommen waren. »Ich glaube nicht, dass man Medizinstudenten in unserer Welt etwas über diese Beeren beibringt. Will muss mindestens ein Dutzend essen. Wenn die Sonne aufgeht, sollten sie gewirkt haben. Überrede ihn, sich im Haus schlafen zu legen. Er hat seit Tagen kaum ein Auge zugemacht.«

Goyl brauchten wenig Schlaf. Einer der vielen Vorteile, die sie Menschen gegenüber hatten.

Clara blickte auf die Beeren in ihrer Hand. Sie hatte tausend Fragen auf den Lippen, aber sie stellte sie nicht. Die Geschichten, die Will ihr über Jacob erzählt hatte, waren die Erinnerungen eines Jungen, der seinen älteren Bruder bewunderte, ohne ihn wirklich zu kennen. Die zwei waren so verschieden, dass man kaum glauben konnte, dass sie dieselbe Mutter hatten. Und denselben Vater. Vielleicht träumte sie die beiden nur. Vielleicht war sie über einem ihrer alten Märchenbücher eingeschlafen. Sie hatte die Geschichten in ihnen als Kind zugleich verabscheut und geliebt, sie waren so seltsam und so anders als die in ihren anderen Büchern gewesen. *Wach auf, Clara!*, befahl sie sich, denn die Hand, die sie aus schlimmen Träumen geweckt hatte, war schon lange fort. Aber das Lebkuchenhaus verschwand nicht, ebenso wenig wie die tödlichen Kräuter der Hexe oder Wills Bruder, so viel dunkler als er, wild wie die Füchsin, die ihm folgte …

Clara drehte sich um und lauschte. Diesmal hatte sie das Schnippen auch gehört.

»Was ist das?«, fragte sie.

»Sie nennen ihn den Schneider. Er traut sich nicht über den Zaun der Hexe, aber wir können nicht fort, solange er da ist. Ich werde versuchen, ihn zu vertreiben.« Jacob zog den Schlüssel aus der Tasche, den er aus der Truhe in Chanutes Gasthaus genommen hatte. »Der Zaun wird euch nicht wieder hinauslassen, aber dieser Schlüssel öffnet jede Tür. Ich werde ihn übers Tor werfen, sobald ich draußen bin, für den Fall, dass ich nicht zurückkomme. Fuchs wird euch zu der Ruine zurückbringen. Aber schließ das Tor nicht auf, bevor es hell wird.«

Clara hatte erneut tausend Fragen. Aber sie wusste, dass Jacob ihr keine von ihnen beantworten würde.

»Lass Will nicht in dem Zimmer mit dem Ofen schlafen«, sagte er zu ihr. »Die Luft darin beschert finstere Träume. Und pass auf, dass er mir nicht nachkommt.«

»Ich versprech es«, sagte sie. *Wenn du versprichst, dass du zurückkommst,* setzte sie in Gedanken hinzu.

Brüder. Clara hatte keine Geschwister, aber sie erinnerte sich an all die Geschichten, die Will ihr darüber erzählt hatte, wie Jacob ihn als Kind beschützt hatte und dass sein älterer Bruder sich vor nichts fürchtete. Vor nichts und vor niemandem. Aber Jacob fürchtete sich vor der Kreatur, die sich zwischen den Bäumen verbarg. Clara sah es ihm an, obwohl er sehr gut darin war, zu verbergen, was in seinem Innern vorging.

Will stand immer noch am Brunnen. Als er auf Clara zuging, stolperte er vor Müdigkeit. Er aß die Beeren, ohne zu zögern. Der Zauber, der alles heilt. Schon als Kind hatte er viel leichter an solche

Wunder geglaubt als Jacob. Man sah ihm an, wie erschöpft er war, und er ließ sich ohne Protest von Clara in das Lebkuchenhaus ziehen.

Jacob wartete, bis sie beide hinter der mit Zuckerguss bestrichenen Tür verschwunden waren. Hinter den Bäumen ging die Sonne unter und der rote Mond hing über dem Dach der Hexe wie ein blutiger Fingerabdruck. Wenn die Sonne ihn ablöste, würde die Jade in der Haut seines Bruders nur noch ein böser Traum sein. Falls die Beeren wirkten.

Falls.

Jacob trat an den Zaun und blickte in den Wald.

Schnippschnapp.

Ihr Verfolger war noch da. Natürlich. Er hatte den Ruf, ein ausdauernder Jäger zu sein.

Fuchs folgte Jacob mit den Augen, als er auf die Stute zuging und Chanutes Messer aus der Satteltasche zog. Gegen den, der da draußen wartete, halfen keine Kugeln. Angeblich machten sie den Schneider sogar stärker.

Die aufziehende Nacht erfüllte den Wald mit tausend Schatten, und Jacob glaubte, zwischen den Bäumen eine dunkle Gestalt stehen zu sehen. Er sah nicht so hochgewachsen aus, wie die Geschichten es behaupteten. *Wenigstens wird er dir die Wartezeit bis zum Morgen verkürzen, Jacob.* Er schob sich das Messer in den Gürtel und zog erneut die Taschenlampe aus dem Rucksack. Fuchs folgte ihm, als er auf den Zaun zuging.

»Du kannst nicht da raus. Es wird dunkel. Warte wenigstens bis zum Morgen.«

»Und dann?«

»Vielleicht ist er bis dahin fort!«

»Warum sollte er?«

Das Zauntor sprang auf, sobald Jacob den Schlüssel in das verros-

tete Schloss schob. Bestimmt hatten schon viele Kinderhände vergeblich daran gerüttelt.

»Du bleibst hier«, sagte er zu Fuchs. »Die Füchsin kann den
Schneider nicht bekämpfen, und falls er so gefährlich ist, wie man
sagt, wirst du Wills einzige Chance sein, lebend aus diesem Wald
herauszufinden.«

»Und? Er ist dein Bruder, nicht meiner«, gab Fuchs zurück und
huschte aus dem Tor.

Jacob kannte sie zu gut, um mit ihr zu streiten. Er legte den Schlüssel gleich neben dem Tor vor den Zaun, warf einen letzten Blick auf
das Haus, in dem sein Bruder schlief, und zog das Tor hinter sich zu.
Dann folgte er Fuchs in den Wald.

8

UNTER DEM DACH DER HEXE

Das erste Zimmer war die Kammer mit dem Ofen. Es roch nach Kuchen und gerösteten Mandeln. Clara zog Will weiter, als er durch die Tür blickte. Im nächsten Zimmer hing über einem zerschlissenen Sessel ein Schal aus roter Seide, bestickt mit einem Muster aus Raben. Das Bett stand im letzten Zimmer. Es war kaum groß genug für sie beide, und die Decken waren mottenzerfressen, aber Will schlief bereits fest, als Jacob draußen das Tor hinter sich zuzog.

Die Jade maserte Will den Hals, wie es draußen die Schatten des Waldes getan hatten. Clara strich sacht über den mattgrünen Stein. So kühl und glatt. So schrecklich und zugleich so schön.

Was würde geschehen, falls die Beeren nicht wirkten? Clara war sicher, dass Jacob die Antwort wusste, aber sie machte ihm noch mehr Angst als die Kreatur, die zu bekämpfen er in den Wald gegangen war.

Das Schlafzimmer einer Hexe. Clara blickte zu der staubbedeckten Lampe hinauf, die an der Decke hing. Ihr weißes Porzellan sah so alltäglich aus, dass sie mit ihrer Gewöhnlichkeit den Schrecken des Hauses nur noch greifbarer machte. Clara konnte kaum atmen, obwohl Will so tief und friedlich neben ihr schlief. Er wachte nicht auf, als sie sich aus seiner Umarmung löste. Eine Motte saß auf seiner Schulter, schwarz wie ein Abdruck der Nacht. Clara scheuchte sie fort. Sie konnte nicht sagen, warum. Sie machte ihr ebenso viel Angst wie das Haus. Alles in dieser Welt machte ihr Angst. Wie konnte Jacob sie der Welt vorziehen, aus der sie kamen? So viel Gefahr, so viel Dunkelheit. All der Zauber, sie wollte ihn nicht. Sie wollte Klarheit, Ordnung, Sicherheit ...

Selbst die Nacht schien nach Zimt und Muskat zu duften, als sie aus dem Haus trat. Die Füchsin war nirgends zu sehen. Natürlich. Sie war mit Jacob gegangen. Das kuchenbedeckte Haus, der rote Mond über den Bäumen – alles, was sie sah, schien so unwirklich, dass sie sich wie eine Schlafwandlerin fühlte. Alles, was sie kannte, war fort. Alles, was sie erinnerte, schien verloren. Das einzig Vertraute war Will, aber ihm wuchs das Fremde schon in der Haut.

Der Schlüssel lag gleich hinter dem Tor, wie Jacob es versprochen hatte. Clara hob ihn auf und strich über das ziselierte Metall. Die Stimmen der Irrlichter füllten die Luft. Ein Rabe krächzte in den Bäumen. Aber Clara horchte auf ein anderes Geräusch: das scharfe Schnippschnapp, das Jacobs Gesicht dunkel vor Sorge gemacht hatte. Welche Kreatur konnte so schrecklich sein, dass sie das Haus einer Kinderfresserin zu einem sicheren Unterschlupf machte? Clara war nicht sicher, ob sie die Antwort wissen wollte.

Schnippschnapp. Da war es wieder. Wie das Schnappen metallischer Zähne. Clara wich von dem Zaun zurück. Lange Schatten wuchsen auf das Haus zu, und sie spürte dieselbe Angst, die sie als

Kind gehabt hatte, wenn sie allein zu Hause gewesen war und Schritte im Treppenhaus gehört hatte.

Sie hätte Will sagen sollen, was sein Bruder vorhatte. Er würde ihr nie verzeihen, falls Jacob nicht zurückkam.

Er würde zurückkommen.

Er musste zurückkommen.

Sie würden nie wieder nach Hause finden ohne ihn.

9

DER SCHNEIDER

Kam er ihnen nach? Jacob ging langsam, damit der Jäger, den sie angelockt hatten, ihm folgen konnte. Aber alles, was er hörte, waren seine eigenen Schritte, das Brechen morscher Zweige unter seinen Stiefeln, das Rascheln von Blättern, während er sich einen Weg durch das Unterholz bahnte. Wo war er? Jacob begann schon zu befürchten, dass sein Verfolger die Angst vor der Hexe vergessen hatte und sich hinter seinem Rücken durch das Tor schlich, als er plötzlich wieder das Schnippen hörte. Es kam aus dem Wald zu seiner Linken. Offenbar stimmte es, was man erzählte: Der Schneider liebte es, mit seinen Opfern Katz und Maus zu spielen, bevor er an sein blutiges Handwerk ging.

Niemand konnte sagen, wer oder was genau der Schneider war. Die Geschichten über ihn waren fast so alt wie der Schwarze Wald. Nur eins wusste jeder: Der tödlichste Bewohner dieses an Schrecken nicht armen Waldes hatte sich seinen Namen dadurch verdient, dass er seine Kleider aus Menschenhaut nähte.

Schnippschnapp, klippklapp. Zwischen den Bäumen öffnete sich eine Lichtung, und Fuchs warf Jacob einen warnenden Blick zu, als aus den Zweigen einer Eiche ein Schwarm Krähen aufflog. Das Klippklapp wurde so laut, dass es selbst ihr Krächzen übertönte, und der Strahl von Jacobs Taschenlampe fand unter der Eiche die Silhouette eines Mannes.

Dem Schneider gefiel der tastende Lichtfinger nicht. Er stieß ein ärgerliches Grunzen aus und schlug danach wie nach einem lästigen Insekt. Aber Jacob ließ das Licht weitertasten: über das bärtige, schmutzverkrustete Gesicht, die grausigen Kleider, die auf den ersten Blick nur nach stümperhaft gebeiztem Tierleder aussahen, und die Hände, die die blutige Arbeit taten. Die Finger der linken endeten in breiten Klingen, jede lang wie die eines Dolches. Die der rechten waren ebenso tödlich, aber schlank und spitz wie riesige Nähnadeln. An beiden Händen fehlte ein Finger – offenbar hatten auch schon andere Opfer versucht, ihre Haut zu verteidigen –, doch der Schneider schien sie nicht weiter zu vermissen. Er ließ seine mörderischen Fingernägel durch die Luft fahren, als schnitte er ein Muster aus den Schatten der Bäume und nähme Maß für die Kleider, die er bald aus Jacobs Haut nähen würde.

Fuchs bleckte die Zähne und wich mit einem Bellen an Jacobs Seite zurück. Er zog mit der Linken den Säbel und mit der Rechten Chanutes Messer. *Es gibt nichts, was diese Klinge nicht schneidet.* Jacob konnte nur hoffen, dass das nicht eine von Chanutes großsprecherischen Lügen war, die er für sich selbst so leicht in unbestreitbare Wahrheiten verwandelte.

Ihr Gegner bewegte sich schwerfällig wie ein Bär, doch seine Hände schnitten ihm mit beängstigender Effizienz einen Pfad durch die Disteln und Brombeerranken. Seine Augen waren so leer wie die eines Toten, aber das bärtige Gesicht war verzerrt zu einer Maske aus Mordlust, und er bleckte die gelben Zähne, als wollte er Jacob mit ihnen die Haut vom Fleisch schälen.

Bleib stehen, Jacob. Auch wenn deinen Füßen nach Rennen ist.

Der Schneider hob die schrecklichen Hände. Noch ein Schritt. Der Gestank, der von den furchtbaren Kleidern aufstieg, drehte Jacob den Magen um. Der Schneider hieb zuerst mit den breiten Klingen nach ihm. Jacob wehrte sie mit dem Säbel ab, während er mit dem Messer nach der Nadelhand stieß. Er hatte schon gegen ein halbes Dutzend betrunkener Soldaten gekämpft, gegen die Wachen verwunschener Schlösser, Wegelagerer und ein Rudel abgerichteter Wölfe, aber das hier war viel schlimmer. Der Schneider stieß und hieb so unerbittlich auf ihn ein, dass Jacob glaubte, in eine Häckselmaschine geraten zu sein.

Sein Gegner war nicht sonderlich groß und Jacob war behänder als er. Trotzdem spürte er bald die ersten Schnitte an Schulter und Armen. *Komm schon, Jacob. Sieh dir seine Kleider an. Willst du so enden?* Er hieb ihm mit dem Messer einen Nadelfinger ab, nutzte das Wutgeheul, das folgte, zum Atemschöpfen – und riss den Säbel gerade noch rechtzeitig hoch, bevor die Klingen ihm das Gesicht aufschlitzten. Zwei der Nadeln schlitzten ihm die Wange wie die Krallen einer Katze. Eine dritte durchbohrte seinen Arm. Jacob wich zwischen die Bäume zurück, wo die Klingen in Rinde statt in seine Haut fuhren. Aber der Schneider befreite sich wieder und wieder und schien einfach nicht müde zu werden, während Jacob die Arme schwer wurden.

Er schlug ihm einen weiteren Finger ab, als eine der Klingen gleich neben ihm in die Baumrinde fuhr. Der Schneider heulte auf wie ein Wolf, aber er hieb nur noch wütender nach ihm, und aus seinen Wunden rann kein Blut.

Du wirst als ein Paar Hosen enden, Jacob! Sein Atem ging schwer.

Das Herz raste. Er stolperte über eine Wurzel, und bevor er sich wieder aufrichten konnte, stieß der Schneider ihm eine seiner Nadeln tief in die Schulter. Der Schmerz warf Jacob auf die Knie, und er bekam nicht genug Luft, um Fuchs zurückzurufen, als sie auf den Schneider zusprang und ihm die Zähne tief ins Bein schlug. Sie hatte Jacob schon so oft die Haut gerettet, doch niemals in so wörtlichem Sinne. Der Schneider versuchte, sie abzuschütteln. Er hatte Jacob vergessen, und als er wütend ausholte, um der Füchsin seine Klingen durch das rote Fell zu stoßen, hieb Jacob ihm mit Chanutes Messer den linken Unterarm ab.

Der Schrei des Schneiders hallte durch den Schwarzen Wald. Er stierte auf den nutzlosen Armstumpf und die klingenbewehrte Hand, die vor ihm im Moos lag. Dann fuhr er mit einem Keuchen zu Jacob herum. Die verbliebene Hand fuhr mit tödlicher Wucht auf ihn zu. Drei stählerne Nadeln, mörderische Dolche. Jacob glaubte, ihr Metall schon in den Gedärmen zu spüren, doch bevor sie sich in sein Fleisch bohrten, stieß er dem Schneider die Messerklinge tief in die Brust.

Sein Gegner grunzte auf und presste sich die Finger gegen das abscheuliche Hemd. Dann gaben seine Knie nach.

Jacob stolperte gegen den nächsten Baum und rang nach Atem, während der Schneider sich im feuchten Moos wälzte. Ein letztes Röcheln und es war still. Aber Jacob ließ das Messer nicht fallen, obwohl die Augen in dem schmutzigen Gesicht nur noch leer zum Himmel starrten. Er war nicht sicher, ob es für den Schneider so etwas wie den Tod gab, doch er ließ sich neben ihm auf die Knie fallen und starrte den reglosen Körper an. Er wusste nicht, wie lange er so dakniete. Seine Haut brannte, als hätte er sich in zersprungenem Glas gewälzt. Seine Schulter war taub vor Schmerz und vor seinen Augen tanzten die Klingen immer noch ihren mörderischen Tanz.

»Jacob!« Fuchs' Stimme schien aus weiter Ferne zu kommen. Sie zitterte, als hätte sie eine Meute Hunde gejagt. »Steh auf. Es ist sicherer beim Hexenhaus!«

Er schaffte es kaum auf die Füße.

Der Schneider rührte sich immer noch nicht.

*

Der Weg zurück zum Hexenhaus schien unendlich weit. Als es endlich zwischen den Bäumen auftauchte, sah Jacob Clara wartend hinter dem Zaun stehen.

»O Gott«, murmelte sie nur, als sie das Blut auf seinem Hemd sah. Sie holte Wasser vom Brunnen und wusch die Schnittwunden aus. Jacob fuhr zusammen, als ihre Finger seine Schulter berührten.

»Diese Wunde ist tief«, sagte sie, während Fuchs sich besorgt an ihre Seite setzte. »Ich wünschte, sie würde stärker bluten.«

»In meiner Satteltasche ist Jod und etwas zum Verbinden.« Jacob war dankbar dafür, dass sie den Anblick von Wunden gewohnt war. »Was ist mit Will? Schläft er?«

»Ja.« Und die Jade war immer noch da. Sie musste es nicht sagen.

Natürlich wollte sie wissen, was im Wald passiert war, aber Jacob wollte sich nicht erinnern.

Sie holte das Jod aus seiner Satteltasche und träufelte es auf die Wunde, aber ihr Blick blieb besorgt.

»In welchen Pflanzen wälzt du dich, wenn du dich verletzt, Fuchs?«, fragte sie.

Die Füchsin fand ein paar der Kräuter im Garten der Hexe. Sie verströmten einen bittersüßen Geruch, als Clara sie zerpflückte und ihm auf die zerschnittene Haut legte.

»Wie eine geborene Hexe«, sagte Jacob. »Ich dachte, Will hätte dich in einem Krankenhaus getroffen.«

»Hast du vergessen, dass die Hexen in unserer Welt in Kranken-
häusern arbeiten?«, gab sie zurück.

Sie bemerkte die Narben auf seinem Rücken, als sie ihm das Hemd
über die verbundene Schulter zog. »Das müssen furchtbare Verletzungen gewesen sein!«

Fuchs warf Jacob einen wissenden Blick zu, aber er knöpfte sich
nur mit einem Schulterzucken das Hemd zu.

»Ich hab es überlebt.« Noch ein Erlebnis, an das er sich nicht gern
erinnerte.

Clara gab ihm den Schlüssel zurück, der jede Tür öffnete. Zauberdinge. Ohne Chanutes Messer wäre er vermutlich nicht zurückgekommen.

»Danke«, sagte Clara. »Ich weiß wirklich nicht, was ich getan hätte,
wenn …« Sie beendete den Satz nicht. Als könnte er so immer noch
wahr werden in dieser Welt, in der Dinge sich als Wirklichkeit erwiesen, die auf der anderen Seite nur in Büchern und Albträumen
vorkamen.

Dann richtete sie sich auf und ging zurück in das Haus, in dem
Will immer noch schlief.

10
FELL UND HAUT

Jacob wusste zu viel über Lebkuchenhäuser, um unter ihren Zuckergussdächern ruhig schlafen zu können. Er holte den Zinnteller aus der Satteltasche, setzte sich damit vor den Brunnen und polierte ihn mit dem Ärmel, bis er sich mit Brot und Käse füllte. Es war kein Fünf-Gänge-Menü wie bei dem Tischleindeckdich, das er für die Kaiserin gefunden hatte, aber der Teller passte wesentlich leichter in eine Satteltasche.

Der rote Mond mischte Rost in die Nacht, und es waren noch Stunden bis zum Morgengrauen, aber Jacob wagte nicht nachzusehen, ob die Jade in Wills Haut verschwunden war. Die Füchsin leckte sich das Fell. Der Schneider hatte sie getreten, und sie hatte mehrere Schnitte abbekommen, aber sie würden bald heilen. Menschenhaut war so viel verletzlicher als ihr Pelz. Oder Goylhaut.

»Du solltest auch versuchen, zu schlafen«, sagte sie.

»Ich kann nicht schlafen.«

Seine Schulter schmerzte, und er glaubte zu spüren, wie der Schwarze Zauber der Hexe mit dem Fluch der Dunklen Fee kämpfte.

»Was wirst du tun, falls die Beeren wirken? Die zwei zurückbringen?«

Fuchs gab sich Mühe, unbesorgt zu klingen, aber Jacob hörte die unausgesprochene Frage hinter ihren Worten: *Wirst du mit ihnen gehen?* Egal wie oft er Fuchs sagte, dass ihre Welt sein wirkliches Zuhause war, sie verlor nie die Angst, dass er eines Tages in den Turm hinaufsteigen und nicht zurückkommen würde.

»Ja, sicher, ich werde sie zurück zur Ruine bringen«, sagte er. »Und nein, ich werde nicht mit ihnen gehen. Und dann ... leben sie hoffentlich glücklich bis an ihr Lebensende.«

Es ist nicht leicht, das Gesicht einer Füchsin zu lesen, aber Jacob kannte sie gut genug, um ihre Erleichterung zu spüren.

»Gut. Und wenn sie fort sind ...«, sie legte sich an seine Seite, als die kalte Nachtluft ihn schaudern ließ, »... was machen wir dann? Der Winter kommt. Wir könnten nach Süden gehen, nach Grenada oder Lombardien, und nach dem Stundenglas suchen.«

Das Stundenglas, das die Zeit anhielt. Noch vor ein paar Wochen hatte er an nichts anderes gedacht. Der Sprechende Spiegel. Der Gläserne Schuh. Das Spinnrad, das Gold spann ... Es gab immer etwas, nach dem man in dieser Welt suchen konnte. Die Tatsache, dass er das so erfolgreich tat, ließ ihn die meiste Zeit vergessen, dass er nie eine Spur von seinem Vater gefunden hatte.

Er nahm ein Stück Brot von dem Teller und hielt es der Füchsin hin. »Wann hast du dich zuletzt verwandelt?«

Sie gab ein ärgerliches Bellen von sich, doch schließlich begann ihr Schatten, den das Mondlicht neben den Brunnen zeichnete, sich zu verändern.

Fuchs. Das Haar des Mädchens, das neben ihm auf die Füße kam, war ebenso rot wie der Fuchspelz, der ihr so viel lieber war als die Menschenhaut. Es fiel ihr so lang und dicht über den Rücken, dass es fast so aussah, als trüge sie immer noch ihr Fell. Selbst das Kleid, das sie über der sommersprossigen Haut trug, schimmerte im Mondlicht, als wäre es aus dem seidigen Haar der Füchsin gewebt.

Sie hatte sich verändert in den letzten Monaten, fast so plötzlich, wie ein Welpe zur Füchsin wird. Aber Jacob sah immer noch das zehnjährige Mädchen, das er eines Nachts weinend am Fuß des Turmes gefunden hatte, nachdem er wesentlich länger als versprochen in der anderen Welt geblieben war. Die Füchsin war ihm fast ein Jahr gefolgt, ohne dass Jacob je ihre Menschengestalt gesehen hatte. Sie wurde nicht gern daran erinnert, dass sie diese Gestalt eines Tages verlieren würde, wenn sie das Fell allzu oft und lange trug. Jacob hatte keinen Zweifel daran, dass Fuchs, hätte sie sich entscheiden müssen, immer den Pelz gewählt hätte. Sie war sieben Jahre alt gewesen, als sie die Jungen einer Füchsin vor den Stöcken ihrer zwei älteren Brüder gerettet hatte. Am nächsten Tag hatte sie das Fellkleid auf der Türschwelle gefunden. Es hatte Fuchs die Gestalt geschenkt, die sie inzwischen als ihr wahres Ich empfand, und es war ihre größte Angst, dass jemand das Kleid eines Tages stehlen und ihr das Fell wieder nehmen könnte.

Jacob lehnte sich gegen den Brunnen. *Die Beeren werden wirken, Jacob.* Aber die Nacht wollte einfach nicht enden, und schließlich schlief er ein, neben sich das Mädchen, das die Haut nicht wollte, um die sein Bruder kämpfen musste. Er schlief unruhig und selbst seine Träume waren aus Stein. Chanute, der Zeitungsjunge auf dem Markt, seine Mutter, sein Vater – sie alle erstarrten zu Statuen, die unter den Bäumen standen. Neben dem toten Schneider.

»Jacob! Wach auf!«

Die Füchsin stand neben ihm, als hätte er ihre Menschengestalt auch nur geträumt. Das erste Morgenlicht stahl sich durch die Tannen, und seine Schulter schmerzte so sehr, dass er kaum auf die Füße kam. *Alles wird gut, Jacob. Chanute kennt diese Welt wie kein anderer. Weißt du noch, wie er dir den Goldrabenfluch ausgetrieben hat? Du warst schon halb tot ...*

Sein Herz schlug trotzdem mit jedem Schritt schneller, den er auf das Lebkuchenhaus zumachte.

Der süßliche Geruch im Innern nahm ihm fast den Atem. Vielleicht schliefen Will und Clara deshalb immer noch so fest. Sie hatte den Arm um Will geschlungen, und das Gesicht seines Bruders war so friedlich, als schliefe er im Bett eines Prinzen und nicht in dem einer Kinderfresserin. Aber die Jade fleckte seine linke Wange, als wäre sie in seiner Haut ausgelaufen, und die Fingernägel seiner linken Hand waren fast so schwarz wie die Krallen, die ihn mit dem Steinernen Fleisch infiziert hatten.

Wie laut das Herz schlagen kann. Bis es einem den Atem nimmt.

Die Beeren werden wirken.

Jacob starrte immer noch auf die Jade, als sein Bruder sich regte. Sein Blick verriet Will alles. Er griff sich an den Hals und folgte dem Stein mit den Fingern die Wange hinauf.

Denk nach, Jacob! Aber sein Verstand ertrank in der Angst, die er auf dem Gesicht seines Bruders sah.

Sie ließen Clara schlafen, und Will folgte ihm nach draußen wie ein Schlafwandler, den ein Albtraum gefangen hielt.

Fuchs wich vor ihm zurück, und der Blick, den sie Jacob zuwarf, sagte nur eins.

Verloren.

Und genau so stand Will da. Verloren. Er strich sich übers Gesicht, und Jacob sah dort zum ersten Mal nichts von dem Vertrauen, das sein Bruder ihm so leicht schenkte. Stattdessen glaubte er in Wills Blick all die Vorwürfe zu finden, die er selbst sich machte. All das *Wärst du nur vorsichtiger gewesen, Jacob. Hättest du ihn nur nicht so weit mit nach Osten genommen. Hättest du nur …*

Will trat vor das Fenster, hinter dem der Ofen der Hexe stand, und starrte auf das Abbild, das die dunklen Scheiben ihm zeigten. Über ihm säumten rußverklebte Spinnweben das zuckerweiße Dach. Jacob konnte den Blick nicht von ihnen wenden. Sie erinnerten ihn an andere Netze, ebenso schwarz, gesponnen, um die Nacht darin zu fangen.

Was für ein Idiot er war! Warum war er zu einem Hexenhaus geritten? Es war der Fluch einer Fee, der seinem Bruder das Fleisch zu Stein werden ließ. *Einer Fee!*

Fuchs beobachtete ihn.

»Nein!«, bellte sie. »Vergiss es!«

Manchmal wusste sie, was er dachte, noch bevor er selbst es in Worte fasste.

»Sie wird ihm sicher helfen können! Schließlich ist sie ihre Schwester.«

»Du kannst nicht zu ihr zurück! Nie wieder.«

Will wandte sich um. »Zurück zu wem?«

Jacob antwortete nicht. Er griff nach dem Medaillon, das er unter dem Hemd trug. Seine Finger erinnerten sich immer noch daran, wie er das Blütenblatt darin gepflückt hatte. So wie sein Herz sich an die erinnerte, vor der das Blatt ihn beschützen sollte.

»Geh Clara wecken«, sagte er zu Will. »Wir reiten weiter.«

Es war ein langer Weg – vier Tage, wenn nicht mehr –, und sie mussten schneller als die Jade sein.

Fuchs sah ihn immer noch an.

Nein, Jacob. Nein!, flehten ihre Augen.

Natürlich erinnerte sie sich so gut wie er, wenn nicht besser.

Das müssen furchtbare Verletzungen gewesen sein. O ja. Er war fast gestorben.

Aber es gab nur den einen Weg, wenn er seinen Bruder retten wollte.

11

HENTZAU

Dem Menschengoyl, den sie in der verlassenen Kutschstation fanden, wuchs eine Haut aus Malachit. Das dunkle Grün maserte ihm schon das halbe Gesicht. Hentzau ließ ihn laufen wie all die anderen, die sie gefunden hatten, mit dem Rat, im nächsten Goylcamp Zuflucht zu suchen – bevor seine eigenen Artgenossen ihn erschlugen. Aber noch war kein Gold in seinen Augen, nur die Erinnerung, dass seine Haut nicht immer aus Malachit gewesen war, und er rannte davon, als gäbe es immer noch eine Chance, in sein altes Leben zurückzukehren. Hentzau schauderte, während er ihn dabei beobachtete, wie er über die abgeernteten Felder davonstolperte. Was, wenn die Fee eines Tages entschied, Menschenfleisch in seine Jaspishaut zu säen?

Malachit, Blutstein, Karneol … sie hatten die Hautfarbe des Königs recht oft gefunden. Die Fee schien sicherzustellen, dass viele der

Söhne, die sie Kami'en bescherte, ihm ähnlich sahen. Aber bislang gab es keine Spur von dem Stein, nach dem sie suchten.

Jade. Der heilige Stein der Goyl.

Ihre alten Frauen trugen sie als Glücksbringer um den Hals und knieten vor Götzen, die daraus gemacht waren. Mütter nähten ihren Kindern Jade in die Kleider, damit der Stein sie beschützte und furchtlos machte. Aber es hatte noch nie einen Goyl mit einer Haut aus Jade gegeben.

Wie lange würde die Dunkle Fee ihn suchen lassen? Wie lange würde er sich zum Narren machen müssen vor seinen Soldaten und vor seinem König? Was, wenn sie den Traum nur erfunden hatte, um ihn von Kami'en zu trennen? Ja, das war es, was sie wollte. Sie verabscheute ihn für seine Ergebenheit und für seinen Einfluss auf den König. Und statt einfach Nein zu sagen, war er losgezogen, immer treu und gehorsam, wie ein Hund.

Hentzau musterte die Bäume, die die verlassene Straße säumten. Seine Soldaten waren nervös. Die Goyl mieden den Schwarzen Wald ebenso wie ihre Menschengegner. Die Fee wusste das sehr gut. Es war ein Spiel. Ihr Spiel. Er war es so leid, wie eine Marionette zu tanzen, wenn sie an den Fäden zog. Und zu beobachten, wie Kami'en sich ebenfalls in ihnen verfing, mehr und mehr mit jedem Tag.

Die Motte setzte sich Hentzau auf die Brust, als er gerade den Befehl zum Aufsitzen geben wollte. Sie krallte sich an seine graue Uniform, gleich über seinem Herzen, und Hentzau sah den Jadegoyl ebenso deutlich, wie die Fee ihn in ihren Träumen gesehen hatte.

Der blassgrüne Stein durchzog seine Menschenhaut wie ein Versprechen.

Es konnte nicht sein.

*Doch dann gebar die Tiefe einen König, und als eine
Zeit großer Gefahr für ihn anbrach, wurde der Jadegoyl zu seiner Hilfe gerufen, geboren von Glas und
Silber und dem Zauber einer Fee, und er beschützte
den König vor seinen Feinden und machte ihn unbesiegbar, sogar für den Tod.*

Altweibermärchen. Als Kind hatte Hentzau nichts lieber getan, als
ihnen zu lauschen, weil sie der Welt einen Sinn und ein gutes Ende
gaben. Einer Welt, die in Oben und Unten zerfiel und von Göttern
mit weichem Fleisch regiert wurde. Doch seither hatte Hentzau ihnen ihr weiches Fleisch zerschnitten und gelernt, dass sie keine Götter waren – ebenso, wie er gelernt hatte, dass die Welt keinen Sinn
machte und nichts ein gutes Ende nahm.

Die Bilder, die die Motte ihn sehen ließ, erzählten eine andere
Geschichte. Sie wollten ihn glauben machen, dass die Märchen die
Wahrheit sagten. Der Jadegoyl … Hentzau sah ihn so deutlich, als
könnte er die Hand nach ihm ausstrecken und den mattgrünen Stein
in seiner Haut berühren. Der Fluch einer Fee hatte den ältesten My-
thos der Goyl zum Leben erweckt. War das von Anfang an ihr Plan
gewesen? Hatte sie all das Steinerne Fleisch nur gesät, um ihn zu
ernten?

Was interessiert dich das, Hentzau? Finde ihn!

Die Motte spreizte erneut die Flügel, und er sah Felder, auf denen
er selbst noch vor ein paar Monaten gekämpft hatte. Felder, die an
den Ostrand des Schwarzen Waldes grenzten. Er suchte auf der falschen Seite.

Hentzau unterdrückte einen Fluch und erschlug die Motte.

Seine Soldaten stiegen nur zögernd wieder auf die Pferde, als er
den Befehl gab, nach Osten zu reiten, denn das hieß, dass sie weiter

durch den verfluchten Wald mussten. Aber sie waren erleichtert, dass er sie nicht noch tiefer in den Wald hineinführte. Hentzau wischte sich die zerdrückte Motte von der Uniform und schwang sich in den Sattel. Keiner seiner Männer hatte die Motte bemerkt. Sie würden alle bezeugen, dass er den Jadegoyl ohne die Hilfe der Fee gefunden hatte – so wie er jedem sagte, dass es Kami'en war, der den Krieg gewann, und nicht der Fluch seiner unsterblichen Geliebten.

Der Jadegoyl.

Sie hatte tatsächlich die Wahrheit geträumt.

Oder einen Traum zur Wahrheit gemacht.

12
SEINESGLEICHEN

Es war später Mittag, als sie den Schwarzen Wald endlich hinter sich ließen. Dunkle Wolken hingen über Feldern und Wiesen, Flicken aus Gelb, Grün und Braun, die sich bis zum Horizont erstreckten. Holunderbüsche trugen schwer an schwarzen Beeren, und zwischen den wilden Blumen, die am Straßenrand wuchsen, schwärmten Graselfen, die Flügel nass vom Regen. Eine von ihnen landete auf Claras Schulter, und sie spürte zum ersten Mal die Verzauberung, die Jacob all die Jahre durch den Spiegel gelockt hatte. Die Landschaft, die sie umgab, schien so friedvoll, doch viele der Höfe, an denen sie vorbeiritten, waren verlassen, und auf den Feldern rosteten Kanonen zwischen dem ungeernteten Weizen.

Jacob war dankbar für die verlassenen Häuser. Selbst die Kapuze, die Will sich tief übers Gesicht gezogen hatte, konnte die Jade nicht mehr verbergen. Es regnete, seit sie aus dem Wald gekommen waren, und der grüne Stein schimmerte in der Haut seines Bruders wie die Glasur eines finsteren Töpfers.

Jacob hatte Will immer noch nicht gesagt, wohin er sie führte, und er war froh, dass Will nicht fragte. Fuchs aber bestrafte seine Entscheidung, Hilfe an dem einzigen Ort in ihrer Welt zu suchen, zu dem er geschworen hatte, nie zurückzukehren, mit frostigem Schweigen.

Der Regen fiel schon bald so unerbittlich, dass selbst das Fell der Füchsin keinen Schutz mehr bot, und Jacobs Schulter schmerzte, als stieße der Schneider ihm seine Nadeln aufs Neue hinein. Doch jeder Blick auf Wills Gesicht ließ ihn alle Gedanken an Rast vergessen. Die Zeit lief ihnen davon. Manchmal brauchte die Verwandlung kaum eine Woche, aber manche konnten länger widerstehen. Jacob hegte die Hoffnung, dass die Tatsache, dass Will in einer anderen Welt geboren worden war, ihm wenigstens etwas Schutz bot, aber die Hoffnung stand auf schwachen Füßen. Schließlich hatte seinen Bruder das auch nicht vor dem Fluch der Fee beschützt.

Vielleicht war es die Wunde an seiner Schulter, die Jacob unvorsichtig machte. Er fieberte inzwischen und der Schmerz betäubte all seine Sinne. Er bemerkte den verlassenen Hof kaum, als er am Straßenrand auftauchte. Sie waren schon an so vielen vorbeigeritten, und Fuchs witterte die Männer erst, als es zu spät war. Es waren acht, zerlumpt, aber bewaffnet. Sie kamen so plötzlich aus der zerschossenen Scheune, dass sie die Flinten auf sie richteten, bevor Jacob die Pistole ziehen konnte. Zwei von ihnen trugen die langen Uniformmäntel der Kaiserlichen und ein dritter die graue Jacke eines Goylsoldaten. Plünderer und Deserteure. Der menschliche Abfall des Krieges. Einer von ihnen hatte die Trophäen am Gürtel hängen, mit denen sich viele Soldaten der Kaiserin schmückten: Finger ihrer steinhäutigen Feinde, in allen Farben, die sie finden konnten.

Für einen Moment hegte Jacob tatsächlich die närrische Hoffnung, dass sie die Jade nicht bemerken würden. Will hatte die Kapuze immer noch tief ins Gesicht gezogen. Aber einer von ihnen, mager wie ein ausgezehrtes Wiesel, bemerkte den Stein an Wills Hand, als er ihn vom Pferd zerrte.

Er riss ihm die Kapuze vom Kopf.

Clara versuchte, sich schützend vor Will zu stellen, doch der in der Goyljacke schlug ihr ins Gesicht und stieß sie grob zurück. Wills Gesicht verwandelte sich in das eines Fremden. Es war das erste Mal, dass Jacob in den sanften Zügen seines Bruders so unverstellt die Lust sah, jemanden zu verletzen. Will riss sich los und rammte dem Mann seinen Ellbogen mit solcher Gewalt ins Gesicht, dass ihm das Blut aus der zerschmetterten Nase strömte. Jacob wollte Will zu Hilfe kommen, aber der Anführer der Bande setzte ihm die Flinte auf die Brust.

Er war ein grobschlächtiger Kerl mit nur drei Fingern an der linken Hand, und seine zerschlissene Jacke war bedeckt mit den Halbedelsteinen, die Goyloffiziere am Kragen trugen, um ihren Rang zu zeigen. Auf Schlachtfeldern war reichlich Beute zu machen, wenn die Lebenden die Toten zurückließen.

»Warum hast du den Menschengoyl noch nicht erschossen?«, fragte er, während er Jacob die Taschen durchsuchte. »Hast du noch nicht gehört? Es gibt keine Belohnungen mehr für seinesgleichen, seit die Kaiserin mit dem steinernen König verhandelt.«

»Tatsächlich?«, gab Jacob zurück. »Ich habe gehört, dass die Zwerge in Terpevas noch sehr gut für sie bezahlen.«

Der Dreifinger zog Jacob das Taschentuch, das Goldtaler spuckte, aus der Jacke, aber zum Glück stopfte er es achtlos zurück, bevor ihm ein Taler in die schwielige Hand fiel.

Lenk ihn ab, Jacob. Rede mit ihm.

Hinter ihnen huschte die Füchsin in einen der verlassenen Ställe, und Jacob spürte, wie Clara Hilfe suchend zu ihm herübersah. Was erwartete sie? Dass er es allein mit acht Männern aufnehmen konnte?

»Terpevas?« Der Dreifinger schüttete sich den Inhalt von Jacobs Geldbeutel in die Hand und grunzte enttäuscht, als nur ein paar Kupfermünzen herausfielen. »Ist es das, wo du hinwillst? Pech gehabt. Kein Goyl kommt lebend an uns vorbei, auch wenn die verdammten Zwerge ihr Gewicht in Gold bezahlen.«

Die anderen starrten Will immer noch an wie einen tollwütigen Hund. Sie würden ihn umbringen. Aus Hass oder nur zum Spaß. Sie würden sich die Finger seines Bruders an die Gürtel hängen.

Tu irgendwas, Jacob! Aber was?

»Na gut, ich hab gelogen. Wir reiten nicht nach Terpevas.« Der Regen lief ihm übers Gesicht und das Wiesel stieß Will die Flinte unters Kinn.

Rede weiter, Jacob.

»Er ist mein Bruder! Ich bringe ihn zu jemandem, der ihm seine Menschenhaut zurückgeben kann. Lasst uns gehen und ich bin in einer Woche mit einem Sack voll Gold zurück.«

»Sicher.« Der Dreifinger nickte den anderen zu. »Bringt sie hinter die Scheune. Verbrennt den Goyl. Das Mädchen gehört mir. Und der da …«, er wies auf Jacob, »… schießt ihm in den Kopf. Ich mag seine Kleider.«

Jacob stieß die zwei zurück, die ihn packen wollten, aber ein dritter hielt ihm ein Messer an den Hals. Er trug die Kleider eines Bauern. Nicht alle Plünderer waren schon immer Räuber gewesen.

»Wovon redest du?«, zischte er Jacob zu. »Nichts gibt ihnen ihre Haut zurück … Ich hab meinen eigenen Sohn erschossen, als ihm der Mondstein auf der Stirn wuchs!«

Jacob konnte kaum atmen, so fest presste sich die Klinge gegen seine Kehle.

»Es ist der Fluch der Dunklen Fee!«, stieß er hervor. »Also bringe ich ihn zu ihrer roten Schwester. Sie wird den Fluch brechen.«

Nun wichen sie alle zurück. Fee. Drei Buchstaben, in denen aller Zauber und aller Schrecken dieser Welt zu einem Wort verschmolzen. Und natürlich hatten sie alle schon von der roten Schwester der Dunklen Fee gehört, obwohl sie sich selten unter Sterblichen zeigte.

Der Druck des Messers ließ nach, aber das Gesicht des Mannes, der es ihm an den Hals presste, war immer noch verzerrt vor Wut und hilflosem Schmerz. Jacob war versucht zu fragen, wie alt sein Sohn gewesen war.

»Du lügst! Niemand geht einfach zu den Feen.«

Der Junge, der die Worte stammelte, war höchstens fünfzehn. »Sie kommen und holen dich!«

»Ich weiß einen Weg.« *Rede, Jacob.* »Ich habe die Rote Fee schon mal besucht!«

»Ach ja, warum bist du dann nicht tot?« Das Messer schlitzte ihm die Haut. »Oder verrückt, wie die, die von ihnen zurückkommen und sich im nächsten Tümpel ertränken?«

Jacob spürte, dass Will ihn ansah. Was dachte er? Dass sein älterer Bruder Märchen erzählte, so wie früher, als sie Kinder waren und Will nicht einschlafen konnte?

»Sie sagen, die Rote Fee ist nicht halb so mächtig wie ihre dunkle Schwester.«

»Sie ist mächtig genug, und sie wird ihm den Stein austreiben«, sagte Jacob, heiser vom Druck des Messers. *Aber leider werdet ihr uns vorher erschlagen. Und es wird deinen Sohn nicht wieder lebendig machen.*

Das Wiesel drückte Will die Flinte gegen die jadegefleckte Wange. »Zu den Feen? Merkst du nicht, dass er dich veralbert, Stanis? Komm schon, ich will den Goyl brennen sehen!«

Er stieß Will auf die Scheune zu. Zwei andere packten Clara. *Jetzt, Jacob. Was hast du zu verlieren?*

Aber der Dreifinger fuhr plötzlich herum und starrte an den Ställen vorbei nach Süden. Das Schnauben von Pferden klang durch den Regen.

Reiter.

Sie kamen über die brachliegenden Felder, auf Pferden so grau wie ihre Uniformen, und Wills Gesicht verriet, wer sie waren, bevor das Wiesel es den anderen zuschrie.

»Goyl!«

Der Bauer richtete das Gewehr auf Will, als könnte nur er sie herbeigerufen haben, aber Jacob erschoss ihn, bevor er abdrücken konnte. Drei der Goyl zogen die Säbel. Sie bevorzugten es immer noch, mit ihren Schwertern zu kämpfen, obwohl sie die Schlachten mit ihren Flinten und Kanonen gewannen.

Clara starrte entgeistert auf die steinernen Gesichter – und blickte Jacob an. *Ja, das wird aus ihm werden. Liebst du ihn immer noch?*

Die Plünderer suchten Deckung hinter einem umgestürzten Karren. Sie hatten ihre Gefangenen vergessen und Jacob stieß Will und Clara auf die Pferde zu.

»Fuchs!«, schrie er, während er die Stute einfing. Wo war sie?

Zwei Goyl stürzten von den Pferden und die anderen suchten Deckung hinter der Scheune. Der Dreifinger war ein guter Schütze.

Clara saß schon auf dem Pferd, aber Will stand nur da und starrte zu den Goyl hinüber.

»Steig aufs Pferd, Will!«, schrie Jacob ihm zu, während er selbst sich auf die Stute schwang.

Aber sein Bruder rührte sich nicht.

Jacob wollte das Pferd auf ihn zutreiben, doch in dem Moment sah er Fuchs. Sie hinkte, und Jacob sah, wie das Wiesel die Flinte hob und auf sie anlegte. Jacob schoss ihn nieder, aber als er die Stute zügelte und sich aus dem Sattel beugte, um die Füchsin zu packen, traf ihn ein Flintenkolben an der verletzten Schulter. Der Junge. Er stand da, die leer geschossene Flinte am Lauf gepackt, und holte erneut aus, als könnte er mit Jacob seine eigene Angst erschlagen.

Der Schmerz ließ alles vor Jacobs Augen verschwimmen. Er schaffte es, die Pistole zu ziehen, doch die Goyl kamen ihm zuvor. Sie schwärmten hinter der Scheune hervor und eine ihrer Kugeln traf den Jungen in den Rücken.

Jacob packte Fuchs und hob sie in den Sattel. Will hatte sich aufs Pferd geschwungen, aber er starrte immer noch auf die Goyl.

»Will!«, schrie Jacob ihm zu. »Reite, verdammt noch mal!«

Sein Bruder sah ihn nicht einmal an.

»Will!«, schrie Clara mit einem verzweifelten Blick auf die kämpfenden Männer.

Aber Will kam erst zu sich, als Jacob ihm in die Zügel griff.

»Reite!«, fuhr er ihn noch einmal an. »Reite und sieh dich nicht um.«

Und sein Bruder wendete endlich das Pferd.

13
DER NUTZEN VON TÖCHTERN

Geschlagen. Therese von Austrien stand am Fenster und blickte hinunter zu den Palastwachen. Sie patrouillierten in ihren weißen Uniformen, als wäre nichts geschehen. Ganz Vena lag da, als wäre nichts geschehen, mit seinen Kuppeln und Türmen, seinem Stolz und dem Bombast vergangener Macht. Aber sie hatte einen Krieg verloren. Zum ersten Mal. Und jede Nacht träumte sie, dass sie in blutigem Wasser ertrank, das sich unweigerlich in die mattrote Karneolhaut ihres Gegners verwandelte.

Ihre Minister und Generäle erklärten ihr seit einer Stunde, warum sie ihnen nicht die Schuld für die Niederlage geben konnte. Sie hatten sich alle in ihrem Audienzsaal versammelt, geschmückt mit den Orden, die sie ihnen verliehen hatte, und versuchten, ihr die Schuld zuzuschieben. *»Wir haben Euch gewarnt, Eure Majestät! Die Flinten der Goyl sind besser. Die Waffen unserer Truppen waren nutzlos. Sie haben* *schnellere Züge. Ihre Straßen sind besser ...*« Aber es war der König mit der Karneolhaut, der diesen Krieg gewann, weil er mehr von Strategie verstand als sie alle zusammen. Und weil er eine Geliebte hatte, die zum ersten Mal seit dreihundert Jahren den Zauber der Feen in den Dienst eines sterblichen Königs stellte.

Vor dem Tor hielt eine Kutsche.

Da waren sie. Ihre Feinde. Drei Goyloffiziere. Wie zivilisiert sie taten. Sie trugen nicht mal Uniform. Wie gern sie ihren Wachen befohlen hätte, sie über den Hof zu zerren und mit ihren Gewehrkolben zu erschlagen, wie ihr Großvater es getan hätte. Aber dies waren andere Zeiten. Nun erschlugen die Goyl ihre Soldaten. Also würden sich ihre Berater mit ihnen an einen Tisch setzen, ihnen Speisen anbieten, die sie verabscheuten, und die Bedingungen für ihre Kapitulation verhandeln.

Die Diener öffneten die Türen der Kutsche, und die Kaiserin wandte dem Fenster den Rücken zu, als die Goyl die Stufen zu ihrem Palast heraufstiegen.

Sie redeten immer noch, all ihre nutzlosen, ordenbehängten Generäle, während ihre Vorfahren von den mit goldener Seide beschlagenen Wänden auf sie herabstarrten. Gleich neben der Tür hing das Bild ihres Vaters, hager und aufrecht wie ein Storch, ständig im Krieg mit seinem königlichen Bruder in Lothringen, so wie sie sich seit Jahren mit dessen Sohn bekriegte. Daneben hing ihr Großvater, der wie der Goylkönig eine Affäre mit einer Fee gehabt hatte. Die Sehnsucht nach ihr hatte ihn dazu getrieben, sich in dem Seerosenteich, der hinter dem Palast lag, zu ertränken. Er hatte sich als Ritter porträtieren lassen, der eins der Einhörner der Feen gefangen hatte. Sein Lieblingspferd hatte das Einhorn gespielt, mit einem Narwalhorn auf der Stirn. Das Bild war so absurd wie das, auf dem ein anderer ihrer Vorfahren neben dem Kopf eines erschlagenen Riesen zu sehen war. Therese hatte immer das Gemälde bevorzugt, das am Ende der illustren Reihe hing. Es zeigte ihren Urgroßvater mit seinem älteren Bruder, der enterbt worden war, weil er die Alchemie allzu ernst genommen hatte. Der Maler hatte seine blinden Augen so realistisch abgebildet, dass ihr Vater sich darüber empört hatte, aber Therese hatte als Kind oft einen Stuhl unter das Gemälde geschoben, um die Narbenhaut rund um die toten Augen näher betrachten zu können. Angeblich hatte ihn ein Experiment geblendet, bei dem er versucht hatte, sein eigenes Herz in Gold zu verwandeln, aber trotzdem war er von all ihren Vorfahren der einzige, der lächelte – weshalb sie als Kind fest geglaubt hatte, dass ihm das Experiment gelungen und er tatsächlich ein Goldherz gehabt hatte.

Männer. Sie alle. Verrückt oder nicht verrückt. Immer nur Männer. Seit Jahrhunderten hatten ausschließlich sie das Recht auf Austriens Thron gehabt. Das hatte sich nur geändert, weil ihr Vater vier Töchter, aber keinen Sohn gezeugt hatte.

Auch Therese hatte keinen Sohn, nur eine Tochter. Aber sie hatte nie vorgehabt, sie zum Handelsgut zu machen, wie ihr Vater es mit ihren jüngeren Schwestern getan hatte. Eine für den Krummen König in seinem finsteren Schloss in Lothringen, die zweite für ihren Vetter in Albion, der seinen Hunden und der Fuchsjagd weit mehr Aufmerksamkeit widmete als seiner Frau. Die jüngste hatte er an einen der Wolfsfürsten im Osten verschachert, der schon zwei Frauen begraben hatte.

Nein. Therese hatte ihre Tochter auf den Thron setzen, ihr Porträt an dieser Wand sehen wollen, gerahmt in Gold, zwischen all den Männern. Amalie von Austrien, Tochter von Therese, die einmal davon geträumt hat, die Große genannt zu werden, weil sie so viele Männer besiegt hatte. Aber nicht den mit der Karneolhaut. Und nun würde sie ihm ihre Tochter geben oder sie würden alle in dem blutigen Wasser ertrinken – sie selbst, ihre Tochter, ihr Volk, ihr Thron, diese Stadt und das ganze Land mitsamt den aufgeblasenen Narren, die da hinter ihr debattierten, warum sie diesen Krieg nicht hatten gewinnen können. Thereses Vater hätte sie hinrichten lassen, aber was dann? Die Nächsten würden nicht besser sein, und ihr Blut würde ihr nicht all die Soldaten zurückgeben, die sie verloren hatte, die Provinzen, die nun den Goyl gehörten, oder ihren Stolz, der in den letzten sechs Monaten im Schlamm von vier Schlachtfeldern erstickt war.

»Genug!«

Ein Wort nur, und es wurde still in dem Saal, in dem ihr Urgroßvater Todesurteile unterschrieben hatte. Macht. Sie berauschte Therese immer noch wie guter Wein.

Sieh sie dir an, Therese. Wie sie die eitlen Köpfe einziehen. Wäre es nicht wunderbar, sie ihnen doch einfach abzuschlagen?

Die Kaiserin rückte sich das Diadem aus Elfenglas zurecht, das schon ihre Urgroßmutter getragen hatte, und winkte einen der Hofzwerge an ihren Schreibtisch. Sie waren die einzigen Zwerge in Austrien, die noch Bärte trugen. Diener, Leibwächter, Vertraute. Seit Generationen im Dienst ihrer Familie und noch immer in derselben Tracht, die sie schon vor zweihundert Jahren getragen hatten. Kragen aus Spitze über schwarzem Samt und dazu die lächerlich weiten Hosen. Geschmacklos und völlig aus der Mode, aber über Tradition konnte man mit Zwergen ebenso wenig streiten wie mit Priestern über Religion.

»Schreib!«, befahl sie.

Der Zwerg kletterte auf ihren Stuhl. Er musste sich auf das blassgoldene Polster knien. Auberon, ihr Favorit und der Klügste von ihnen allen. Die Hand, mit der er nach dem Füllfederhalter griff, war so klein wie die eines Kindes, aber diese Hände zerbrachen Eisenketten so mühelos, wie ihre Köche ein Ei aufschlugen.

»Wir, Therese, Kaiserin von Austrien …« Ihre Ahnen blickten missbilligend auf sie herab. Was wussten sie von Königen, die der Schoß der Erde geboren hatte, und Feen, die Menschenhaut in Stein verwandelten, damit sie der Haut ihres Geliebten glich? »… bieten hiermit Kami'en, dem König der Goyl, die Hand unserer Tochter Amalie zum Ehebund an, um diesem Krieg ein Ende zu setzen und Frieden zu schließen zwischen unseren großen Nationen.«

Wie die Stille zersprang. Als hätte sie mit ihren Worten das Glashaus zerschlagen, in dem sie alle saßen. Aber nicht sie, sondern der Goyl hatte den Schlag geführt, und sie musste ihm nun ihre Tochter geben.

Therese wandte ihnen allen den Rücken zu und die aufgebrachten Stimmen verstummten. Nur das Rascheln ihres Kleides folgte ihr, als sie auf die Türen zuschritt, so hoch, dass sie nicht für Menschen, sondern für Riesen gemacht schienen, die dank der Bemühungen ihres Urgroßvaters vor fünfzig Jahren ausgestorben waren.

Macht. Berauschend wie Wein, wenn man sie hatte. Wie Gift, wenn man sie verlor. Therese spürte bereits, wie es an ihr fraß.

Geschlagen.

14

DAS DORNENSCHLOSS

Er ist schon zu lange bewusstlos. Er hätte längst aufwachen müssen!« Die Stimme klang besorgt. Und vertraut. Fuchs.

»Das ist alles, was ich tun kann. Bitte mach dir keine Sorgen. Ich glaube, er schläft nur.« Die Stimme erkannte er ebenfalls. Clara.

Wach auf, Jacob. Finger berührten seine heiße Schulter. Er öffnete die Augen und sah über sich den Silbermond in einer Wolke treiben, als wollte er sich vor seinem roten Zwilling verbergen. Dessen rostiges Licht fiel in den dunklen Hof eines Schlosses und spiegelte sich in zahllosen hohen Fenstern. Sie waren alle dunkel. Keine Laterne brannte über den geschnitzten Türen oder unter den überwachsenen Torbögen. Kein Diener hastete über den Hof, auf dessen Pflaster die Schicht aus feuchten Blättern so dick war, als hätte sie seit Jahren niemand von den Steinen geharkt.

»Endlich. Ich dachte, du wachst niemals auf.«

Jacob stöhnte auf, als die Füchsin ihm die Schnauze gegen die Schulter stieß.

Clara half ihm, sich aufzusetzen. Seine Schulter war frisch verbunden, aber die Wunde schmerzte schlimmer denn je. Die Plünderer, die Goyl … der Schmerz brachte alles zurück, aber Jacob konnte sich nicht erinnern, wann er das Bewusstsein verloren hatte.

»Die Wunde sieht nicht gut aus.« Clara richtete sich auf. »Ich wünschte, wir hätten Antibiotika!«

Das wünschte Jacob sich auch, aber er hatte die letzten Tabletten aus seinem Vorrat Will gegeben.

»Wo sind wir?«, fragte er Fuchs.

»Im einzigen Unterschlupf, den ich finden konnte. Das Schloss ist verlassen. Zumindest von den Lebenden.«

Fuchs stieß die verfaulten Laubschichten auseinander. Ein Schuh kam zum Vorschein.

Jacob blickte sich um. An vielen Stellen lagen die Blätter so verdächtig hoch, als bedeckten sie ausgestreckte Körper.

Wessen Schloss war das einmal gewesen?

Er suchte Halt an einer Mauer, um sich aufzurichten, und zog mit einem Fluch die Hände zurück. Die Steine waren mit dornigen Ranken bedeckt. Sie waren überall, als wäre den Mauern ein Pelz aus Dornen gewachsen.

»Rosen«, murmelte er und pflückte eine der Hagebutten, die an den verschlungenen Ranken wuchsen. »Ich suche seit Jahren nach diesem Schloss! Dornröschens Bett. Die Kaiserin würde ein Vermögen dafür zahlen.«

Clara blickte ungläubig über den stillen Hof.

»Angeblich findet jeder, der in dem Bett schläft, wahre Liebe. Aber wie es scheint«, Jacob musterte die dunklen Fenster, »ist der Prinz nie gekommen.«

Oder er war wie ein aufgespießter Vogel in den Dornen verendet. Zwischen den Rosen ragte eine mumifizierte Hand hervor. Jacob schob die Blätter über die steifen Finger, bevor Clara sie bemerkte.

Eine Maus huschte über den Hof. Die Füchsin setzte ihr nach, aber sie blieb schon nach einem Satz mit einem Wimmern stehen.

»Was ist mit dir?«, fragte Clara.

»Nichts.« Die Füchsin leckte sich die Seite. »Der Dreifinger hat mich getreten.«

»Lass mich sehen.« Clara beugte sich zu ihr herab und tastete vorsichtig über das seidige Fell.

»Mach schon. Wirf den Pelz ab, Fuchs!«, sagte Jacob. »Clara versteht mehr von Menschen als von Füchsen.«

Fuchs zögerte. Sie gab ihr Geheimnis nicht gern preis. Der einzige andere Mensch, der davon wusste, war Chanute. Doch schließlich wechselte sie die Gestalt, und Clara starrte ungläubig das Mädchen an, das plötzlich nur ein paar Schritte entfernt von ihr stand.

Was ist das für eine Welt?, fragte ihr Gesicht, als sie sich zu Jacob umsah. *Wenn Fell zu Haut oder Haut zu Stein werden kann, was bleibt dann?* Angst. Fassungslosigkeit. Und Verzauberung. All das war in ihrem Blick zu finden. Sie strich sich dabei über die eigenen Arme, als fühlte sie dort auch schon einen Ansatz von Fell. Dann ging sie auf Fuchs zu und untersuchte den Körper, der nur einen Augenblick zuvor der einer Füchsin gewesen war.

»Wo ist Will?«, fragte Jacob, nachdem er sich vergebens auf dem leeren Hof nach ihm umgesehen hatte.

Clara wies auf einen der Schlosstürme. »Er ist seit Stunden dort oben. Er hat kein Wort gesprochen, seit er sie gesehen hat.«

Sie wussten alle, von wem sie sprach. Die Goyl hatten ihnen das Leben gerettet, aber Jacob bezweifelte, dass sie dafür gekommen waren.

Die Rosen, die die Mauern des Turmes bedeckten, waren so dunkelrot, dass die Nacht sie fast schwarz färbte, und ihr Duft hing so süß und schwer in der kalten Luft, als spürten sie den Herbst noch nicht.

Jacob ahnte, was er unter dem spitzen Turmdach finden würde, noch bevor er die steile Wendeltreppe hinaufstieg. Die Rosenranken krallten sich in seine Kleider, und er musste die Stiefel immer wieder von den dornigen Schlingen befreien, doch schließlich stand er in der Kammer, in der vor fast zweihundert Jahren eine Fee ihr Geburtstagsgeschenk überbracht hatte.

Das Spinnrad stand neben einem schmalen Bett, das nie für eine Prinzessin gedacht gewesen war. Sie schlief immer noch darin, bedeckt mit Rosenblättern. Der Fluch der Fee hatte sie in all den Jahren nicht altern lassen, aber ihre blasse Haut war wie Pergament und fast so vergilbt wie das Kleid, das sie seit zwei Jahrhunderten trug. Die Perlen, mit denen es bestickt war, hatten ihr schimmerndes Weiß bewahrt, aber die Spitze, die es säumte, war so braun wie die Blütenblätter, die das Kleid bedeckten.

Will stand an einem der Fenster, als wäre der Prinz doch noch gekommen. Jacobs Schritte ließen ihn herumfahren. Die Jade färbte ihm nun auch die Stirn und das Blau seiner Augen ertrank im Gold. Die Plünderer hatten ihnen das Wertvollste gestohlen, was sie hatten – Zeit.

»Kein ›Und sie lebten glücklich bis ans Ende ihrer Tage‹«, sagte Will mit einem Blick auf die Prinzessin. »Und soweit ich mich erinnere, hat ihr das auch ein Feenfluch angetan.« Er lehnte sich gegen die Mauer. »Geht es dir besser?«

»Ja«, log Jacob. »Was ist mit dir?«

Will antwortete nicht sofort. Und als er es schließlich tat, klang seine Stimme so glatt und kühl wie seine neue Haut.

»Mein Gesicht fühlt sich an wie polierter Stein. Die Nacht wird mit jedem Tag heller, und ich konnte dich hören, lange bevor du auf der Treppe warst. Ich spüre es inzwischen nicht nur auf der Haut. Es ist auch in mir.«

Er trat auf das Bett zu und starrte auf den mumifizierten Körper. »Ich hatte alles vergessen. Dich. Clara. Mich selbst. Ich wollte nur noch zu ihnen reiten.«

Jacob suchte nach Worten, aber er fand nicht eines.

»Ist es das, was passiert? Sag mir die Wahrheit.« Will blickte ihn an. »Ich werde nicht nur aussehen wie sie. Ich werde sein wie sie, oder?«

Jacob hatte die Lügen auf der Zunge, all das »Unsinn, alles wird gut, ich werde dafür sorgen«, aber er brachte sie nicht mehr über die Lippen. Der Blick seines Bruders ließ es nicht zu.

»Willst du wissen, wie sie sind?« Will pflückte der toten Prinzessin ein Rosenblatt aus dem strohigen Haar. »Sie sind zornig. Ihr Zorn bricht in dir aus wie eine Flamme. Aber sie sind auch so ruhig und stark wie der Stein, der zu ihnen spricht, mit vielen Stimmen. Sie vermissen die Höhlen, die er für sie formt, und sie sehnen sich nach der Wärme unter der Erde. Ich dachte immer, dass Stein kalt ist, aber sie hassen die Kälte.«

Er betrachtete die schwarzen Nägel an seiner Hand.

»Sie sind Dunkelheit«, sagte er leise. »Und Hitze. Und der rote Mond ist ihre Sonne.«

Jacob schauderte, als er den Stein in seiner Stimme hörte.

Sag etwas, Jacob. Irgendetwas.

»Aber du bist keiner von ihnen. Und du wirst nie einer von ihnen sein.« Die eigene Stimme klang ihm wie die eines Fremden in den Ohren, so heiser vor Angst. »Weil ich es nicht erlauben werde.«

»Wie?« Da war er wieder, dieser Blick, der nichts mehr von dem Vertrauen wusste, das Will seinem älteren Bruder früher so fraglos entgegengebracht hatte. »Ist es wahr, was du den Plünderern erzählt hast? Du bringst mich zu einer anderen Fee?«

»Ja.«

Will berührte das pergamentene Gesicht der Prinzessin. »Ist sie so gefährlich wie die, die das hier getan hat? Sieh aus dem Fenster. In den Dornen hängen Tote. Glaubst du, ich will, dass du meinetwegen so endest?«

Seine Augen straften seine Worte Lügen. *Hilf mir,* sagten sie, obwohl sie in Gold ertranken.

Jacob zog ihn sacht von dem Bett und dem mumifizierten Körper fort.

»Die Fee, zu der ich dich bringe, ist anders«, sagte er. *Ist sie das, Jacob?,* flüsterte es in ihm, aber er beachtete es nicht. Er legte alle Hoffnung, die er hatte, in seine Stimme. Und all die Zuversicht, die sein Bruder hören wollte: »Sie wird uns helfen, Will! Ich verspreche es.«

15

WEICHES FLEISCH

Der Dreifinger mit dem Metzgergesicht redete als Erster. Menschen machten so gern die falschen Männer zu ihren Anführern. Hentzau konnte seine Feigheit so deutlich sehen wie das wässrige Blau seiner Augen. Aber immerhin hatte er ihnen ein paar interessante Dinge erzählt, die die Motte Hentzau nicht gezeigt hatte.

Der Jadegoyl war nicht allein. Es war ein Mädchen bei ihm, doch was wichtiger war: Er hatte offenbar einen Bruder, der es sich in den Kopf gesetzt hatte, ihm die Jade wieder auszutreiben. Falls der Dreifinger die Wahrheit sagte, plante er, den Jadegoyl zu der Roten Fee zu bringen. Ein verzweifelter Plan, aber vermutlich keine dumme Idee. Die Rote Fee verabscheute ihre dunkle Schwester ebenso wie die anderen Feen. Dennoch, Hentzau war sicher, dass sie ihren Fluch nicht würde brechen können. Die Zauberkunst der Dunklen war so viel mächtiger als die ihrer Schwestern.

Kein Goyl hatte die Insel, auf der sie lebten, je gesehen, geschweige denn betreten. Die Dunkle Fee bewahrte die Geheimnisse der anderen, obwohl sie sie verstoßen hatten, und jeder wusste, dass man die Insel der Feen nur betrat, wenn sie es wollten.

»Wie will er die Fee finden?«

»Das hat er nicht gesagt!«, stammelte der Dreifinger. »Ich schwör es.«

Hentzau nickte der einzigen Soldatin zu, die er in sein Suchkommando berufen hatte. Es bereitete ihm kein Vergnügen, Menschenfleisch zu schlagen. Er konnte sie töten, aber er mied es, sie anzufassen. Nesser hatte damit kein Problem.

Sie trat dem Dreifinger mitten ins Gesicht und Hentzau warf ihr einen warnenden Blick zu. Ihre Schwester war von Menschen erschlagen worden, deshalb übertrieb sie es schnell. Für einen Moment erwiderte Nesser seinen Blick voll Trotz, doch dann senkte sie den Kopf. Ihnen allen klebte der Hass inzwischen wie Schleim auf der Haut.

»Er hat es nicht gesagt!«, stammelte der Dreifinger. »Ich schwör's.«

Sein Fleisch war blass und weich wie das einer Schnecke. Hentzau wandte sich angeekelt ab. Er war sicher, dass sie ihnen alles verraten hatten, was sie wussten, und nur ihretwegen war ihm der Jadegoyl entkommen.

»Erschießt sie«, befahl er und trat nach draußen.

Die Schüsse klangen seltsam in der Stille. Wie etwas, das nicht in diese Welt gehörte. Flinten, Dampfmaschinen, Züge – Hentzau kam all das immer noch unnatürlich vor. Er wurde alt, das war es. Das Sonnenlicht hatte seine Augen getrübt, und sein Gehör war durch all den Schlachtenlärm so schlecht, dass Nesser die Stimme hob, wenn sie mit ihm sprach. Kami'en tat, als fiele es ihm nicht auf. Er hatte nicht vergessen, dass Hentzau die harten Jahre in seinen Diensten hatten altern lassen. Aber die Dunkle Fee würde nicht so verständnisvoll sein, wenn sie erfuhr, dass der Jadegoyl ihm wegen ein paar Plünderern entkommen war.

Hentzau sah ihn immer noch vor sich, wie er hinter den Kämpfenden gestanden hatte, ihn und seine Männer anstarrend, die Haut durchsetzt mit dem heiligsten aller Steine. Nein. Seine eigenen Augen mussten ihn betrogen haben. Es war unmöglich. Er musste ein Schwindel sein, so unecht wie die Holzfetische, die Betrüger mit Blattgold überzogen, um sie alten Frauen als massives Gold zu verkaufen. »Seht her, der Jadegoyl ist erschienen, um unseren König unbesiegbar zu machen. Aber schneidet nicht zu tief, sonst findet ihr Menschenfleisch.« Ja, das war es. Nichts als ein weiterer Versuch der Fee, sich unentbehrlich zu machen.

Hentzau blinzelte in die aufziehende Nacht, aber alles, was er sah, war der Junge mit der Haut aus Jade.

Was, wenn du dich irrst, Hentzau? Was, wenn er der echte ist? Was, wenn das Schicksal deines Königs an ihm hängt?

Und er hatte ihn entkommen lassen.

Als der Fährtenleser endlich zurückkam, sah Hentzau ihm an, dass er die Spur verloren hatte, noch bevor er seine Entschuldigungen stammelte. Früher hätte er den Mann auf der Stelle getötet, aber er hatte gelernt, den Zorn zu zügeln, der in ihnen allen schlief – auch wenn er sich nicht halb so gut darauf verstand wie Kami'en.

Das Einzige, was ihm nun blieb, war das, was der Dreifinger über den Bruder und die Rote Fee erzählt hatte. Bei allen Lavateufeln, die Goyl zu Hilfe riefen! Er würde seinen Stolz erneut herunterschlucken und die Dunkle Fee bitten müssen, ihm zu helfen, ihre rote Schwester zu finden.

»Wie konntest du die Spur verlieren?«, fuhr er den Fährtensucher an. »Drei Pferde und eine Füchsin. Selbst mein Pferd könnte so eine Fährte finden!«

Wie der Dummkopf sich in seiner Mondsteinhaut wand. Alle Mondsteingoyl waren Idioten.

Hentzau überlegte gerade, welche Bestrafung so viel Inkompetenz verdiente, als Nesser zögernd auf ihn zutrat. Sie war wie er ein Jaspisgoyl, aber ihre Haut war dunkler und wie die Haut aller Goylfrauen mit Amethyst durchsetzt. Nesser war gerade erst dreizehn geworden. Goyl waren längst ausgewachsen in dem Alter, aber die meisten kamen frühestens mit vierzehn zur Armee. Nesser war weder besonders geschickt mit dem Säbel noch eine gute Schützin, doch sie machte beide Schwächen mit ihrem Mut mehr als wett. In ihrem Alter kannte man keine Furcht und hielt sich auch ohne Feenblut in den Adern für unsterblich. Hentzau erinnerte sich noch gut an das Gefühl.

»Kommandant?«

Er liebte die Ehrfurcht in ihrer jungen Stimme. Sie war das beste Gegengift gegen die Selbstzweifel, die die Dunkle Fee in ihm säte.

»Was?«

»Ich weiß, wie man zu den Feen kommt. Nicht auf die Insel … aber zu dem Tal, in dem sie verborgen sind.«

»Tatsächlich?« Hentzaus Herzschlag beschleunigte sich, doch er ließ sich seine Erleichterung nicht anmerken. Er hatte eine Schwäche für das Mädchen und war deshalb umso strenger mit ihr.

»Ich gehörte zu der Eskorte, die die Dunkle Fee auf Wunsch des Königs begleitet, wenn sie auf Reisen geht. Ich war dabei, als sie zum letzten Mal ihre Schwestern besuchte. Sie hat uns in der Schlucht warten lassen, die in das Tal führt. Ich bin sicher, dass ich mich an den Weg erinnern werde …«

Das war zu gut, um wahr zu sein. Er würde nicht um Hilfe betteln müssen. Vielleicht würde er sogar dafür sorgen können, dass sie niemals erfuhr, dass der Jadegoyl ihm durch die Finger geschlüpft war. Denn wenn er ihn das nächste Mal stellte, würde er ihn nicht entkommen lassen. Nein, ganz sicher nicht.

»Gut«, sagte er in betont gelangweiltem Ton. »Sag dem Fährtensucher, dass du uns von nun an führst. Aber wehe, du verirrst dich.«

»Bestimmt nicht, Kommandant.« Nessers goldene Augen schimmerten vor Zuversicht, als sie davonhastete.

Hentzau starrte die unbefestigte Straße hinunter, auf der der Jadegoyl entkommen war. Einer der Plünderer hatte behauptet, dass der Bruder verwundet war, und irgendwann würden sie rasten und schlafen müssen, während er und seine Männer tagelang ohne Schlaf auskamen. Ja, er würde sie bald einholen, und diesmal würde das Milchgesicht mit der Jade in der Haut nicht entkommen.

Er musste eine Fälschung sein.

Hentzau konnte es nicht erwarten, derjenige zu sein, der das bewies.

16

NIEMALS

E s war noch dunkel, als Jacob sie wieder aufbrechen ließ. Er hätte dringend eine lange Rast gebraucht, aber selbst Fuchs konnte ihn nicht überreden, länger zu bleiben, und Clara musste zugeben, dass sie froh war, von all den schlafenden Toten fortzukommen.

Es war eine klare Nacht, und die Sterne waren Perlen, mit denen eine Näherin den schwarzen Samt des Himmels bestickt hatte. Die Bäume und Hügel glichen den Scherenschnitten aus den Märchenbüchern ihrer Kindheit, und Will ritt an ihrer Seite, so weit fort, obwohl er so nah war. Clara konnte spüren, wie er sich von ihr entfernte, von ihr und von seinem Bruder.

Er lächelte ihr zu, wenn er ihren Blick spürte, aber es war nur ein Schatten des Lächelns, das sie kannte. Es war immer so einfach gewesen, ein Lächeln von ihm zu bekommen. Will gewährte Liebe so leicht. Zumindest hatte sie das immer geglaubt. Und es war so leicht, ihn zurückzulieben. Nichts war jemals so leicht gewesen. Sie wollte ihn nicht verlieren, aber die Welt, die sie hinter den Spiegel gelockt hatte, spann ihr Netz um ihn, und Clara glaubte, sie flüstern zu hören: *Er gehört mir.* Ihr einziger Wunsch war, zurück zu der Ruine zu reiten und die Hand gegen das dunkle Glas zu pressen, das sie hergebracht hatte. Stattdessen entfernten sie sich mit jedem Tag weiter von dem Turm, in dem der Spiegel stand, weiter und weiter reitend, als müssten sie das Herz dieser Welt finden, um Will von diesem finsteren Fluch zu befreien.

Lass ihn gehen, flehte Clara, während sie sie mit jeder Meile mehr in ihre furchterregende Schönheit hüllte. *Bitte. Lass ihn gehen!*

Aber die fremde Welt flüsterte: »*Welche Haut soll ich dir geben, Clara Ferber? Willst du ein Fell? Willst du Stein?*«

»Nein!«, flüsterte sie zurück. »Alles, was ich mir wünsche, ist, dass du mir zurückgibst, was mein ist.«

Doch sie spürte bereits, wie ihr die neue Haut wuchs. So weich. Viel zu weich.

Sie hatte solche Angst.

17
EIN FÜHRER ZU DEN FEEN

E s stimmte, was man über die Feen erzählte. Nur diejenigen, die
sie selbst dorthin lockten, fanden die verborgenen Seen und In-
seln, auf denen sie lebten. Vor dem Problem hatte Jacob auch schon
vor drei Jahren gestanden, als die austrische Kaiserin ihn beauftragt
hatte, ihr eine der Lilien zu bringen, die auf den Feenseen wuchsen.
Es gab heute wie damals nur eine Lösung. Man musste den richtigen
Zwerg bestechen.

Viele Zwerge brüsteten sich damit, Handel mit den Feen zu treiben, und führten deren Lilien in ihren Familienwappen.

Therese von Austrien, die für ihre Schönheit berühmt war, hatte
ihrer Tochter diese Schönheit nicht vererbt. Ihre Zofen behaupteten,
dass die Kaiserin ihrem Gemahl die Schuld für Amalies Hässlichkeit
gab. Als er kurz nach Amalies zwölftem Geburtstag bei einem myste-
riösen Jagdunfall ums Leben kam, hatte die Kaiserin demjenigen ein

Vermögen in Gold versprochen, der ihr eine Lilie vom See der Feen brachte. Die Blüten hatten den Ruf, selbst das hässlichste Mädchen in eine Schönheit zu verwandeln. Also hatte Jacob – der zu der Zeit schon ohne Chanute arbeitete – sich auf die Suche nach einem Zwerg gemacht. Die meisten hatten ihm verstaubte Geschichten von irgendeinem Urgroßvater erzählt, der regelmäßig zu den Feen gereist war, um am Ende zuzugeben, dass der auch das letzte Familienmitglied gewesen war, das eine Fee zu Gesicht bekommen hatte. Es war Auberon gewesen, einer von Thereses Hofzwergen, der Jacob schließlich geraten hatte, einen Händler namens Evenaugh Valiant ausfindig zu machen.

Valiant betrieb seine Geschäfte von Terpevas aus, der größten Zwergenstadt in Austrien, und für eine stattliche Anzahl von Goldtalern hatte er Jacob tatsächlich zu dem Tal geführt, in dem sich die Insel der Feen verbarg. Nur von ihren Wächtern hatte er nichts erzählt – und Jacob hätte den Ausflug fast mit dem Leben bezahlt. Valiant aber hatte der Kaiserin die Lilie verkauft, die aus ihrer Tochter Amalie eine noch gefeiertere Schönheit als ihre Mutter machte, und war seither einer ihrer Hoflieferanten.

Jacob hatte sich oft ausgemalt, seine Rechnung mit dem Zwerg zu begleichen, doch nach seiner Rückkehr von den Feen war ihm nicht mehr nach Rache zumute gewesen, und schließlich hatte er die Erinnerung an Evenaugh Valiant ebenso verdrängt wie die an die Insel, auf der er so glücklich gewesen war, dass er sich dort fast selbst vergessen hatte. Dass er damals auf seine Rache verzichtet hatte, würde nun vielleicht seinen Bruder retten.

Und? Was lehrt dich das, Jacob Reckless?, dachte er, als zwischen Hecken und Feldern die ersten Zwergenhäuser auftauchten. *Dass Rache meist keine gute Idee ist.* Trotzdem. Er hätte Valiant immer noch zu gern den gierigen Nacken gebrochen.

Inzwischen konnte nichts mehr die Jade in der Haut seines Bruders verbergen, also beschloss Jacob, Will und Clara mit Fuchs zurückzulassen, während er nach Terpevas ritt (was in der Sprache ihrer Bewohner nichts weiter als Zwergenstadt bedeutete). Fuchs fand in einem Waldstück eine Höhle, die von Schäfern als Unterschlupf benutzt wurde, und Will folgte ihr hinein, als könnte er es nicht erwarten, endlich dem Tageslicht zu entkommen. In seinem Gesicht war nur noch auf der rechten Wange ein Fleck Menschenhaut zu erkennen. Er sah aus wie seine eigene Steinbüste, gemeißelt aus Jade. Beide Augen ertranken inzwischen im Gold, und Jacob fiel es immer schwerer, sich selbst davon zu überzeugen, dass er das Rennen gegen die Zeit nicht bereits verloren hatte.

Clara folgte ihnen nicht in die Höhle. Als Jacob zu den Pferden ging, stand sie zwischen den Bäumen und sah so verloren aus in ihren Männerkleidern, dass Jacob sie fast für einen der heimatlosen Jungen hielt, die in dieser Welt überall auf den Straßen lebten, elternlos und auf der Suche nach Arbeit. Das Herbstgras, das zwischen den Bäumen wuchs, hatte dieselbe Farbe wie ihr Haar, und man sah ihr kaum noch an, dass sie eine Fremde in dieser Welt war. Die Stadt, in der sie alle drei aufgewachsen waren, ihre Lichter und ihr Lärm und das Mädchen, das sie dort gewesen war – all das war verblasst, weit fort. Die Gegenwart wurde so schnell zur Vergangenheit.

»Will bleibt nicht mehr viel Zeit, oder?«

Sie sah den Dingen ins Gesicht, auch wenn sie ihr Angst machten. Jacob mochte das an ihr, auch wenn sie das Leben für seinen Geschmack zu pragmatisch anging. Clara wollte verstehen, während er die Dinge einfach so akzeptierte, wie sie waren. Er ließ sich gern verzaubern, verführen, verhexen, und meist fand er Fragen reizvoller als Antworten, denen er eh nicht traute. Clara dagegen liebte Antworten. Sie fand Geheimnisse und jede Art von Zauberei anstrengend, falls er sie richtig einschätzte, und was mit Will geschah, würde das sicher nicht ändern.

»Er hat noch genug Zeit«, antwortete er, obwohl er mehr und mehr zu der Überzeugung kam, dass das eine Lüge war.

Jacob schaffte es kaum in den Sattel. Die Blüten, Blätter und Wurzeln, die Fuchs Clara gezeigt hatte, um seine Wunde zu behandeln, linderten die Entzündung. Aber er konnte seinen linken Arm kaum bewegen, und das Fieber schwächte ihn mehr, als er zugeben wollte.

»Du solltest in Terpevas zu einem Arzt gehen«, sagte Fuchs, als er nach den Zügeln griff und dabei vor Schmerz das Gesicht verzog. »Du weißt, die Zwerge haben bessere Ärzte als die Kaiserin.«

»Ja, wenn man ein Zwerg ist. Bei Menschenpatienten haben sie nur den Ehrgeiz, sie um ihr Geld und dann ins Grab zu bringen. Zwerge haben keine sehr hohe Meinung von uns«, setzte er hinzu, als er Claras fragenden Blick sah. »Zugegeben, wir liefern ihnen genug Gründe dafür.«

»Aber du kennst einen Zwerg, dem du trauen kannst?«

»Trauen? Ganz im Gegenteil.« Fuchs bleckte die Zähne. »Dem Zwerg, für den wir hergekommen sind, kann man weniger trauen als einer Viper. Frag ihn, woher er die Narben auf dem Rücken hat.«

»Das ist lange her.« Jacob wendete sein Pferd. »Und diesmal weiß ich, mit wem ich es zu tun habe.«

Die Füchsin beantwortete das mit einem verächtlichen Knurren und Clara griff nach seinen Zügeln.

»Warum nimmst du nicht wenigstens Fuchs mit?«

Die Füchsin warf ihr einen dankbaren Blick zu. Sie fand immer mehr Gefallen an Clara. Sie nahm sogar häufiger Menschengestalt an, als ob Clara der Beweis war, dass es am Ende vielleicht doch nicht so unangenehm war, eine Frau zu sein.

»Ich kann dich und Will nicht allein hier zurücklassen«, sagte Jacob und wendete erneut sein Pferd. »Ihr seid immer noch Fremde in dieser Welt.«

Clara protestierte nicht. Sie wusste, dass er recht hatte. Fuchs wusste es auch, und es lag ihr inzwischen genug an Will und Clara, um die Beschützerrolle zu akzeptieren.

Will kam nicht aus der Höhle, als Jacob davonritt. Er hatte ihn nicht mal gefragt, wo er hinwollte. Sein Bruder begann, das Licht der Sonne zu fürchten.

SPRECHENDER STEIN

Will konnte den Stein hören. Er hörte ihn so deutlich wie sein eigenes Atmen. In den Höhlenwänden, dem schartigen Fels unter seinen Füßen und der Decke über ihm ... Schwingungen, auf die sein Körper antwortete, als wäre er aus ihnen gemacht. Er hatte keinen Namen mehr, nur die neue Haut, die ihn kühl und schützend umschloss, die neue Kraft in seinen Muskeln und den Schmerz in den Augen, wenn er in die Sonne blickte.

Er strich mit den Händen über den Fels und las sein Alter mit den Fingern. Er flüsterte ihm zu, was sich unter seiner unscheinbar grauen Oberfläche verbarg: gestreifter Achat, blassweißer Mondstein, goldgelber Zitrin, schwarzer Onyx. Er ließ ihn Bilder sehen: von unterirdischen Städten, versteinertem Wasser, gedämpftem Licht, das sich in Fenstern aus Malachit spiegelte ...

»Will?«

Er wandte sich um und der Fels verstummte.

Clara stand im Eingang der Höhle. Das Sonnenlicht haftete an ihrem Haar, als wäre sie daraus gemacht. Ihr Gesicht brachte die andere Welt zurück, wo Stein nichts als Mauern und tote Straßen bedeutet hatte.

»Hast du Hunger? Fuchs hat ein Kaninchen gefangen und mir gezeigt, wie man Feuer macht.«

Sie trat auf ihn zu und nahm sein Gesicht zwischen ihre Hände, so weiche Hände, so farblos im Vergleich zu dem Grün, das seine Haut durchzog. Will versuchte zu verbergen, dass ihre Berührung ihn schaudern ließ. Wenn ihre Haut nur nicht so weich und blass wäre.

»Hörst du etwas?«, fragte er.

Sie sah ihn verständnislos an.

»Schon gut«, sagte er und küsste sie, um zu vergessen, dass er sich plötzlich danach sehnte, Amethyst in ihrer Haut zu finden. Ihre Lippen brachten noch mehr Erinnerungen zurück: an das alte Apartmenthaus, hoch wie ein Turm, und Nächte erhellt von künstlichem Licht. Licht, das seine goldenen Augen nicht mehr brauchten …

»Ich liebe dich.« Clara flüsterte die Worte, als versuchte sie, damit die Jade zu bannen. Aber der Fels flüsterte lauter.

Ich liebe dich auch. Er wollte es mit derselben Überzeugung aussprechen, mit der er es so oft gesagt und gemeint hatte. Aber alles fühlte sich so anders an mit einem Herzen aus Jade.

»Es wird alles gut«, flüsterte Clara. Ihre Finger liebkosten sein Gesicht, als wollte sie sein altes Fleisch unter der neuen Haut ertasten. »Jacob wird bald zurück sein.«

Jacob. Sogar der Name seines Bruders klang anders. Wie war es möglich, dass er nie bemerkt hatte, wie viel Schmerz daran hing? Hatte er vergessen, wie oft er diesen Namen gerufen hatte, ohne eine Antwort zu bekommen? Leere Zimmer. Leere Tage. Er hatte sie allein gelassen, ihn und ihre Mutter, wie der Mann, der sich einmal ihr Vater genannt hatte. All die Jahre in der leeren Wohnung, auf einen Bruder wartend, der kam und ging, wie es ihm gefiel, bis Will sich manchmal, in seinem Bett liegend, gefragt hatte, ob er ihn vielleicht nur geträumt hatte: den furchtlosen älteren Bruder, der kam und ihn vor den schlimmen Träumen beschützte, die ihm so oft den Schlaf raubten. Aber Jacob war nicht gekommen und er hatte die ganze Nacht wach gelegen und vergebens auf ihn gewartet.

Ja. Warum es nicht einfach alles vergessen? All die Einsamkeit. All die Sehnsucht. All den Zorn, den er nie gezeigt hatte. Warum nicht seine alte Welt vergessen und jemand anderer werden? Wer genau war er gewesen, bevor ihm eine Haut aus Jade gewachsen war? Der jüngere Bruder. So sanft. So still.

Er griff nach Claras Händen, als sie ihm über die Wange strich.

»Bitte«, sagte er. »Lass das.«

Sie wich vor ihm zurück, auf ihrem Gesicht all die Gefühle, die Will vom Gesicht seiner Mutter kannte. Schmerz. Liebe. Schuld. Er wollte all das nicht mehr. Er wollte die Jade, kühl und fest. Als Kind hatte er sich manchmal wie eine Muschel gefühlt, die ihre Schale verloren hatte. Wie eine Schnecke ohne ihr Haus. So weich. So schrecklich weich.

Ja, vielleicht hatte er die Jade selbst gerufen. War das nicht das Herz dieser Welt? All die Zauberdinge, die die geheimsten Wünsche wahr machten?

»Geh.« Will kehrte Clara den Rücken zu. »Bitte geh. Ich will allein sein.«

Mit den Felsen. Und den Bildern, die sie malten. Und mit der Jade, die all die furchtbare Weichheit in ihm zu Stein machen würde.

19

VALIANT

Falls man ihren Archiven traute, war Terpevas die älteste Zwergensiedlung hinter dem Spiegel. Die Stadtmauern waren mehr als fünfhundert Jahre alt, aber die riesigen Werbeschilder, die sie fast vollständig bedeckten und alles, von Bier und Brillen bis zu patentierten Gaslampen, anpriesen, machten allen Besuchern auf der Stelle klar, dass die Einwohner der Stadt jeden Fortschritt mit Leidenschaft willkommen hießen. Wie die meisten Zwerge ehrten auch sie ihre Traditionen, aber sie erlaubten ihnen niemals, einer neuen Idee im Weg zu stehen, die ihr Leben verbessern und, ebenso wichtig, ihre Geldbörsen füllen konnte. Die Handelsposten der Zwerge fanden sich selbst in den entlegensten Winkeln der Spiegelwelt, obwohl sie ihren menschlichen Kunden kaum bis zur Hüfte reichten, und jeder

Zwerg war stolz darauf, dass sie begnadete Spione, Akrobaten und Meisterdiebe waren.

Der Verkehr vor den Stadttoren war fast ebenso zäh wie auf den Brücken und Kreuzungen in Jacobs Welt, obwohl der Lärm hier von Karren und Kutschen stammte, die mit Reitern und Fußvolk um Platz auf dem grauen Kopfsteinpflaster stritten. Die Besucher kamen aus allen Himmelsrichtungen nach Terpevas. Der Krieg hatte die Geschäfte der Zwerge nur noch mehr belebt. Sie handelten seit Jahrzehnten mit den Goyl und Kami'en hatte viele von ihnen zum Dank zu seinen Hauptlieferanten gemacht. Auch Evenaugh Valiant, der Zwerg, den Jacob in Terpevas zu finden hoffte, handelte seit Jahren mit den Goyl, getreu seinem Motto, sich immer rechtzeitig auf die Seite der Gewinner zu schlagen.

Bleibt nur zu hoffen, dass der verschlagene kleine Bastard noch lebt!, dachte Jacob, während er die Stute an Kutschen und Einspännern vorbei auf das südliche Stadttor zutrieb. Schließlich war es sehr gut möglich, dass irgendein anderer betrogener Kunde Valiants ihn inzwischen erschlagen hatte.

Selbst drei Zwerge, die einander auf die Schultern stiegen, hätten es nicht auf die Größe der Posten gebracht, die den Strom der Besucher durch ihre Stadttore leiteten. Es waren zwei Rieslinge aus dem Norden, mit Bärten so rot wie ihr zottiges Kopfhaar. Viele Städte hinter dem Spiegel heuerten die Nachkömmlinge der ausgestorbenen Riesen als Wachen an. Terpevas war da keine Ausnahme. Rieslinge waren auch als Söldner sehr begehrt, obwohl sie den Ruf hatten, nicht allzu schlau zu sein. Die Zwerge bezahlten sie offenbar sehr gut, denn die Riesenabkömmlinge hatten sich tatsächlich in die altmodischen Uniformen gezwängt, die die Armee ihrer Dienstherren trug. Nicht mal die Kavallerie der austrischen Kaiserin trug noch Helme, die mit Schwanenfedern geschmückt waren, aber die Zwerge genossen die modernen Zeiten gern in dem vertrauten Dekor einer traditionsbewussteren Vergangenheit.

Als die Rieslinge Jacob weiterwinkten, folgte er zwei Goyl durch das offene Tor. Der eine hatte Mondsteinhaut, der andere war ein Onyx. Sie waren nicht anders gekleidet als die menschlichen Fabrikanten, deren Kutsche die Rieslinge nach Jacob passieren ließen, aber die langschößigen Jacken der Goyl wölbten sich über Pistolengriffen. Ihre weiten Kragen waren mit Jade bestickt, und sie verbargen die lichtscheuen Augen hinter Brillen aus so dünn geschliffenem Obsidian, wie kein Mensch sie hätte herstellen können.

Die beiden Goyl ignorierten den Abscheu, den ihr Anblick bei den menschlichen Besuchern der Zwergenstadt hervorrief. Ihre Gesichter sagten es deutlich: Diese Welt gehörte ihnen. Ihr König hatte sie wie eine reife Frucht gepflückt, und die gekrönten Anführer seiner menschlichen Gegner, die noch vor wenigen Jahren ihren plündernden Soldaten und jedem lynchenden Mob erlaubt hatten, die Goyl wie Tiere zu jagen, begruben inzwischen ihre Soldaten in Massengräbern und bettelten Kami'en um Frieden an.

Wills Gesicht glich mittlerweile so sehr dem der Goyl, dass Jacob sein Pferd zügelte und ihnen nachstarrte, bis ihn das ärgerliche Schimpfen einer Zwergenfrau, der er mit ihren zwei winzigen Kindern den Weg versperrte, wieder zu sich brachte.

Zwergenstadt. Geschrumpfte Welt.

Jacob stellte die Stute in einem der Mietställe nah der Stadtmauer unter. Die Hauptstraßen von Terpevas waren so breit wie die Straßen in Menschenstädten, doch der Rest der Stadt machte keinen Versuch, zu verbergen, dass ihre Bewohner kaum größer als sechsjährige Kinder waren. Einige Gassen waren so eng, dass Jacob sie selbst zu Fuß kaum passieren konnte. Terpevas wuchs wie alle Städte der Spiegelwelt in so rapidem Tempo, dass es fast an seinem eigenen Fortschritt erstickte.

Der Rauch zu vieler Kohleöfen schwärzte Fenster und Mauern, und die kalte Herbstluft roch nicht nach welkem Laub, auch wenn die Kanalisation der Zwerge der Venas oder Londras weit überlegen war. Die Welt hinter dem Spiegel schien fest entschlossen, all die Fehler zu machen, die auf der anderen Seite begangen worden waren.

Jacob kannte das Zwergenalphabet nicht gut genug, um die Straßenschilder lesen zu können, und da er sich kaum an den Weg zu Valiants Büro erinnerte, hatte er es schon bald geschafft, sich hoffnungslos in dem Labyrinth der engen Gassen zu verirren. Nachdem er sich den Kopf zum dritten Mal am selben Friseurladenschild gestoßen hatte, hielt er einen Botenjungen an und fragte ihn nach dem Haus von Evenaugh Valiant, Im- und Exporthändler für Spezialitäten jeder Art. Der Junge reichte ihm kaum bis an die Knie und musterte Jacob mit demselben Misstrauen, das die meisten Zwerge Menschen gegenüber an den Tag legten. Das änderte sich auch nicht, als Jacob ihm zwei Kupfertaler in die winzige Hand zählte, aber er akzeptierte sie mit einem Nicken und schoss dann so schnell voraus, dass Jacob ihm in den belebten Gassen kaum folgen konnte. Er fragte sich gerade, ob sein Führer versuchte, ihn abzuschütteln, als der Junge, etwas atemlos, aber sichtlich stolz auf seine Ortskenntnis, vor dem Haus haltmachte, nach dem Jacob gesucht hatte.

Valiants Name stand in goldenen Lettern auf dem milchigen Glas der Eingangstür, und wie alle menschlichen Kunden musste Jacob die Knie beugen, um durch den Türrahmen zu passen. Evenaugh Valiants Vorzimmer dagegen war hoch genug, um aufrecht darin zu stehen, und Jacob entdeckte auf den Fotos, die die Wände zierten, ein paar sehr wohlbetuchte Kunden. Inzwischen gingen hinter dem Spiegel selbst Fürsten für ihre Porträts zu einem Fotografen, statt Wochen damit zu verbringen, einem Maler Modell zu sitzen, auch wenn die Fotografie es bislang nur vermochte, sie in Sepia oder gräulichem

Schwarz abzubilden. Das Bild der Kaiserin hing natürlich gleich neben dem eines Goyloffiziers. Valiant war immer noch beiden Seiten zu Diensten. Die Rahmen der Fotos waren aus Mondsilber, einem sehr seltenen Metall, das seinen Namen dem üppigen Schimmer verdankte, den es selbst in der Dunkelheit hatte. Der Kronleuchter, der von der niedrigen Decke hing, war mit den Glashaaren eines Flaschengeists verziert, einem sogar noch kostbareren Material. Evenaugh Valiants Geschäfte liefen ohne Zweifel sehr gut, auch wenn Jacob der einzige Kunde an diesem Morgen war. Bei seinem letzten Besuch hatte es einen Sekretär gegeben, nun waren es zwei, aber der Empfang war ebenso kühl wie damals. Der jüngere musterte Jacob mit demselben Misstrauen, mit dem der Botenjunge ihm begegnet war, während der ältere nicht mal den Kopf hob, als Jacob vor seinem kaum kniehohen Schreibtisch stehen blieb. Zwerge gaben nicht vor, Menschen zu mögen, selbst wenn sie mit ihnen Geschäfte machten.

Jacob schenkte den beiden dennoch sein freundlichstes Lächeln.

»Ich nehme an, Herr Valiant handelt immer noch mit den Feen?«

»Allerdings«, antwortete der ältere Sekretär, ohne aufzublicken. »Aber Mottenkokons können wir derzeit nicht liefern.« Seine Stimme war, wie die vieler Zwerge, erstaunlich tief. »Wir erwarten die nächste Lieferung in etwa drei Monaten.«

Jacob musste zugeben, dass er sich auf das freute, was nun folgen würde.

Die Köpfe beider Zwerge schossen hoch, als er mit einem sachten Klicken die Pistole spannte.

»Ich bin ehrlich gesagt nicht hier, um Mottenkokons zu kaufen. Würden Sie mir beide den Gefallen tun und in den Schrank dort steigen?«

Zwerge sind berüchtigt für ihre enorme Kraft, aber Valiant zahlte seinen Sekretären wohl kein Gehalt, das es wert war, dafür erschossen zu werden. Beide kletterten ohne Widerstand in den Schrank, dessen solide aussehendes Schloss hoffentlich verhindern würde, dass sie die überaus effiziente Polizei von Terpevas riefen, während Jacob sich mit ihrem Arbeitgeber unterhielt.

Das Wappen, das auf Valiants Bürotür prangte, zeigte die Feenlilie unter einem Dachs, der auf einem Berg von Goldtalern saß. Jacob war ziemlich sicher, dass Valiant sich das Wappentier selbst ausgedacht hatte. Die Tür aus Rosenholz, einem Material, das für seine Schalldichte bekannt war, sprach dafür, dass der Zwerg immer noch die Art von Geschäften betrieb, die man besser hinter solchen Türen besprach. Aber es bedeutete auch, dass er von den Geschehnissen in seinem Vorzimmer nichts mitbekommen hatte.

Evenaugh Valiant saß hinter einem Menschenschreibtisch, dessen Beine er seiner Zwergengröße hatte anpassen lassen, und paffte eine Zigarre, die selbst im Mund eines Rieslings enorm ausgesehen hätte. Seine Augen waren geschlossen und auf seinen Lippen spielte ein sehr selbstzufriedenes Lächeln. Er hatte sich den Bart abrasiert, wie es bei den Zwergen inzwischen Mode war. Die Augenbrauen, buschig wie die all seiner Artgenossen, waren sorgfältig getrimmt, und sein maßgeschneiderter Anzug war aus Samt, einem Stoff, den wohlhabende Zwerge über alles schätzten. Jacob hätte seinen alten Feind zu gern mitsamt seinem Wolfsledersessel durch das Fenster hinter ihm geworfen. Der Schmerz und die Schrecken, die er seinetwegen durchlebt hatte, kamen mit noch größerer Macht zurück, als er erwartet hatte – und die Scham über die eigene Dummheit, dem Zwerg getraut zu haben.

»Ich hatte doch gesagt, keine Störung, Banster!« Valiant seufzte, ohne die Augen zu öffnen. »Geht es schon wieder um den Kunden, der den ausgestopften Wassermann reklamiert hat?«

Er war fetter geworden. Und älter. Das krause rote Haar wurde bereits grau, früh für einen Zwerg. Die meisten brachten es auf mindestens hundertfünfzig Geburtstage, und Valiant war höchstens sechzig – falls er nicht auch log, was sein Alter betraf.

»Nein, wegen eines ausgestopften Wassermanns bin ich eigentlich nicht hier«, sagte Jacob und richtete die Pistole auf den kraushaarigen Kopf. O ja, es fühlte sich gut an. So gut. »Ich habe vor drei Jahren für etwas bezahlt, das ich nicht bekommen habe.«

Valiant öffnete die Augen und verschluckte sich fast an seiner Zigarre. Er starrte Jacob so entgeistert an, wie man es erwarten konnte bei einem Besucher, den er einer Herde angreifender Einhörner überlassen hatte.

»Jacob Reckless!«, stieß er hervor.

»Sieh an, du erinnerst dich an meinen Namen.«

Der Zwerg ließ die Zigarre fallen und fuhr mit der Hand unter den Schreibtisch, aber er zog sie mit einem Aufschrei zurück, als Jacobs Kugel gleich neben seiner anderen Hand in die Schreibtischplatte fuhr. Selbst ein Schuss drang durch Rosenholz nur als ein Flüstern.

»Du solltest sorgfältig überlegen, was du tust!«, sagte Jacob. »Du wirst nicht beide Arme brauchen, um mich zu den Feen zu bringen. Und deine Ohren und deine Nase sind ebenso nutzlos. Hände hinter den Kopf. Na mach schon!«

Valiant hob die Hände und verzog den Mund zu einem allzu breiten Lächeln.

»Jacob!«, säuselte er. »Was soll das? Ich wusste natürlich, dass du nicht tot bist. Schließlich hat man die Geschichte überall gehört. Jacob Reckless, der glückliche Sterbliche, den die Rote Fee zwölf berauschende Monate lang als ihren Geliebten beherbergt hat. Jedes männliche Wesen in diesem Land, ob Zwerg, Mensch oder Goyl, läuft grün an vor Neid bei der bloßen Vorstellung. Und gib zu: Wem verdankst du dieses Glück? Evenaugh Valiant! Hätte ich dich vor ihren

Einhörnern gewarnt, wärst du sicher in eine Distel oder einen Fisch verwandelt worden, wie es mit ihren anderen ungeladenen Besuchern passiert. Aber nicht einmal die Rote Fee kann einem Mann widerstehen, der hilflos in seinem Blut liegt!«

Die Dreistigkeit dieser Argumentation musste selbst Jacob bewundern.

»Erzähl schon!«, raunte Valiant ihm ohne jeden Ansatz von Schuldbewusstsein über den viel zu großen Schreibtisch zu. »Wie war sie? Und wie hast du es angestellt, ihr davonzulaufen?«

Jacob packte den Zwerg an seinem maßgeschneiderten Kragen und zog ihn hinter dem Schreibtisch hervor. »Hier ist mein Angebot: Ich werde dich nicht erschießen und dafür führst du mich noch einmal zu ihrem Tal. Aber diesmal zeigst du mir, wie man an den Einhörnern vorbeikommt.«

»Was?« Valiant versuchte, sich aus seinem Griff zu befreien, aber die Pistole stimmte ihn schnell um. »Das ist ein Ritt von mindestens zwei Tagen!«, zeterte er. »Ich kann hier nicht so einfach alles stehen und liegen lassen!«

Nein, er hatte sich kein bisschen verändert. Jacob stieß ihn unsanft auf die Tür zu.

Aus dem Schrank kam kein Ton von den Sekretären und Valiant warf nur einen fragenden Blick auf ihre leeren Schreibtische.

»Meine Preise sind in den letzten drei Jahren enorm gestiegen«, sagte er, während er seinen Hut von einem Kleiderhaken neben der Tür pflückte. »Vergiss nicht, dass du es nun mit einem Lieferanten der Kaiserin zu tun hast.«

»Ich werde dich am Leben lassen«, gab Jacob zurück. »Das ist eine fürstliche Bezahlung, wenn man bedenkt, welche Schulden du bei mir hast.«

Valiant rückte sich den Hut vor der verglasten Eingangstür zurecht. Wie viele Zwerge hatte er eine Leidenschaft für Zylinder, die seiner Größe ein paar Handbreit hinzufügten.

»Du scheinst es nicht erwarten zu können, zu deiner verflossenen Geliebten zurückzukommen«, schnurrte er. »Und der Preis steigt mit der Verzweiflung des Kunden.«

»Nicht nur der Preis, auch das Risiko«, gab Jacob zurück und winkte ihn zur Tür. »Verlass dich drauf. Dieser Kunde ist verzweifelt genug, um dich jederzeit zu erschießen.«

20

ZU VIEL

Fuchs roch goldenen Abscheu, steingewordene Liebe. Der Eingang der Höhle atmete sie aus, und das Fell sträubte sich ihr, als sie Claras Spur davor im Gras fand. Sie war mehr gestolpert als gelaufen, und ihre Fährte führte in den Wald, der die Höhle umgab. Jacob hatte sie alle vor den Bäumen gewarnt, aber Clara war auf sie zugehastet, als wäre ihr bedrohlicher Schatten genau das, was sie suchte.

Claras Witterung war vertraut. Sie erinnerte Fuchs an ihre eigene, wenn sie das Fell ablegte. Mädchen. Frau. So viel verletzlicher als die Füchsin. Oder als Männer. Stark und schwach zugleich und ein Herz, das keine Schale kannte. Claras Witterung sprach von all dem, was Fuchs fürchtete und wovor das Fell sie beschützte. Ihre hastigen Schritte schrieben es auf die dunkle Erde, und Fuchs brauchte nicht die feine Nase der Füchsin, um zu wissen, warum Clara so schnell lief. Sie hatte selbst schon versucht, dem Schmerz davonzulaufen.

Die Schatten von Haselnusssträuchern und wilden Apfelbäumen dunkelten ihr das Fell, Pflanzen, die den meisten Lebewesen wohlgesonnen waren, sei es Vogel, Mensch oder Fuchs. Jeder Wald beherbergt Freunde und Feinde, aber Clara konnte die einen nicht von den anderen unterscheiden. Jedes Kind hinter dem Spiegel hielt sich von den Bäumen fern, die hinter den Apfelbäumen wuchsen. Ihre Rinde war so stachlig wie die Schale einer Kastanie. Vogelbäume. Unter ihren Zweigen zerlief das Licht der Sonne in finsterem Braun. Selbst die Eichhörnchen wussten die Warnung zu lesen, aber Clara war einem der Bäume geradewegs in die holzigen Klauen gestolpert.

Sie schrie nach Jacob, aber der war weit fort. Der Baum hatte ihr die Wurzeln um Knöchel und Arme geschlungen, und seine gefiederten Diener hatten sich bereits auf Claras Körper niedergelassen, mit Federn so weiß wie frisch gefallener Schnee, Vögel mit spitzen Schnäbeln und Augen, die ihnen wie rote Beeren im Kopf saßen.

Die Füchsin sprang mit gebleckten Zähnen zwischen sie, taub für ihr wütendes Geschrei, und packte einen im Sprung, bevor er sich hinauf in die schützenden Zweige retten konnte. Sie spürte sein Herz zwischen ihren Kiefern rasen, aber sie biss nicht zu, sondern hielt nur fest, ganz fest, bis der Baum sein menschliches Opfer mit einem zornigen Ächzen losließ.

Die Wurzeln lösten sich wie Schlangen von Claras zitternden Gliedern, und während sie taumelnd auf die Füße kam, glitten sie schon zurück unter die herbstbraunen Blätter, wo sie auf das nächste Opfer warten würden. Die Vögel des Baumes schimpften aus den Zweigen auf Fuchs herab, aber sie ließ ihren gefiederten Gefangenen erst los, als Clara an ihre Seite stolperte. Ihr Gesicht war so weiß wie die Federn, die ihr an den Kleidern hafteten, aber Fuchs witterte nicht nur Todesangst. Da war noch ein anderer Geruch: der eines frisch verwundeten, vor Schmerz rohen Herzens.

Sie sprachen kaum ein Wort auf dem Weg zurück zur Höhle. Clara blieb mehrmals stehen, als könnte sie nicht weitergehen, aber dann tat sie es schließlich doch, jedes Mal schweigend, mit gesenktem Kopf. Als sie die Höhle erreichten, blickte sie auf den dunklen Eingang, als hoffte sie, Will dort zu sehen. Doch dann hockte sie sich neben den Pferden ins Gras und kehrte ihr den Rücken zu. Bis auf ein paar Schrammen an Hals und Knöcheln war sie unverletzt, aber Fuchs sah, wie sehr sie sich schämte – für ihr schmerzendes Herz und dafür, dass sie trotz Jacobs Warnungen in den Wald gelaufen war.

Für einen Moment wollte Fuchs sie allein lassen, aber dann wechselte sie die Gestalt und setzte sich neben sie.

»Will liebt mich nicht mehr, Fuchs.« Selbst ihre Stimme war durchsetzt mit Tränen.

»Er verändert sich.« Fuchs zupfte ihr eine weiße Feder aus dem Haar. »Er versteht sich selbst nicht mehr. Er ist nicht sicher, wer er ist. Und wer er sein möchte. Es ist nicht leicht, zu lieben, wenn man nicht weiß, wer man ist.«

Wer wusste besser als sie, wie sich das anfühlte? Eine andere Haut, ein anderes Ich. Aber das Fell der Füchsin war weich und warm. Wie fühlte es sich an, wenn die Haut zu Stein wurde?

Clara blickte zu der Höhle hinüber.

»Jacob wird ihm helfen«, sagte Fuchs. »Du wirst sehen. Er liebt seinen Bruder sehr.«

Zu sehr, flüsterte ihr Herz. *Weil er zu ihr zurückgehen wird, um ihn zu retten. Und sie wird ihn töten, und du wirst ebenfalls sterben, Fuchs. Denn wie könntest du leben ohne ihn?*

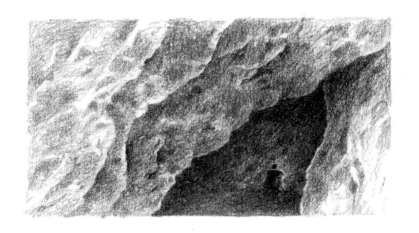

SEINES BRUDERS HÜTER

Die Füchsin wartete vor der Höhle, als Jacob mit Valiant zurückkam. Will und Clara waren nirgends zu sehen.

»Sieh an. Die räudige Füchsin läuft dir immer noch nach!«, spottete Valiant, als Jacob ihn vom Pferd hob. Er hatte den Zwerg mit
einer Silberkette gefesselt, dem einzigen Metall, das seinesgleichen
nicht so mühelos wie Zwirn zerriss.

Jacob hatte erwartet, dass Fuchs Valiant mit einem Knurren und
einem Biss willkommen heißen würde, da sie ihn seit Langem gedrängt hatte, Rache für das zu nehmen, was er ihm angetan hatte.
Aber sie ignorierte seinen Gefangenen, als wäre er nichts als ein Sack
Vorräte, den er aus Terpevas mitgebracht hatte. Irgendetwas war in
seiner Abwesenheit geschehen. Etwas, das sie sehr aufgebracht hatte.
Was nicht leicht geschah.

»Du musst mit deinem Bruder reden«, sagte sie und pflückte sich

121

eine Feder aus dem Fell. Sie war so weiß wie Schnee. Jacob kannte solche Federn.

»Was ist passiert?« Er band den Zwerg an den nächsten Baum und warf einen besorgten Blick zu der Höhle, in der Will sich verbarg.

»Nicht er.« Die Füchsin wies mit der Schnauze auf eine Eiche. Clara schlief darunter. Das Hemd, das er ihr gekauft hatte, war zerrissen, und an ihrem Hals war eine blutige Schramme.

»Ein Vogelbaum«, sagte Fuchs. »Sie ist in den Wald gerannt, nachdem sie sich gestritten haben.«

»Ich werde nicht nur so aussehen wie sie. Ich werde sein wie sie, oder?«

Jacob fand Will im dunkelsten Winkel der Höhle. Er saß auf dem Boden, den Rücken gegen den Fels gelehnt. Sie hatten die Rollen getauscht. Es war immer er gewesen, der sich in der Dunkelheit versteckt hatte, in seinem Zimmer, in der Wäschekammer, im Büro seines Vaters. *»Jacob? Wo bist du? Was hast du nun wieder angestellt?«* Immer Jacob. Aber nicht Will. Niemals Will.

Die Augen seines Bruders schimmerten wie Münzgold in der Dunkelheit.

»Fuchs sagt, Clara und du hattet Streit?«

Will blickte auf seine Finger. Jadefinger. »Nicht wirklich. Ich hab ihr nur gesagt, dass ich allein sein will.«

»Du warst es, der sie mitnehmen wollte!«

Hör auf, Jacob. Aber in seiner Schulter pochte der Schmerz, und die Jade im Gesicht seines Bruders machte ihm so viel mehr Angst, als er wagte zuzugeben.

»Du musst dagegen kämpfen!«, sagte er. »Diesmal kann ich das nicht für dich tun.«

Will kam auf die Füße. Seine Bewegungen verrieten seine wachsende Kraft, und es war lange her, dass er Jacob kaum bis zur Schulter gereicht hatte.

»Diesmal kann ich das nicht für dich tun?«, wiederholte er. »Wann hast du das das letzte Mal getan? Als ich sieben war? Du glaubst immer noch, dass Mum und ich eine märchenhafte Zeit hatten, während du Glasschuhe und Hexenkämme gesucht hast, stimmt's? Ich schätze, ich war ziemlich gut darin, dir das vorzumachen. Aber was war mit ihr?«

Da war er wieder. Der Zorn. Ein Zorn, den Jacob von seinem Bruder nicht kannte. Oder hatte er ihn bislang nur nicht bemerkt?

»Weißt du, was ich denke? Dass sie manchmal gehofft hat, du wärst fortgegangen, um unseren Vater zu finden. Und dass du eines Tages mit ihm zurückkommen würdest. Stimmt das? Bist du durch den Spiegel gegangen, um nach ihm zu suchen? Oder wolltest du einfach nur fort? Fort von mir, fort von ihr, fort von allem?«

Es war, als wären sie wieder in der Wohnung mit all den leeren Zimmern und dem dunklen Fleck auf der Tapete, wo das Foto ihres Vaters gehangen hatte.

»Ich weiß es nicht«, sagte Jacob. Das war die Wahrheit.

»Nun komm schon! Nimm mir die verdammte Kette ab, Füchsin!«, hörten sie Valiant draußen schimpfen. »Ich werd keine große Hilfe sein, wenn ich vom Pferd falle, weil meine Glieder taub sind!«

Will trat auf den Höhleneingang zu und hielt die Hand vor die Augen, als das Tageslicht sein Gesicht fand.

»Ist das der Führer, von dem du erzählt hast?«

»Ja.« Jacob konnte den Blick nicht von ihm wenden. Ein Fremder und doch auch sein Bruder.

»Warum ist er gefesselt?«

»Weil man ihm nicht trauen kann.«

Aber du musst mir trauen, dachte Jacob. *Oder ich werde dich nicht*

123

retten können. Retten vor was? Sein Bruder berührte die Jade in seiner Haut inzwischen fast mit Zärtlichkeit.

»Es tut mir leid, was ich zu Clara gesagt habe«, sagte er. »Es wird nicht wieder vorkommen. Ich versprech es.«

TRÄUME

Es war Nacht, aber die Dunkle Fee reiste nach Osten. Sie reiste immer nachts. Die Nacht war zu schön, um sie zu verschlafen. Schwarze Hügel und Wälder zogen an dem Zugfenster vorbei, unter einem mit Sternen bespickten Himmel, aber von Zeit zu Zeit zeigte ihr das Glas plötzlich sein Gesicht. Sie sah ihn inzwischen überall, ob sie wachte oder schlief: den Jungen aus heiligem Stein. Bald würde er all die Geschichten wahr machen, die lange vor seiner Geburt erzählt worden waren. Sie sah es alles so deutlich. Alle Feen wussten von den Früchten der Zukunft, die aus der Saat der Vergangenheit wuchsen. Vielleicht konnte die Zeit nichts vor ihresgleichen verbergen, weil die Wörter Vergangenheit, Gegenwart und Zukunft für eine Unsterbliche nichts bedeuteten.

Das Gesicht des Jungen verschwand, und die Dunkle Fee sah nur ihr eigenes Spiegelbild, vom Glas des Fensters in die Nacht gezeich-

125

net: nichts als ein blasser Spuk, hinter dem die Welt viel zu schnell vorbeiglitt. Kami'en wusste, dass sie sich in Zügen fast ebenso unwohl fühlte wie unter der Erde. Also hatte er seine begabtesten Künstler angewiesen, die Wände ihres Waggons mit kostbaren Mosaiken zu schmücken: Jadehügel träumten unter einem Onyxhimmel, durchsetzt mit Mondstein, und über den Sitzen blühten Rubinblumen zwischen Blättern aus Malachit. Die Dunkle Fee strich über die roten Blütenkelche. Das war wohl Liebe, oder?

Aber der Lärm des Zuges schmerzte ihre Ohren immer noch, und all das Metall, das sie umgab, ließ sie frösteln. Sie hätte in dem Schloss mit den zugemauerten Fenstern bleiben und dort auf Nachricht von Hentzau warten sollen. Aber Kami'en wollte zurück in die Berge, in denen er geboren worden war, und in seine Festung unter der Erde. Er sehnte sich so sehr nach der Tiefe, wie sie sich nach dem Nachthimmel sehnte und nach weißen Lilien, die auf dem Wasser trieben – auch wenn sie sich immer noch einzureden versuchte, dass Liebe allein satt machte.

Draußen hingen die beiden Monde am Himmel, so still und beständig trotz der Hast des Zuges, über einer Ebene, die die Nacht schwarz färbte. Der rote Mond erinnerte sie immer an Kami'ens Haut.

Ja. Sie liebte ihn. Und er liebte sie. Aber er würde trotzdem die Menschenprinzessin heiraten, mit ihren leeren Augen und ihrer Schönheit, die sie einer Feenlilie verdankte. Amalie. Ihr Name war ebenso farblos wie ihr Gesicht. Wie gern sie sie getötet hätte. Ein vergifteter Kamm, ein Kleid, das sich in ihr Fleisch fraß, wenn sie sich darin vor ihren goldenen Spiegeln drehte. Wie sie schreien und sich die Haut zerkratzen würde, die so viel weicher als die ihres Bräutigams war. Die Fee presste die Stirn gegen die kühle Scheibe. Eifersucht. Sie verabscheute das Gefühl. Sie hatte es niemals zuvor gefühlt. Warum diesmal? Kami'en hatte immer andere Frauen neben ihr gehabt. Kein Goyl liebte nur ein Mal. Niemand liebte nur ein Mal ... zuallerletzt eine Fee.

Natürlich kannte sie all die Geschichten, die man sich über ihresgleichen erzählte: dass ihre Schwestern ihre Liebhaber in Fische oder Schilfhalme verwandelten, wenn sie sie leid waren. Dass sie die Männer durch deren Begierde in den Wahnsinn trieben, bis sie sich in irgendeinem See ertränkten, selbst im Tod noch nach ihnen suchend. Dass ihre Motten ihre toten Liebhaber waren und dass alle Feen ebenso wenig ein Herz wie einen Vater oder eine Mutter hatten. Die Geschichten waren alle wahr. Die Dunkle Fee presste sich die Hand zwischen die Brüste. Kein Herz, wie ihre Schwestern. Also wo kam die Liebe her?

Draußen spiegelten sich die Monde in einem See. Sie verwandelten das Wasser in einen Spiegel aus Silber und kaltem Feuer. Die Goyl fürchteten das Wasser, obwohl es ihre Höhlen schuf und das Tropfen in ihren Städten ebenso selbstverständlich zu hören war wie das Geräusch des Windes über der Erde. Sie fürchteten es so sehr, dass die Meere Kami'ens Eroberungen feuchte Grenzen setzten und ihn vom Fliegen träumen ließen. Aber Flügel konnte sie ihm ebenso wenig geben wie Kinder. All die Wörter, die Goyl und Menschen so viel bedeuteten – Schwester, Bruder, Tochter, Sohn –, waren bedeutungslos für sie, und das Wasser, das ihr steinerner Geliebter so sehr fürchtete, hatte sie und ihre Schwestern geboren.

Es erfüllte sie mit bittersüßer Genugtuung, dass seine Menschenprinzessin Kami'en ebenfalls keine Kinder schenken konnte – es sei denn, er wollte eins der verkrüppelten Monster zeugen, die einige Menschenfrauen seinen Soldaten geboren hatten. Wie oft hatte er es inzwischen beteuert: »Mir liegt nichts an Amalie von Austrien, aber ich brauche den Frieden mit ihrer Mutter.« Er glaubte sich das tatsächlich, aber sie kannte ihn besser. Ja, er wollte Frieden, aber noch mehr gelüstete es ihn danach, Amalies Menschenhaut zu liebkosen und eine von ihnen zu seiner Frau zu machen. Seine Faszination für alles Menschliche hatte sie eine Weile amüsiert, aber inzwischen verstand sie nur allzu gut, dass diese Faszination nicht nur sein Volk, sondern sogar Männer, die ihm so blind ergeben waren wie Hentzau, mit Furcht erfüllte.

Woher kam die Liebe? Woraus war sie gemacht? Aus Stein wie Kami'en? Aus Wasser wie sie und ihre Schwestern?

Es war nur ein Spiel gewesen, als sie sich auf die Suche nach ihm gemacht hatte. Der See zeigte ihnen oft die Gesichter von Männern. Die, die ihnen gefielen, lockten sie auf ihre Insel. Aber sie hatte Kami'en nicht im Wasser des Sees gesehen, sondern in ihren Träumen: der Goyl, der die Welt in Scherben schlug und Regeln missachtete wie sie. Und so hatte sie ihre Motten ausgesandt, ihn zu finden, trotz der Warnungen ihrer Schwestern. Die Feen mischten sich nicht in die Angelegenheiten von Menschen oder Goyl ein. Ihre Schwestern hielten sich fern von der Welt der Sterblichen. Die letzte, die diese Regel gebrochen hatte, trug nun eine Haut aus Rinde und seufzte in den Blättern einer Weide. Auch die Dunkle wusste, dass ihre Schwestern ihr nie verzeihen würden, dass sie sie für Kami'en verlassen hatte. Das Zelt, in dem sie ihm zum ersten Mal begegnet war, hatte nach Blut gerochen und nach dem Tod, den sie nicht verstand, und sie hatte es immer noch alles für ein Spiel gehalten. Sie hatte sich danach gesehnt, ihm die Welt zu Füßen zu legen, Steinernes Fleisch gesät und seinen Feinden eine Haut gegeben, die der seinen glich. Zu spät hatte sie gespürt, was er in ihr säte. Liebe. Das schlimmste aller Gifte.

»Du solltest öfter Menschenkleider tragen.«

Wie konnte es sein, dass sie glaubte, seine Stimme schon immer gekannt zu haben? Es gab kein »Immer« für ihn. Vielleicht für sie, aber nicht für ihn.

Augen aus Gold. Lippen aus Feuer. Er sah nicht müde aus, obwohl er seit Tagen kaum geschlafen hatte.

Ihr Kleid raschelte, als sie sich zu ihm umdrehte, als wäre es aus Blättern gemacht. Menschenfrauen kleideten sich wie Blumen, Schichten aus Blütenblättern um ein sterbliches, welkendes Herz. Ihre Schneiderin hatte das Kleid von einem Gemälde im Schloss des toten Generals kopiert. Sie hatte Kami'en ein paarmal dabei ertappt, dass er davorgestanden und es betrachtet hatte, so abwesend, als zeigte es ihm etwas, nach dem er sich sehnte. Die grüne Seide hätte für zehn Kleider gereicht, aber sie liebte das Rascheln der übereinandergeschichteten Röcke und wie kühl sie ihre Haut umspielten.

»Noch immer keine Nachricht von Hentzau?« Als ob sie die Antwort nicht wüsste. Der Jadegoyl ... Warum hatten ihre Motten ihn noch nicht gefunden? Sie sah ihn doch so deutlich.

»Hentzau wird ihn finden.« Kami'en trat hinter sie und küsste ihren Nacken. »Falls es ihn gibt.«

Er zweifelte an ihr, aber niemals an seinem Jaspisschatten. Hentzau. Noch jemand, den sie manchmal zu gern getötet hätte. Aber seinen Tod hätte Kami'en ihr noch weniger verziehen als den seiner künftigen Braut. Er hatte seine eigenen Brüder umgebracht, wie die Goyl es oft taten, doch Hentzau war ihm näher als ein Bruder. Vielleicht sogar näher als sie.

Auf dem Zugfenster verschmolzen ihre Spiegelbilder miteinander. Sie atmete immer noch schneller, wenn er neben ihr stand. Woher kommt die Liebe?

»Vergiss den Jadegoyl und deine Träume«, flüsterte er, während er ihr das Haar löste. »Ich schenke dir neue Träume. Sag mir nur, welche du dir wünschst.«

Sie hatte Kami'en nie erzählt, dass sie auch ihn zuerst in ihren Träumen gefunden hatte. Es hätte ihm nicht gefallen. Weder Menschen noch Goyl lebten lange genug, um zu begreifen, dass das Gestern ebenso aus dem Morgen geboren wurde wie das Morgen aus dem Gestern.

23
IN DER FALLE

Das Rauschen des Baches, der zwischen den Felsen floss, die Fichten, die sich in die steilen Hänge krallten ... Es kam Jacob vor, als ritte er durch seine eigene Vergangenheit. Die Schlucht, die er vor drei Jahren durchquert hatte, um ins Tal der Feen zu kommen, hatte sich nicht verändert. Aber der Schmerz in seiner Schulter erlaubte ihm nicht, zu vergessen, wie viel seither passiert war. Er war inzwischen so schlimm, als nähte der Schneider sich tatsächlich Kleider aus seiner Haut.

Jacob teilte sich den Rücken der Stute mit Valiant. Es hatte seine Vorteile, den Zwerg gleich vor sich sitzen zu haben und ihn so nicht aus den Augen zu verlieren. Aber Valiant behielt ihn auf die Art auch im Blick, und das Lächeln auf seinem bartlosen Gesicht wurde breiter mit jedem Mal, das er sich zu Jacob umdrehte und sein schmerzverzerrtes Gesicht sah.

Und schon drehte er sich wieder um. Und lächelte. Wie ein Kater vor dem Mauseloch.

»Oh, du siehst wirklich schlimm aus, Jacob!«, stellte er mit unverhohlener Schadenfreude fest. »Und das arme Mädchen ... sie beobachtet dich. Merkst du, wie besorgt sie ist? Sie ist halb tot vor Angst, dass du vom Pferd fallen wirst, bevor ihr Liebster seine Haut zurückhat. Aber keine Sorge. Wenn du tot und dein Bruder ein Goyl ist, wird Evenaugh Valiant sie höchstpersönlich trösten. Ich habe eine Schwäche für Menschenfrauen. Hab ich dir das je erzählt?«

Jacob war zu betäubt vom Fieber, um etwas zu erwidern. Er sehnte sich nach der heilenden Luft der Feen inzwischen ebenso sehr für sich selbst wie für seinen Bruder.

Du musst nur noch durch die Schlucht, Jacob. Und dann an den Einhörnern vorbei. Die Einhörner. Sein Rücken schmerzte bei dem bloßen Gedanken. Was, wenn der Zwerg ihn erneut betrog?

Will ritt an Claras Seite, als wollte er sie vergessen lassen, was er in der Höhle gesagt hatte. Aber sie konnte es nicht vergessen. Jacob sah es in ihrem Gesicht. Sie hatte kaum einen Blick für seinen Bruder. Aber wenn sie Will ansah, las Jacob Liebe – und Furcht.

Die Sonne stand bereits tief und zwischen den Felsen wuchsen die Schatten. Sie färbten das Wasser des schäumenden Baches, an dem sie entlangritten, so dunkel, als schwemmte er die Nacht in die Schlucht. Sie hatten sie zur Hälfte durchquert, als Will sich plötzlich besorgt umsah.

»Was ist los?«, fragte Valiant beunruhigt.

»Es sind Goyl hier.« Aus Wills Stimme war nicht die Spur von Zweifel zu hören. »Sie sind ganz in der Nähe.«

»Goyl? Bestens!« Valiant warf Jacob einen hämischen Blick zu. »Ich verstehe mich ausgesprochen gut mit ihnen. Aber ich nehme an, von den anderen Mitgliedern dieser Expedition kann man das nicht sagen?«

Jacob zügelte die Stute und lauschte, aber das Rauschen des Baches übertönte alle anderen Geräusche. »Tut so, als tränktet ihr die Pferde«, flüsterte er Will und Clara zu, während er sich aus dem Sattel schwang.

Die Füchsin huschte an seine Seite. »Will hat recht. Ich wittere sie auch. Sie sind vor uns.«

Will schauderte wie ein Wolf, der sein Rudel wittert. »Warum verstecken sie sich?«

Valiant musterte ihn, als sähe er ihn zum ersten Mal.

»Du verschlagener Hund!«, zischte er Jacob zu. »Der Stein in seiner Haut – es ist Jade!«

»Und?«

»Und? Dein Bruder, dass ich nicht lache!« Der Zwerg zwinkerte Jacob verschwörerisch zu. »Die Goyl haben zwei Kilo roten Mondstein auf einen Menschengoyl mit Jadehaut ausgesetzt! Nicht schlecht gespielt, Reckless. Aber warum, im Namen aller kinderfressenden Hexen, willst du mit ihm zu den Feen?«

Zwei Kilo roter Mondstein … Jacob starrte auf Wills blassgrüne Haut. Natürlich. Deshalb waren die Goyl auf dem verlassenen Hof aufgetaucht. Die Wunde hatte ihm wirklich den Verstand vernebelt. Der Jadegoyl, der ihren König unbesiegbar machen würde. Chanute hatte mal davon geträumt, ihn zu finden und an die Kaiserin zu verkaufen. Aber niemand konnte allen Ernstes seinen Bruder für die Goyllegende halten?

Sie konnten bereits das Ende der Schlucht sehen und dahinter das nebelverhangene Tal. So nah.

»Lass uns umdrehen und ihn zu einer ihrer Festungen bringen!«, zischte Valiant. »Die Belohnung ist verloren, wenn sie ihn selbst fangen. Zwei Kilo Mondstein! Komm schon! Was gibt's da zu überlegen?«

Will schauderte erneut. Er suchte die Hänge mit den Augen ab. Goldenen Augen.

»Kennst du noch einen anderen Weg in das Tal?«, fragte Jacob den Zwerg.

»Sicher«, gab Valiant hämisch zurück. »Wenn du glaubst, dass dein sogenannter Bruder Zeit für lange Umwege hat ... Von dir selbst ganz zu schweigen. Falls du mich fragst, siehst du so aus, als würdest du spätestens morgen früh tot in deinen Stiefeln stecken.«

Will blickte sich um wie ein gefangenes Tier.

Clara trieb ihr Pferd an Jacobs Seite.

»Bring ihn fort von hier!«, flüsterte sie ihm zu. »Bitte. Wir müssen umdrehen.«

Und was dann? Die Fee war Wills einzige Hoffnung.

Ein paar Meter weiter wuchs zu ihrer Linken eine Gruppe Kiefern vor den Felsen. Unter den Zweigen war es so dunkel, dass Jacob selbst auf so kurze Entfernung nicht sehen konnte, was darunter lag.

Er winkte Will an seine Seite.

»Komm mir nach, wenn ich mein Pferd zu den Kiefern da führe«, raunte er ihm zu.

Will zögerte, aber schließlich folgte er ihm.

Die Schatten unter den Ästen waren schwarz wie Ruß. Jacob trat dicht an die Bäume heran und griff nach Wills Arm. »Erinnerst du dich daran, wie wir als Kinder miteinander gekämpft haben?«

»Du hast mich immer gewinnen lassen.«

»Genau. So machen wir es jetzt auch.«

»Was hast du vor?« Fuchs war ihnen gefolgt. »Wir müssen umdrehen! Oder willst du, dass sie kommen und ihn holen?«

»Sie werden ihn nicht holen, wenn du tust, was ich sage.« Oh, sie würde so zornig sein, wenn sie begriff, was er vorhatte. Jacob band sein Pferd an einen der Bäume. »Was auch immer passiert, Fuchs«, flüsterte er, »ich will, dass du bei Will bleibst. Versprich es mir! Wenn du es nicht tust, enden wir alle in einem Goylgefängnis.«

Will band sein Pferd ebenfalls an den Kiefern fest. »Mir gefällt das nicht«, sagte er leise. »Ich mochte unsere Kämpfe nie.«

»Gut«, flüsterte Jacob zurück. »Zeig ihnen das. Denn dieser muss echt aussehen. Und wir müssen unter den Bäumen da enden.«

Dann schlug er seinem Bruder die Faust ins Gesicht.

Das Gold in Wills Augen fing Feuer.

Er schlug so fest zurück, dass Jacob auf die Knie fiel. Eine Haut aus Stein und der Zorn der Goyl.

Vielleicht war es doch kein so guter Plan gewesen.

24

DIE JÄGER

Hentzau hatte die Schlucht bei Morgengrauen erreicht. Die Einhörner, die in dem nebligen Tal grasten, ließen wenig Zweifel daran, dass Nesser sie an den richtigen Ort geführt hatte. Aber als sie am späten Nachmittag immer noch nichts anderes zwischen den Felsen ausgemacht hatten als Wildschweine und Hasen, begann Hentzau sich zu fragen, ob der Bruder des Jadegoyl ihn am Ende doch einfach erschossen hatte.

Er wollte gerade zwei seiner Männer zum Eingang der Schlucht schicken, als Nesser ihn auf drei Reiter aufmerksam machte, deren Schatten die Abendsonne auf die Felsen zeichnete.

Ja, sie waren es. Die zwei Brüder, das Mädchen und die Füchsin, von der der Dreifinger gestammelt hatte. Und sie hatten sich einen Zwerg gefangen. Keine dumme Idee. Selbst Nesser wusste nicht, wie man an den Einhörnern vorbeikam, aber Hentzau hatte von dem

Gerücht gehört, dass einige Zwerge das Geheimnis kannten. Was auch immer – er hatte nicht den geringsten Ehrgeiz, der erste Goyl zu sein, der die Schwestern der Dunklen Fee traf und ihre verhexte Insel betrat. Hentzau wäre lieber durch ein Dutzend Schwarzer Wälder geritten oder hätte bei den Blinden Schlangen geschlafen, die in den tiefsten Schluchten unter der Erde brüteten und jagten. Nein. Er würde sich den Jadegoyl holen, bevor er sich hinter den Einhörnern verstecken konnte.

»Kommandant, sie kämpfen miteinander!« Nesser klang erstaunt.

Was hatte sie erwartet? Der Zorn kam mit der steinernen Haut wie das Gold in den Augen. Und gegen wen richtete er sich zuerst? Natürlich gegen den eigenen Bruder. *Ja, schlag ihn tot!*, dachte Hentzau, während er die zwei durch sein Fernrohr beobachtete. *Vielleicht hast du das schon oft gewollt, aber er war immer der Ältere, immer der Stärkere. Du wirst sehen: Der Zorn der Goyl macht all das wett.*

Seine Haut sah tatsächlich wie Jade aus. Ja, ohne Zweifel …

Der Ältere kämpfte nicht schlecht, aber er hatte keine Chance.

Da. Er fiel auf die Knie. Das Mädchen lief auf den Jadegoyl zu und zerrte ihn zurück, aber er riss sich los, und als sein Bruder versuchte, wieder auf die Füße zu kommen, trat er ihm so fest gegen die Brust, dass er unter die Kiefern stolperte. Die schwarzen Zweige verschluckten sie beide, und Hentzau wollte gerade den Befehl geben, hinunterzureiten, als der Jadegoyl wieder zwischen den Bäumen auftauchte.

Er scheute bereits das Licht der Sonne und zog die Kapuze tief übers Gesicht, bevor er sein Pferd losband. Er war durch den Kampf etwas unsicher auf den Beinen, aber er würde bald merken, dass sein neues Fleisch sehr viel schneller heilte als sein altes.

Hentzau signalisierte seinen Männern, aufzusitzen. Er würde sich ein Märchen fangen.

25

DER KÖDER

Felsen. Büsche. Wo konnten ihre Verfolger sich versteckt haben? *Wie willst du das wissen, Jacob? Du bist kein Goyl.*

Vielleicht hätte er seinen Bruder fragen sollen.

Jacob zog sich die Kapuze tiefer ins Gesicht und zwang das Pferd, langsam zu gehen. Woher hatten die Goyl gewusst, dass sie durch die Schlucht kommen würden? *Nicht jetzt, Jacob.*

Er konnte nicht sagen, was mehr schmerzte, die Schulter oder sein Gesicht. Menschenfleisch war so weich im Vergleich zu Jadeknöcheln. Für ein paar Augenblicke hatte er tatsächlich geglaubt, Will würde ihn totschlagen – und er war immer noch nicht sicher, wie viel von der Wut, die er in den Schlägen gespürt hatte, nicht die eines Goyl, sondern die seines jüngeren Bruders gewesen war. Hatte er sich je gefragt, was es für Will bedeutet hatte, allein mit der Mutter und all ihrer Traurigkeit zu sein? Nein, er war sehr gut darin, sich solche Fragen nicht zu stellen. Auch wenn er dieselbe Traurigkeit oft auf Wills Gesicht gesehen hatte.

Wills Wallach machte es immer noch nervös, einen anderen Reiter zu tragen. Jacob konnte ihn mit dem einen Arm kaum in Zaum halten. Er spürte das aufspritzende Wasser wie Eis auf der fiebernden Haut, als er das Pferd durch den Bach trieb. Aber es rührte sich immer noch nichts an den Hängen, und Jacob begann sich zu fragen, ob Will vielleicht nur sein eigenes Jadefleisch gewittert hatte, als sich auf seiner Linken etwas regte.

Jetzt. Er ließ dem Wallach die Zügel gehen. Er war nicht so schnell wie die Stute, aber sehr ausdauernd, und Jacob war nach all den Jahren hinter dem Spiegel ein ausgezeichneter Reiter.

Natürlich versuchten die Goyl, ihm den Weg abzuschneiden. Aber ihre Pferde scheuten auf dem Geröll, wie er gehofft hatte, und der Wallach preschte an ihnen vorbei und galoppierte hinaus in das nebelverhangene Tal. Erinnerungen … sie ließen ihn schwerer atmen, als wäre der Nebel aus ihnen gemacht. Furcht und Glück, Liebe, Tod.

Die Einhörner hoben die Köpfe. Natürlich waren sie nicht weiß. Warum wurden die Dinge in seiner Welt so oft weiß gefärbt? Ihr Fell war braun, scheckig grau und fahlgelb wie die Herbstsonne, die über ihnen im Dunst trieb. Sie beobachteten ihn, aber noch schien sich keins zum Angriff bereit zu machen.

Jacob blickte sich zu seinen Verfolgern um.

Es waren fünf. Den Offizier erkannte er sofort. Es war derselbe, der die Goyl bei der Scheune angeführt hatte. Seine jaspisbraune Haut war an der Stirn zersplissen, als hätte jemand versucht, sie ihm zu spalten, und eins seiner goldenen Augen war so trüb wie wässrige Milch. Sie hatten also wirklich nach Will gesucht, als sie auf dem Hof aufgetaucht waren.

Jacob beugte sich über den Hals des Wallachs. Seine Hufe sanken tief ein in dem feuchten Gras, aber zum Glück wurde er kaum langsamer.

Reite, Jacob. Er musste sie fortlocken, damit Will eine Chance hatte, durch das Tal zu kommen. Bevor er erneut auf die Idee kam, sich ihnen anzuschließen.

Die Goyl kamen näher, aber sie schossen nicht. Natürlich nicht. Falls sie Will wirklich für den Jadegoyl hielten, wollten sie ihn lebend.

Eines der Einhörner wieherte.

Nein, Jacob. Vergiss sie.

Ein weiterer Blick über die Schulter. Die Goyl hatten sich aufgeteilt. Sie versuchten, ihn einzukreisen. Der Schmerz, der von seiner Wunde ausstrahlte, ließ alles vor seinen Augen verschwimmen und erinnerte ihn so lebhaft an den anderen Schmerz, den er in diesem Tal erfahren hatte, dass er glaubte, in der Zeit zurückzufallen und erneut im Gras zu liegen, den Rücken durchbohrt und aufgerissen von den gewundenen Hörnern der Feenwächter.

Der Wallach atmete schwer, und die Goyl ritten längst nicht mehr die halb blinden Pferde, die sie unter der Erde gezüchtet hatten. Einer kam ihm schon bedrohlich nahe. Es war der Offizier. Jacob wandte das Gesicht ab, aber die Kapuze rutschte ihm vom Kopf, als er gerade danach greifen wollte. Die Verblüffung auf dem Jaspisgesicht verwandelte sich in Wut, dieselbe Wut, die Jacob im Gesicht seines Bruders gesehen hatte.

Das Spiel war vorbei.

Wo war Will? Jacob warf einen gehetzten Blick zurück.

Der Goyloffizier sah in dieselbe Richtung.

Will hatte getan, was Jacob ihm gesagt hatte. Er galoppierte geradewegs auf die Einhörner zu, den Zwerg vor sich. Natürlich hatte er Clara die schnellere Stute überlassen. Er hätte sie sogar einem Fremden überlassen. Sein selbstloser Bruder. Immer noch, trotz der Jade.

Fuchs war gleich hinter den Pferden, fast unsichtbar im Gras. Es bewegte sich dort, wo sie rannte, als striche der Wind darüber.

Jacob zog die Pistole. Die linke Hand gehorchte ihm kaum noch und mit der rechten war er ein wesentlich schlechterer Schütze. Trotzdem schaffte er es, zwei Goyl aus dem Sattel zu schießen, als sie umdrehten und auf Will zuhielten. Der Milchäugige legte auf ihn an, das Jaspisgesicht starr vor Hass. Die Wut ließ ihn vergessen, welchen Bruder er jagen sollte, doch sein Pferd stolperte in dem hohen Gras, und die Kugel ging fehl.

Der Wallach hielt sich immer noch gut, aber Jacob konnte sich kaum noch im Sattel halten. Will hatte die Einhörner fast erreicht, und Jacob betete, dass der Zwerg ihnen dieses Mal die Wahrheit gesagt hatte. *Nun reite schon!*, dachte er verzweifelt, als Will plötzlich langsamer wurde und das tat, was Jacob am meisten gefürchtet hatte: Sein Bruder zügelte das Pferd und starrte die Goyl an, wie er es auf dem verlassenen Hof getan hatte.

Das Milchauge warf Jacob einen triumphierenden Blick zu und wandte das Pferd, um seinen Bruder zu jagen. Jacob legte auf ihn an, aber sein Schuss streifte die Jaspishaut nur.

Er schrie Wills Namen.

Aber der rührte sich immer noch nicht.

Einer der Goyl hatte ihn fast erreicht. Es war eine Frau. Amethyst in dunklem Jaspis. Sie zog den Säbel, als Clara ihr Pferd schützend vor Will trieb, aber Jacobs Kugel war schneller. Das Milchauge heulte auf vor Zorn, als die Goylsoldatin fiel, und trieb sein Pferd nur noch härter auf Will zu. Bloß ein paar Meter noch. Der Zwerg starrte den Goyl entsetzt an. Doch Clara griff Will in die Zügel, und das Pferd, das sie so oft geritten hatte, gehorchte ihr, als sie es mit sich auf die Einhörner zuzog.

Die Herde hatte die Jagd so unbeteiligt beobachtet wie Menschen einen Schwarm streitender Spatzen, aber sie hoben die Köpfe, als Clara auf sie zuritt. Jacob vergaß das Atmen, doch diesmal hatte der Zwerg tatsächlich die Wahrheit gesagt. Die Einhörner ließen Clara und seinen Bruder passieren.

Erst als die Goyl sich ihnen näherten, griffen sie an.

Schrilles Wiehern erfüllte das Tal, schlagende Hufe, sich bäumende Körper. Jacob hörte Schüsse. *Vergiss die Goyl, Jacob. Folge deinem Bruder!*

Das Herz schlug ihm bis zum Hals, als er auf die aufgebrachte Herde zuritt. Er machte sich darauf gefasst, dass die Hörner ihm erneut den Rücken aufrissen und das eigene Blut ihm warm über die Haut rann. *Nicht diesmal, Jacob. Tu, was der Zwerg gesagt hat: »Es ist ganz einfach. Schließt nur die Augen und haltet sie geschlossen, oder sie spießen euch auf wie Fallobst.«*

Schließt nur die Augen ... Ein Horn streifte Jacobs Schenkel. Nüstern schnaubten ihm ins Ohr und die kalte Herbstluft roch nach Pferd und Hirsch zugleich. Die Einhörner umgaben ihn wie ein Meer aus struppigen Leibern, in dem er unterzugehen drohte. Sein linker Arm war wie tot und er klammerte sich mit dem rechten an den Hals des Pferdes. Doch plötzlich hörte er statt schnaubender Nüstern den Wind in tausend Blättern, das Schlagen von Wasser und raschelndes Schilf.

Jacob öffnete die Augen und es war wie damals.

Alles war verschwunden. Die Goyl, die Einhörner, das neblige Tal. Stattdessen spiegelte sich der Abendhimmel in einem See. Auf dem Wasser trieben die Lilien, die ihn vor drei Jahren hergebracht hatten. Die Blätter der Weiden, die am Ufer standen, waren so grün, als wären sie gerade erst aus den Zweigen getrieben, und in der Ferne schwamm auf den Wellen die Insel, von der niemand zurückkam, wenn die Feen es nicht wollten. Er war der Einzige, der es geschafft hatte, sich ohne ihre Erlaubnis davonzustehlen.

Die warme Luft liebkoste seine Haut, und der Schmerz in seiner Schulter verebbte wie das Wasser, das an das schilfgesäumte Ufer schlug.

Er ließ sich aus dem Sattel rutschen und strich dem erschöpften Wallach dankbar über den schweißnassen Hals.

Clara und Fuchs liefen auf ihn zu. Will aber stand am Seeufer und starrte zu der Insel hinüber. Er schien unverwundet, aber als er sich zu Jacob umwandte, war die Jade nur noch von ein paar letzten Resten Menschenhaut gefleckt.

»Da wären wir also. Zufrieden?« Valiant stand zwischen den Weiden und zupfte sich Einhornhaare von den Ärmeln.

»Wer hat dir die Kette abgenommen?« Jacob versuchte, den Zwerg zu packen, aber Valiant wich ihm behände aus.

»Frauenherzen sind zum Glück so viel mitfühlender als der Stein, der dir in der Brust schlägt«, sagte er, während Clara verlegen Jacobs Blick erwiderte. »Und? Was regst du dich auf? Wir sind quitt! Bis auf die Tatsache, dass die Einhörner mir den Hut zertrampelt haben.« Der Zwerg fuhr sich anklagend über das unbedeckte Haar. »Wenigstens den Schaden könntest du mir bezahlen!«

»Wir? Quitt? Willst du die Narben auf meinem Rücken sehen?« Jacob tastete über seine Schulter. Sie fühlte sich so unversehrt an, als hätte er nie gegen den Schneider gekämpft. »Mach, dass du fortkommst«, sagte er zu dem Zwerg. »Bevor ich dich doch noch erschieße.«

»Ach ja?« Valiant warf einen spöttischen Blick auf die Insel, die in der aufziehenden Dämmerung verschwamm. »Ich bin ziemlich sicher, dass dein Name eher auf einem Grabstein zu lesen sein wird als meiner. Schönes Fräulein«, sagte er zu Clara, »Ihr solltet besser mit mir kommen. Das hier kann nur böse enden. Habt Ihr je von Schneewittchen gehört, der Menschenprinzessin, die mit sieben Zwergenbrüdern lebte, bis sie sich mit einem Vorfahren der Kaiserin einließ? Sie ist kreuzunglücklich mit ihm geworden und ihm schließlich davongelaufen. Mit einem Zwerg!«

»Tatsächlich?«, murmelte Clara, aber sie schien nicht wirklich gehört zu haben, was der Zwerg erzählte.

Sie trat an das Ufer des blütenbedeckten Sees, als hätte sie alles um sich her vergessen, selbst Will, der nur ein paar Schritte entfernt von ihr stand. Zwischen den Weiden wuchsen Glockenblumen, dunkelblau wie der Abendhimmel, und als Clara eine von ihnen pflückte, gab die Blüte ein leises Klingen von sich. Es wischte ihr all die Angst und Traurigkeit vom Gesicht.

Valiant ließ ein entnervtes Stöhnen hören.

»Feenzauber!«, murmelte er verächtlich. »Ich denke, ich empfehle mich besser.«

»Warte!«, sagte Jacob. »Es lag immer ein Boot am Ufer. Wo ist es?«

Aber als er sich umdrehte, war der Zwerg bereits zwischen den Bäumen verschwunden – und Will starrte sein Spiegelbild auf den Wellen an. Jacob warf einen Stein in das dunkle Wasser, doch das Abbild seines Bruders war schnell zurück. Ein Gesicht aus Jade.

»Ich hätte dich fast erschlagen, als wir ihnen den Kampf vorgemacht haben.« Wills Stimme war noch immer nicht ganz so rau wie die eines Goyl. »Egal was du hier zu finden hoffst, es ist zu spät.«

Clara konnte den Blick nicht von der Blume in ihrer Hand wenden. Der Feenzauber haftete ihr wie Pollenstaub auf der Haut. Nur Will schien ihn nicht zu spüren.

»Lass mich zu ihnen gehen. Bitte.« Er wich vor Jacob zurück, als hätte er Angst, ihn wieder zu schlagen.

Hinter den Bäumen versank die Sonne. Ihr Licht trieb wie schmelzendes Gold auf den Wellen und die Feenlilien öffneten die Knospen und hießen die Nacht willkommen. Jacob zog Will vom Wasser fort.

»Es ist nicht zu spät«, sagte er. »Du bist nicht zu ihnen geritten. Du bist bei uns geblieben! Warte hier mit Fuchs und Clara. Ich muss zu der Insel rudern, aber ich bin bald zurück. Ich verspreche es.«

Die Füchsin blickte mit gesträubtem Fell zu der Insel hinüber. Sie hatte vor drei Jahren an fast derselben Stelle gestanden und er hatte ihr dasselbe Versprechen gemacht. Und sie ein Jahr lang warten lassen. Diesmal glaubte sie, dass er nicht zurückkommen würde. Jacob sah es in ihren Augen.

26
DIE ROTE FEE

Sie fanden das Boot unter einer der Weiden. Es trieb wie eine Ein-
ladung auf dem Wasser. Und wie eine Drohung. *Du wirst nicht
zurückkehren*, schien das Wasser zu flüstern, während es das Boot
sacht auf und ab wiegte. *Du hättest nicht noch einmal hierherkommen
sollen, Jacob Reckless.*

Fuchs bot nicht an, mit ihm zu kommen. Sie wusste, dass er allein
gehen musste, aber als Jacob in das Boot kletterte, biss sie ihn so fest
in die Hand, dass ihm das Blut über die Finger rann.

»Als Erinnerung an die, die du hier zurücklässt!«, sagte sie, während sie vor dem Wasser zurückwich. Aber die Angst in ihren Augen
sagte: Du wirst uns vergessen. Und als Jacob das Boot vom Ufer
abstieß, war sie fort. Beim letzten Mal hatten die Feen die Füchsin
fortgescheucht, nachdem sie Jacob halb tot in ihrem Wald gefunden
hatten, und sie war bei dem Versuch, ihm auf die Insel zu folgen, fast

ertrunken. Trotzdem hatte sie auf ihn gewartet. Frühling, Sommer, Herbst und Winter, aber Jacob zweifelte, dass sie diesmal so viel Geduld aufbringen würde. Er wusste nie genau, was Fuchs als Nächstes tun würde, während sie ihn las wie ein Buch. Das Fell der Füchsin machte sie so jung und alt zugleich – und so sehr zu einem natürlichen Teil dieser Welt. Mehr, als er es je sein konnte, in dieser oder der anderen Welt.

Clara stand zwischen den Weiden, als er auf den See hinausruderte. Selbst Will blickte ihm nach.

Es ist zu spät. Die Wellen, die gegen das schmale Boot schlugen, schienen die Worte seines Bruders zu wiederholen. Aber Jacob war immer noch sicher. Falls es einen Weg gab, den Fluch der Dunklen Fee zu brechen, würde ihre Schwester ihn kennen. Er zog das Medaillon, das er trug, unter dem Hemd hervor, während er durch die treibenden Lilien ruderte. Das Medaillon enthielt eins ihrer Blütenblätter. Er hatte es an dem Tag gepflückt, an dem er die Insel verlassen hatte. Die Rote Fee hatte ihm selbst verraten, dass er sich auf die Art vor ihr verbergen konnte. Wenn eine Fee einen sterblichen Mann liebte, verriet sie ihm all ihre Geheimnisse im Schlaf. Ihr Geliebter musste nur die richtigen Fragen stellen.

Die Insel kam so langsam näher, als spürte sie seinen Verrat. Das andere Ufer war im Nebel verschwunden, mitsamt Clara und seinem Bruder. Es schien nur das Wasser zu geben, den Himmel, inzwischen gespickt mit Sternen, und die Insel. Wie damals.

Er sah vier Feen im Wasser stehen, als er endlich das Ufer erreichte. Ihr langes Haar trieb auf den Wellen, als hätte die Nacht selbst es gesponnen, aber ihre rote Schwester war nicht bei ihnen. Eine von ihnen blickte in seine Richtung, als Jacob das Boot im Schilf verbarg, aber sie blickte durch ihn hindurch, als hätte das Lilienblatt ihn zu einem Geist gemacht, und der dichte Blütenteppich zwischen den

Bäumen machte seine Schritte fast so lautlos wie die der Füchsin. Die Blüten waren blau wie die Glockenblume, die Clara gepflückt hatte. Das Medaillon schützte ihn nicht gegen die Erinnerungen, die ihr Duft heraufbeschwor, und Jacob presste die Finger fest auf den blutigen Abdruck, den die Zähne der Füchsin auf seinem Handrücken hinterlassen hatten.

Er sah schon bald das erste der dunklen Netze, die die Motten der Feen spannen. Zelte, hauchdünn wie Libellenflügel, in denen es selbst bei Tag so dunkel blieb, als hätte die Nacht sich zwischen ihnen verfangen. Die Feen schliefen darin, wenn die Sonne am Himmel stand, aber Jacob wusste keinen besseren Ort, an dem er auf die warten konnte, nach der er suchte.

Er hatte zum ersten Mal in einem Wirtshaus in Austrien von ihr gehört. Die Rote Fee. Ein betrunkener Söldner hatte ihm von einem Freund erzählt, den sie auf die Insel gelockt und der sich nach seiner Rückkehr aus Sehnsucht nach ihr ertränkt hatte. Man konnte solche Geschichten überall hinter dem Spiegel hören, obwohl die wenigsten Männer je eine Fee zu Gesicht bekamen. Manche hielten ihre Insel für das Reich der Toten, aber die Feen wussten nichts von Menschentod und Menschenzeit. Sie hatten keine Familie, und die Rote Fee nannte die Dunkle nur deshalb Schwester, weil sie am selben Tag aus dem See gestiegen waren. Wie konnte er hoffen, dass sie die Verzweiflung verstehen würde, die er empfand, weil seinem Bruder eine Haut aus Jade wuchs? *Und wie kannst du hoffen, dass sie bereit ist, dir zu verzeihen, dass du sie ohne Warnung verlassen hast,* spottete etwas in ihm. *Glaubst du, dass dein Charme sie vergessen und vergeben lässt?*

Ja, vielleicht tat er das. Und vielleicht liebte er einfach seinen Bruder so sehr.

Das Zelt schien dunkler als in seinen Erinnerungen, als er es endlich zwischen den Eichen und Buchen entdeckte. Dunkler … und

kleiner. Es sah nicht so aus wie ein Ort, der fast ein Jahr lang der Anfang und das Ende seiner Welt gewesen war und alles enthalten hatte,
von dem er je geträumt hatte. Das Netz heftete sich an Jacobs Kleider
wie das einer Spinne, als er sich einen Weg durch die gewebten Wände
suchte. Die Dunkelheit dahinter war so tief, dass seine Augen lange
brauchten, um das moosbedeckte Bett auszumachen, in dem er so oft
geschlafen hatte. Jacob wich einen Schritt zurück, als er die schlafende
Gestalt darauf sah.

Sie hatte sich nicht verändert. Natürlich nicht. Feen alterten nicht.
Ihre Haut war blasser als die Lilien draußen auf dem See und ihr Haar
so dunkel wie die Nacht, die sie so sehr liebte. So schön. Unberührt
von der Zeit und dem Welken, das sie brachte. Doch irgendwann
hatte er sich danach gesehnt, dieselbe Sterblichkeit, die er im eigenen
Fleisch fühlte, auch in der Haut zu spüren, die er liebkoste.

Er löste die Kette mit dem Medaillon von seinem Hals. Miranda
regte sich, sobald er es neben sie legte. Ja, er kannte ihren Namen,
Feen vergaben das nicht leicht. Jacob wich vor dem Bett zurück, als
sie im Traum seinen Namen flüsterte. Es war kein guter Traum und
schließlich schreckte sie auf und öffnete die Augen.

So schön.

Jacob tastete nach den Bissspuren auf seiner Hand.

»Seit wann verschläfst du die Nacht?«

Für einen Moment schien sie zu glauben, dass es nur der Traum
war, der sie geweckt hatte. Aber dann sah sie das Medaillon neben sich
liegen. Sie öffnete es und ließ sich das Blütenblatt in die sechsfingrige
Hand fallen.

»So also hast du dich vor mir versteckt.«

Jacob war nicht sicher, was er auf ihrem Gesicht sah. Zorn. Liebe.
Vielleicht beides.

»Wer hat dir von dem Blatt erzählt?«

»Du selbst.« Ihre Motten schwärmten ihm ins Gesicht, als er einen Schritt auf sie zumachte. »Ich bin gekommen, um dich um Hilfe zu bitten. Gegen den Fluch deiner Schwester.«

Sie stand auf und wischte sich das Moos vom Kleid. Es war weicher als die Brustfedern eines Vogels. Jacobs Finger erinnerten sich.

»Ich habe begonnen, die Nächte zu verschlafen, nachdem du verschwunden bist, weil sie mich an dich erinnerten.« Sie schloss die Finger um das Lilienblatt. »Aber das ist lange her. Nun ist es nur noch eine schlechte Angewohnheit.«

Ihre Motten färbten die Nacht mit ihren Flügeln rot.

»Ich sehe, die Füchsin folgt dir immer noch. Und wer ist das Mädchen? Sie sieht aus, als käme sie von weit her. Von sehr weit her.«

Sie zerdrückte das Lilienblatt zwischen den Fingern.

»Aber du bist nicht für sie oder die Füchsin hier, oder? Es geht um den Goyl. Nicht einmal meine Schwester wagt es, einen von ihnen herzubringen.«

»Er ist mein Bruder. Die Goyl haben ihn mit dem Fluch deiner Schwester vergiftet. Du kannst das ungeschehen machen, ich weiß es.«

Miranda musterte ihn, als suchte sie nach der Liebe, die ihn einst an ihrer Seite gehalten hatten. Was, wenn das der Preis sein würde, den sie verlangte? Jacob versuchte, sie in seinem Herzen zu finden, aber sie war fort. Alles, was davon geblieben war, waren Erinnerungen, verwelkt wie die Blätter eines vergangenen Sommers. Natürlich las sie all das in seinen Augen.

»Ich kann ihm nicht helfen. Du bist zur falschen Fee gekommen.«

Sie schien aus den Schatten gemacht, die sie umgaben, aus dem Mondlicht und dem Nachttau auf den Blättern. Er war so glücklich gewesen, als er nichts als sie gesehen hatte. Bis er sich eines Tages daran erinnert hatte, dass es so viel mehr gab. Unverzeihlich. Die Feen brachen die Verzauberung, nur sie allein. Sie verlangten Blindheit im Austausch für ihre Liebe, Vergessen …

»Meine Schwester gehört nicht mehr zu uns.« Miranda wandte ihm den Rücken zu. »Sie hat uns für den Goyl verraten.«

»Dann hilf mir!«

Jacob streckte die Hand nach ihr aus, aber sie stieß sie zurück.

»Gibt dir das nicht Grund genug, mir zu helfen?«

Jacob griff nach ihrem Arm.

»Und dich dafür zu belohnen, dass du meine Liebe verraten hast?« Sie befreite ihren Arm aus seinem Griff.

»Ich musste fort. Ich bin sterblich, hast du das vergessen? Du hättest mit mir kommen können. Für eine Weile …«

»Wir gehen nicht fort von hier. Außer wir haben vergessen, wer wir sind, wie meine Schwester.«

Das war nicht die ganze Wahrheit. Ein paar alte Geschichten beschrieben eine Zeit, in der die Feen durchaus Anteil an der sterblichen Welt genommen hatten, aber keine dieser Geschichten erklärte, warum sie sich zurückgezogen hatten.

»Ich verstehe, dass du mir nicht helfen willst. Aber ich weiß, du willst deine Schwester dafür bestrafen, dass sie Feenzauber in den Dienst von Sterblichen stellt. Durch mich kannst du das tun. Benutz mich als Werkzeug, im Austausch für deine Hilfe!«

Sie presste ihre Finger auf seine Lippen. Und küsste ihn. Jacob erwiderte ihren Kuss. Er schmeckte, was er verloren hatte, wie Asche im Mund. Vielleicht würde sie ihm doch helfen, wenn er sie nur davon überzeugen konnte, dass er sie noch liebte. Sie und sich selbst. Er konnte nicht sagen, wer von ihnen sich zuerst aus der Umarmung löste. Aber als sie zurücktrat, glaubte er für einen kurzen Augenblick seinen Tod in ihren Augen zu sehen.

Das Bellen einer Füchsin hallte durch die Nacht.

Miranda hob die Hand. »Es gibt nur einen Weg, den Fluch meiner Schwester zu brechen.« Eine ihrer Motten landete auf ihren weißen Fingern. So rot. Wie frisch vergossenes Blut. »Du musst sie vernichten.«

Jacob gab nicht leicht zu, dass er sich vor jemandem fürchtete. Er war gut darin, den eigenen Ängsten zu begegnen und sie zu besiegen. Aber die Dunkle Fee … »Sie verwandelt ihre Feinde in den Wein, den sie trinkt.« Selbst Chanutes Stimme klang heiser, wenn er über sie sprach. »Oder in das Eisen, aus dem ihr Liebhaber seine Brücken und Züge baut.«

Es war unmöglich, sie zu vernichten. Sie war unsterblich.

Miranda beobachtete ihn.

»Ich kann dir verraten, wie.«

Für einen Moment erinnerte ihre Schönheit Jacob an eine giftige Blüte.

»Wie viel Zeit bleibt deinem Bruder noch?«

»Ich weiß es nicht. Nicht mehr lange.«

Stimmen drangen durch die Dunkelheit. Die anderen Feen. Jacob hatte nie herausgefunden, wie viele von ihnen es gab.

Miranda blickte auf das Bett, als erinnere sie sich an die Zeit, in der sie es geteilt hatten. »Meine Schwester ist bei ihrem Goylgeliebten, in seiner Königsfestung.«

Das war ein Ritt von mehr als sechs Tagen.

»Du kannst immer noch rechtzeitig dort sein.«

Die Motte auf ihrer Hand spreizte die Flügel und flog ihr auf die Schulter. »Wenn ich deinem Bruder mehr Zeit verschaffe.«

Die Füchsin begann erneut zu bellen. Miranda lächelte. Vielleicht erinnerte sie sich daran, wie sie Fuchs fortgejagt und ihn dazu gebracht hatte, sie für ein ganzes Jahr zu vergessen.

»Ich nehme an, du weißt von der Prinzessin, die eine von uns dazu verflucht hat, an ihrem fünfzehnten Geburtstag am Stich eines Rosendorns zu sterben. Der Fluch hat sich nicht erfüllt, weil wir ihn mit einem tiefen Schlaf aufgehalten haben.«

»Ja«, sagte Jacob. »Ich habe sie gesehen. Sie ist dennoch gestorben. Weil niemand durch die Rosen gekommen ist und sie geweckt hat.«

Miranda zuckte die Schultern. »Deinen Bruder aufzuwecken, ist deine Aufgabe. Ich werde ihn nur schlafen lassen. Aber sorg dafür, dass er erst aufwacht, nachdem du die Macht meiner Schwester gebrochen hast.«

Die Motte auf ihrer Schulter putzte sich die Flügel.

Jacob sah die Tote in dem rosenüberwachsenen Turm vor sich. Was interessierte unsterbliche Feen das Schicksal einer Menschenprinzessin? Sie hatten den Fluch bestehen lassen, weil sie einander bekämpften. Und vielleicht konnte Will noch gerettet werden, weil Miranda ihre dunkle Schwester verabscheute. Von ihren Streitigkeiten zu profitieren, war vermutlich alles, worauf man hoffen konnte, wenn man es mit Unsterblichen zu tun hatte. Und ihnen nicht im Weg zu stehen. Jacob fragte sich, ob es jemals eine Fee gegeben hatte, die so gütig und hilfsbereit war wie die, die manchmal in den Märchen seiner Welt vorkamen. Es wäre ein tröstlicher Gedanke gewesen, an solche Hilfe zu glauben.

»Das Mädchen, das bei dir ist: Gehört es zu deinem Bruder?«

Miranda fuhr mit dem nackten Fuß über den Boden und das Mondlicht zeichnete Claras Gesicht auf die dunkle Erde.

»Ja. Und sie liebt ihn immer noch.«

»Gut. Denn sonst wird er sich zu Tode schlafen.« Miranda wischte das Bild aus Mondlicht fort. »Bist du meiner Schwester je begegnet? Sie ist die Schönste von uns allen.«

Ja, Jacob hatte ein paar unscharfe Fotos von ihr gesehen, ein gezeichnetes Porträt in einer Zeitung – Kami'ens dämonische Geliebte, die Feenhexe, die Stein in Menschenfleisch wachsen ließ – so schön, dass es Männer blind machte, sie anzusehen.

»Was immer sie dir verspricht …«, Miranda strich ihm übers Gesicht, als könnten ihre Finger immer noch die Liebe finden, die sie einmal füreinander gefühlt hatten, »… glaub ihr nicht. Du musst genau das tun, was ich dir sage, oder dein Bruder ist verloren.«

Fuchs' Bellen drang erneut durch die Nacht. *Es geht mir gut, Fuchs,* dachte Jacob. *Alles wird gut.*

War das so?

Miranda griff nach seiner Hand und küsste ihn erneut.

»Was, wenn ich als Preis für meine Hilfe verlange, dass du zu mir zurückkommst?«, flüsterte sie. »Für alle Ewigkeit? Der Tod kommt nicht auf diese Insel.«

Sie hatte ihm dasselbe Versprechen vor drei Jahren gemacht. Aber Jacob wünschte sich keine Unsterblichkeit. Das war etwas, das sie nie verstehen würde. *Sag Ja,* flüsterte sein Herz. *Du bist ihr einmal entkommen. Du kannst es wieder tun.* Doch bevor er antworten konnte, presste Miranda ihm erneut die Finger auf die Lippen.

»Keine Sorge, ich werde meine Rache bekommen«, sagte sie. »Und mein Preis wird bezahlt sein.«

27
SO WEIT FORT

Will hatte den Blick noch nicht ein einziges Mal von der Insel gewendet. Es tat Clara weh, die Furcht auf seinem Gesicht zu sehen. Fürchtete er um seinen Bruder? Oder dass sie umsonst hierhergekommen waren?

»Jacob kommt bald zurück«, sagte sie und trat an seine Seite. »Ich bin sicher.«

Er drehte sich nicht um.

»Sicher? Bei Jacob kannst du niemals sicher sein«, antwortete er.

Er war inzwischen beides: der Fremde aus der Höhle und der andere, der auf dem Krankenhauskorridor gestanden und ihr jedes Mal, wenn sie vorbeiging, zugelächelt hatte. Will. Sie vermisste ihn so sehr.

»Er wird einen Weg finden«, sagte sie. »Ich glaube ganz fest daran.« Sie musste daran glauben oder sie würde den Verstand verlieren.

»Ja, er wird alles versuchen. Ich weiß …« Will starrte auf sein Spie-

155

gelbild, jadegrün zwischen den weißen Blüten der Lilien. Er sah immer noch aus wie der Mann, den sie liebte, trotz der Jade. Und er war so allein. Aber als Clara nach seinem Arm griff, schauderte er wie in der Höhle.

Es schmerzte so sehr. Was tat sie noch hier?

Er wollte sie nicht. Nicht mehr. Er wollte die Jade. Das war die Wahrheit, die sie alle nicht zu sehen wagten. Das war die Furcht auf Wills Gesicht: dass Jacob einen Weg finden würde, die Jade zu vertreiben.

Es war zu spät.

Selbst wenn Jacob von der Insel zurückkam.

Selbst wenn er herausgefunden hatte, wie der Fluch zu brechen war.

Will würde es ihm vielleicht nicht erlauben.

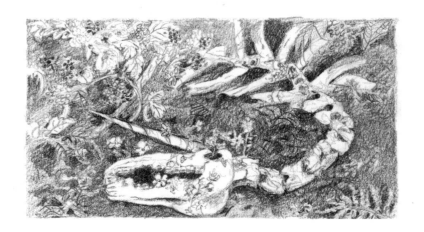

28

NUR EINE ROSE

Jacob verbrachte die ganze Nacht auf dem moosbedeckten Bett, in den Armen der Fee, die er nicht mehr liebte. Er gab sich große Mühe, sich davon zu überzeugen, dass sie ihm immer noch etwas bedeutete – damit sie seinem Bruder half, und um in ihren Armen zu vergessen: die Jade in Wills Haut, die Schuldgefühle, weil er Will und ihre Mutter viel zu oft und viel zu lange allein gelassen hatte, das finstere Haus der Hexe, den Kampf mit dem Schneider, die Goyl, die vielleicht immer noch im Tal der Einhörner auf sie warteten … Es gab so viel, was er vergessen wollte. Sogar den Spiegel und die guten Zeiten, die er ihm gewährt hatte – in dieser Nacht wollte er sich nicht erinnern. An nichts davon. Und wo wurde dieser Wunsch leichter erfüllt als in den Armen einer Fee? Also löste er Mirandas schwarzes Haar aus der Dunkelheit und küsste ihre weiße Haut und tat, als wäre alles so, wie es einmal gewesen war – dass ihre Küsse nicht nach Asche schmeckten und ihre Schönheit ihn immer noch verzauberte.

Als das erste Tageslicht sich durch das Netz ihrer Motten stahl, begann der Biss auf Jacobs Hand zu schmerzen, und er war sicher, dass Miranda wusste, dass es alles eine Lüge und ihre Liebe tot war, und dass es so einfach sein würde, ihn zu bestrafen, indem sie seinem Bruder nicht half. Aber sie küsste ihn erneut trotz des Morgenlichts und liebte ihn, und als er ihr schließlich sagte, dass er fortmusste, fragte sie ihn nicht, ob er zurückkommen würde. Sie ließ ihn nur alles wiederholen, was sie ihm über ihre dunkle Schwester verraten hatte. Wort für Wort.

Die Lilien schlossen schon ihre Blüten und Jacob sah keine von Mirandas Schwestern auf seinem Weg zurück zu dem Boot. Der Schaum, der auf dem Wasser trieb, als er es aus dem Schilf stieß, kündigte an, dass der See bald eine weitere Fee gebären würde.

Will war nirgends zu sehen, als Jacob auf das andere Ufer zuruderte, ebenso wenig wie Fuchs. Nur Clara schlief unter den Weiden. Sie schreckte auf, als er das Boot an Land schob. Sie schien weder ihre schmutzigen Kleider noch das Laub in ihrem Haar zu bemerken. Auf ihrem Gesicht war eine Hoffnungslosigkeit, die nicht einmal seine Rückkehr vertrieb.

»Haben sie wieder gestritten?«, fragte er, als Fuchs zwischen den Weidenzweigen erschien.

»Manchmal ist Stille schlimmer als ein Streit«, antwortete sie. »Du warst eine ganze Weile fort. Ich wollte gerade nachsehen, ob einer der Fische dir ähnlich sieht.«

Sie wusste, wie er die Nacht verbracht hatte. Natürlich. Sie kannte ihn so gut.

»Wie bist du ihr diesmal entkommen?«, fragte sie. »Mit dem Versprechen, zu ihr zurückzukommen?« Oh, sie hatte ihren Spaß. Jacob glaubte, die Füchsin schnurren zu hören.

»Sie hat mir verraten, wie ich den Fluch brechen kann.«

Clara kam auf die Füße.

Aber die Augen der Füchsin waren schmal vor Misstrauen. »Warum?«

»Weil sie ihre Schwester nicht mag.«

Fuchs starrte über den See. »Und was genau hat sie gesagt?«

Vielleicht hatte Will schon die ganze Zeit zugehört. Für einen Moment war Jacob sicher, dass er zu lange im Bett der Roten Fee geblieben war, als er ihn zwischen den Weiden stehen sah. Die Jade war dunkler geworden, und Wills Gesicht verschmolz mit dem Grün der Bäume, als hätte die Welt hinter dem Spiegel seinen Bruder endgültig zu einem Teil von sich gemacht.

»Wir müssen eine Rose finden«, sagte Jacob.

»Eine Rose?« Natürlich dachte Clara an die Rosen an den Mauern des mit der Stille des Todes erfüllten Schlosses und an die Prinzen, die in ihren Ranken verblutet waren.

»Ja. Aber diese kann Will vor dem Fluch der Fee schützen.«

Das war nur die halbe Wahrheit, aber Will würde ihm hoffentlich noch einmal trauen und genau das tun, was er ihm sagte. Alles würde davon abhängen.

Fuchs ließ ihn nicht aus den Augen.

Was hast du vor, Jacob Reckless?, fragte ihr Blick. Jacob wünschte, er könnte es ihr sagen. Nach all den Jahren, die sie Seite an Seite nach Schätzen gejagt hatten, vertrauten sie einander so gut wie alles an, und Jacob hatte den Rat der Füchsin nie dringender gebraucht. Aber die Gegenwart von Will und Clara machten das wortlose Verstehen, das gewöhnlich zwischen ihnen herrschte, unmöglich. Jacob vermisste es, obwohl er das nie ausgesprochen hätte. Ebenso wenig wie Fuchs.

Ich muss die Dunkle Fee finden, wollte er zu ihr sagen, *und ich bin*

*nicht sicher, was mir mehr Angst macht – die Aussicht, sie zu bekämpfen,
oder die, zu versagen und meinen Bruder im Stich zu lassen.* Ja, all das
hätte er gern gesagt, aber weder Clara noch Will durften erfahren,
was er auf der Insel erfahren hatte, und Fuchs würde das, was er für
seinen Bruder tun wollte, nicht gefallen.

Also sagte er nur: »Die Rose wächst nicht weit von hier.«

Fuchs beobachtete ihn immer noch.

Jacob war sicher, dass sie seine Furcht sah.

Was hat die Rote dir erzählt?, fragte ihr Blick. Er konnte es ihr nicht
sagen. Es reichte, dass er sich zum Feind der Dunklen Fee machte.

29
INS HERZ

Jacob führte sie am Seeufer entlang nach Norden. Die Morgensonne verwandelte das Wasser in flüssiges Gold, und Clara ertappte sich bei dem Gedanken, dass vielleicht doch noch alles gut werden würde, obwohl Will ihren Blicken auswich.

Sie konnte nicht sagen, wie lange sie an dem See entlangritten. Zeit schien im Reich der Feen nicht zu existieren. Keine Jahreszeiten, keine Vergangenheit oder Zukunft, nur ein Chor aus tausend Düften, tausend Vogelkehlen, tausend Stimmen im warmen Wind. Als Jacob dem See schließlich den Rücken kehrte, versanken die Pferde bald in Brombeerranken, und über ihnen verloren die Blätter das frische Grün des ewigen Feenfrühlings. Die Luft wurde kühler, das Laub über ihnen war regennass. Immer öfter fleckten welke Blätter das Moos gelb und braun, und als Jacob schließlich das Pferd zügelte, konnten sie durch die Bäume zum ersten Mal wieder das Tal und die

Einhörner sehen. Die Knochen bemerkte Clara erst, als sie von den Pferden stiegen.

Sie waren überall: Einhornskelette, Moos und Gras zwischen den Rippen, Spinnennetze in den leeren Augenhöhlen, die gewundenen Hörner noch auf der knochigen Stirn.

»Ich wusste nicht, dass sie zum Sterben hierherkommen«, sagte Fuchs.

»Und um Abschied zu nehmen von denen, die sie bewacht haben«, setzte Jacob hinzu.

Ranken wanden sich um die Knochen und bedeckten sie mit weißen Blüten, ein letztes Geschenk der Feen an ihre Wächter.

Jacob trat auf eins der Skelette zu.

Eine rote Rose trieb ihm aus der Brust.

Will trat an Jacobs Seite, aber er musterte die Rose wie eine giftige Schlange.

Die Füchsin huschte zwischen die Bäume und spähte hinüber zu den lebenden Einhörnern. »Es riecht nach Goyl.«

Will musste lächeln. »Das liegt wohl an mir, Fuchs.«

Da war eine Leichtigkeit in seiner Stimme, eine Freiheit, die neu war, und Jacob ertappte sich dabei, dass er zögerte. Aber sie waren zu weit gekommen und Claras Gesicht war so voller Hoffnung.

Jacob wies auf die Rose.

»Du musst sie nur pflücken«, sagte er. »Das ist alles.«

Will blickte auf seine Hand. Sie war inzwischen vollkommen aus Jade und von bestürzender Schönheit. Clara hörte den holzigen Stiel brechen, als er sich schließlich vorbeugte und die Rose pflückte. Eine der Dornen stach ihn in den Finger, und Will betrachtete überrascht das bernsteinblasse Blut, das ihm aus der Jadehaut drang, Beweis, wie tief die Verwandlung griff.

Er ließ die Rose fallen und schwankte.

»Was geschieht mit mir?« Er warf Jacob einen alarmierten Blick zu. Clara trat auf ihn zu, aber Will wich vor ihr zurück. Er stolperte in eins der Skelette. Die Knochen brachen unter seinen Stiefeln wie morsches Holz.

»Will, hör zu!« Jacob griff nach seinem Arm. »Es tut mir leid, aber du musst schlafen. Ich brauche mehr Zeit! Wenn du aufwachst, ist alles vorbei. Ich verspreche es.«

Will stieß ihn so heftig zurück, dass Jacob unter den schützenden Bäumen hervor ins Freie stolperte. Die Einhörner hoben die Köpfe.

»Jacob!«, bellte Fuchs. »Komm zurück unter die Bäume!«

Aber der Schuss kam schneller.

So ein scharfes Geräusch. Wie zersplitterndes Holz.

Die Kugel traf Jacob in den Rücken.

Der Schrei der Füchsin, als er in das gelbe Gras fiel, klang fast menschlich. Will rannte zu ihm, bevor Clara ihn aufhalten konnte. Er warf sich neben seinem Bruder auf die Knie und rief seinen Namen, aber Jacob rührte sich nicht. Die Kugel hatte ihm die Brust aufgerissen, und Blut sickerte durch sein Hemd, gleich über dem Herzen.

Der Goyl trat hinter einem Baum hervor, in sicherer Entfernung von den Einhörnern. Er hatte die Flinte noch in der Hand. Neben ihm ging einer seiner Soldaten – Clara erinnerte sich an sie. Es war die Goylfrau, auf die Jacob geschossen hatte, als sie Clara mit dem Säbel angegriffen hatte. Die Uniform, die sie trug, war feucht von demselben farblosen Blut, das der Stich der Rose aus Wills zerstochenen Finger hatte rinnen lassen.

Die Füchsin griff sie beide mit gebleckten Zähnen an, aber der Goyl mit der Flinte stieß ihr den Lauf zwischen die Rippen, und Fuchs wechselte die Gestalt, als hätte der Schmerz ihr das Fell gestohlen.

Will kam auf die Füße, das Gesicht verzerrt vor Zorn, während

Fuchs an Jacobs Seite kroch. Er wollte nach der Flinte greifen, die sein Bruder hatte fallen lassen, aber er war wie betäubt vom Dorn der Rose, und der Goyl packte ihn, bevor sich seine Hand um die Waffe schließen konnte.

»Ganz ruhig«, bellte er ihn an, während die Goylsoldatin die Pistole auf Clara richtete. »Ich hatte eine Rechnung mit deinem Bruder offen, aber dir werden wir kein Haar krümmen. Du hast mein Wort, und auf Hentzaus Wort ...«, fügte er mit einem befriedigten Blick auf Jacobs reglosen Körper hinzu, »... ist immer noch ebenso viel Verlass wie auf seine Zielsicherheit.«

Fuchs zerrte Jacob die Pistole aus dem Gürtel, aber die Goylsoldatin trat sie ihr aus der Hand, während Will nur dastand und auf seinen Bruder herabstarrte.

»Sieh ihn dir an, Nesser«, sagte Hentzau und zwang Wills Gesicht in ihre Richtung. »Der Jadegoyl ... ich gebe zu, ich hatte immer noch meine Zweifel. Aber er scheint tatsächlich nicht nur ein Märchen zu sein.«

Will versuchte, ihm den Kopf ins Gesicht zu stoßen, aber er konnte kaum die Augen aufhalten, und der Goyl lachte.

»Ja, du bist einer von uns«, sagte er. »Auch wenn du es noch nicht wahrhaben willst. Fessle ihm die Hände!«, befahl er der Goylsoldatin.

»Bringen wir ihn zu der Fee?«, fragte sie. »Oder zum König?«

»Gibt es da noch einen Unterschied?«, gab Hentzau zurück. Er trat auf Jacob zu und musterte ihn wie ein Jäger die erlegte Beute.

»Das Gesicht kommt mir bekannt vor«, sagte er. »Wie ist sein Name?«

Will antwortete ihm nicht.

»Was soll's«, sagte der Goyl und wandte sich um. »Ihr Weichhäute seht alle gleich aus. Fang ihre Pferde ein.«

Nesser gehorchte, aber ihre Augen wanderten immer wieder zu

Clara und Fuchs. Menschenfrauen … so anders als sie selbst und ihr zugleich so bestürzend ähnlich, wenn sie weinten.

»Nein!«, schluchzte Clara, als Hentzau Will auf Jacobs Stute zustieß. »Wo bringt ihr ihn hin?«

»Was interessiert dich das?«, fragte der Goyl über die Schulter. »Vergiss ihn. Er wird dich auch bald vergessen haben.«

30

EIN LEICHENTUCH
AUS ROTEN LEIBERN

Die Schusswunde sah so viel harmloser aus als die Wunden, die die Einhörner gerissen hatten. Aber damals hatte Jacob noch geatmet und Fuchs hatte seinen flachen Puls gespürt.

Nun war er einfach nur still.

So viel Schmerz. Sie wollte sich die Zähne der Füchsin ins eigene Fleisch schlagen, nur um ihn nicht mehr zu spüren. Aber das Fell wollte nicht zurückkommen und sie fühlte sich so schutzlos und verloren wie ein ausgesetztes Kind.

Clara kauerte neben ihr, die Arme um die Knie geschlungen. Sie hatte aufgehört zu weinen und saß einfach nur da, als hätte ihr jemand das Herz herausgeschnitten. Clara sah den Zwerg zuerst.

Valiant gab sich große Mühe, so unschuldig dreinzublicken, als hätten sie ihn beim Pilzesammeln überrascht, während er auf sie zustiefelte. Aber nur ein Zwerg konnte den Goyl verraten haben, dass man das Feenreich nur über den Friedhof der Einhörner verlassen konnte.

Fuchs wischte sich die Tränen aus den Augen und tastete in dem feuchten Gras nach Jacobs Pistole.

»Halt, halt! Was soll das?«, schrie Valiant, als sie auf ihn anlegte, und sprang mit erstaunlicher Geschmeidigkeit hinter den nächsten Busch. »Wie konnte ich wissen, dass sie ihn gleich erschießen? Ich dachte, sie hätten es nur auf seinen Bruder abgesehen!«

Clara kam auf die Füße.

»Erschieß ihn, Fuchs«, sagte sie. »Wenn du es nicht machst, tue ich es.«

»Sie haben mich auf dem Rückweg zur Schlucht gefangen!«, zeterte der Zwerg. »Was hätte ich tun sollen? Mich auch umbringen lassen?«

»Und? Warum bist du noch hier?«, schrie Fuchs. »Um vorm Heimweg ein bisschen Leichen zu fleddern?«

»Was für eine Unterstellung! Ich bin hier, um euch zu retten!«, gab der Zwerg mit ehrlicher Entrüstung zurück. »Zwei schöne Mädchen, ganz allein, verloren und hilflos ...«

»... so hilflos, dass wir dich bestimmt für unsere Rettung bezahlen werden?«

Das Schweigen, das hinter dem Busch hervordrang, war verräterisch, und Fuchs hob erneut die Pistole. Wenn nur ihre Tränen nicht gewesen wären. Sie ließen alles verschwimmen, das neblige Tal, den Busch, hinter dem der verräterische Zwerg kauerte, und Jacobs stilles Gesicht.

»Fuchs!« Clara griff nach ihrem Arm.

Eine rote Motte hatte sich auf Jacobs zerschossener Brust niedergelassen. Eine zweite entfaltete die Flügel auf seiner Stirn.

Fuchs ließ die Pistole fallen und scheuchte sie fort.

»Verschwindet!«, rief sie mit tränenerstickter Stimme. »Und richtet eurer Herrin aus, dass er nie mehr zurückkommt!« Sie beugte sich über Jacob. »Hab ich es dir nicht gesagt?«, flüsterte sie ihm zu. »Geh nicht zurück zu den Feen! Diesmal wird es dich töten!«

Eine weitere Motte ließ sich auf dem reglosen Körper nieder. Mehr und mehr flatterten zwischen den Bäumen hervor und bedeckten ihn so zahlreich wie Blüten, die aus dem zerschossenen Fleisch sprossen.

Clara half Fuchs, sie fortzuscheuchen, aber es waren einfach zu viele, und schließlich gaben sie auf und sahen nur zu, wie die Motten Jacob so dicht mit ihren Flügeln zudeckten, als wollte die Rote Fee ihn noch im Tod für sich beanspruchen.

»Wir müssen ihn begraben«, flüsterte Clara.

Fuchs zog Jacobs Mantel über die tödliche Wunde. Begraben. Nein. Nein, niemals.

»Ich mach das.« Valiant hatte sich tatsächlich näher getraut. Er hob die Flinte auf, die Jacob hatte fallen lassen, und schlug den Lauf mit der bloßen Hand so mühelos flach, als wäre das Metall so weich wie Kuchenteig.

»Was für eine Verschwendung!«, murmelte er, während er die Flinte zum Blatt einer Schaufel umformte. »Nun wird keiner von uns sich die zwei Kilo roten Mondstein verdienen! Aber nein! Warum sollte man auf den Rat eines Zwerges hören? Wir hätten uns die Belohnung einfach teilen können und der Dummkopf würde noch leben!«

Er hob das Grab so mühelos aus, als hätte er schon viele gegraben, während Fuchs an Jacobs Seite saß, seine kalte Hand in der ihren. So kalt. So leblos. Der Schmerz fraß ihr das Herz. Er erinnerte sie an den anderen Schmerz, der sie zusammengebracht hatte. Die eisernen Zähne in ihrem Fleisch, die Schritte, die sich näherten, und dann, zum ersten Mal, Jacobs Gesicht und seine Hände, als er das Hinterbein der Füchsin aus der Falle befreit hatte. Nein. Er konnte nicht fort sein.

Die Motten bedeckten Jacob immer noch wie ein Leichentuch, als Valiant die Flintenschaufel zur Seite warf und sich die Erde von den Händen wischte.

»Gut, hinein mit ihm«, sagte er und beugte sich über Jacob, »aber vorher sehen wir nach, was er in den Taschen hat. Warum sollten wir seine schönen Goldtaler in der Erde verrotten lassen?«

Das brachte das Fell zurück.

»Rühr ihn nicht an!« Die Füchsin bleckte die Zähne. Oh, sie wollte ihn in Fetzen reißen, den verräterischen Zwerg. Warum tat sie es nicht? *Beiß ihn, Fuchs. Reiß ihm das Fleisch von den Knochen. Vielleicht lindert das den Schmerz.*

Valiant versuchte, sie mit der Flinte abzuwehren, aber die Füchsin zerriss ihm die Jacke und sprang nach seiner Kehle. Sie spürte seine Haut schon zwischen den Zähnen, als Clara ihr ins Fell griff und sie zurückzerrte.

»Fuchs, er hat recht!«, flüsterte sie der vor Blutlust zitternden Füchsin zu. Ja, sie wollte das Blut des Zwerges im Austausch für Jacobs. Einen Fluss von Blut. Aber Clara hielt sie zurück.

»Wir brauchen den Zwerg vielleicht noch lebend, Fuchs. Als unseren Führer. Und wir werden Jacobs Geld brauchen. Seine Waffen, den Kompass … Alles, was er bei sich hatte. Um Will zu finden. Jacob hätte gewollt, dass wir ihn finden, oder?«

Hinter ihnen stieß der Zwerg ein ungläubiges Lachen aus. »Will? Redest du von dem Jadegoyl?«

Clara beugte sich über Jacob. Die Motten flatterten auf, als sie die Hand in seine Manteltasche schob. Ihre Finger fanden das Taschentuch und zwei Goldtaler fielen ins Gras.

»Seltsam, wie wenig ähnlich sie sich sahen, oder?«, murmelte Clara.

»Hast du Geschwister, Fuchs?«

Die Füchsin schmiegte sich an den leblosen Körper.

»Ja, drei Brüder. Aber zwei von ihnen sind nichts wert.«

Die Motten erhoben sich wie roter Rauch und schwärmten über ihnen. Dann flatterten sie auf die Bäume zu, als hätten sie die Stimme ihrer Herrin gehört. Oder getan, wofür sie gekommen waren.

»Fuchs!«, hauchte Clara.

Die Füchsin hatte es auch gesehen. Sie wich vor Jacob zurück.

Durch seinen zerschossenen Körper lief ein Schaudern. Seine Lippen rangen nach Atem.

Nein. Die Toten kommen nicht zurück.

Die Füchsin machte einen weiteren Schritt zurück, das Fell gesträubt. Selbst das Gesicht des Zwerges war grau vor Furcht. Und Clara starrte auf Jacob, als sähe sie seinen Geist aus den blutigen Kleidern steigen.

Er setzte sich langsam auf und blickte sich so verwirrt um wie jemand, den man zu abrupt aus einem Traum geweckt hatte. Keinem schlechten Traum, wie es schien. Nichts als ein Traum. Dann bemerkte er das Blut auf seinem Hemd. Er berührte es, als stammte es von einem anderen Mann.

»Was ist passiert?«

Seine Augen hingen an Fuchs, als wäre sie das Einzige, woran er sich erinnerte. Sie nahm Menschengestalt an und kniete sich an seine Seite. Seine Hand war warm, als sie danach griff. Er war nicht fort. Er war noch da. Die Freude schnitt ihr so scharf ins Herz wie der Schmerz.

»Du warst tot!«, sagte sie.

Es fühlte sich seltsam an, es zu sagen, während sie ihn so lebendig vor sich sah.

»Der Goyl hat dich erschossen!« Claras Stimme war kaum mehr als ein Flüstern. »Es war eine schreckliche Wunde.«

Jacob sah sie beide ungläubig an. Seine Augen waren immer noch wie verschleiert, seine Bewegungen so langsam, als müsste er sich erst wieder an seinen Körper gewöhnen. Er schaffte es kaum, sich das zerfetzte, blutgetränkte Hemd aufzuknöpfen.

Seine Brust war unversehrt. Keine Spur von einer Wunde. Nur der Abdruck einer Motte gleich über seinem Herzen, so dunkel wie ein Geburtsmal. Jacob fuhr mit dem Finger über die Flügel. Er war noch nicht ganz zurück. Fuchs konnte es in seinen Augen sehen. Wo war er gewesen? Sie fragte nicht. Irgendwann würde sie es tun. Aber nicht jetzt.

Denn Jacob hatte bemerkt, dass jemand fehlte.

»Wo ist Will?«

Ja, Fuchs hatte die Frage gefürchtet.

Jacob kam mühsam auf die Füße, als er den Zwerg hinter sich stehen sah. »Was macht er noch hier?«

Valiant machte vorsorglich ein paar Schritte zurück. »Ich habe Gerüchte darüber gehört, dass die Feen ihre Geliebten vom Tod zurückbringen«, sagte er, während er die verformte Flinte aufhob. »Aber ich hätte nicht gedacht, dass das die einschließt, die ihnen davonlaufen …«

»Wo ist mein Bruder?« Jacob machte einen unsicheren Schritt auf den Zwerg zu, aber Valiant wich ihm mit einem schnellen Satz über das leere Grab aus.

»Langsam, langsam!«, rief er und hielt Jacob drohend die Flinte entgegen. »Wie soll ich dir das verraten, wenn du mir vorher den Hals umdrehst?«

Clara hielt immer noch Jacobs Taschentuch und die zwei Taler in den Händen. »Es tut mir leid«, sagte sie und hielt Jacob beides hin. »Ich wollte beides benutzen, um Will zu finden.«

Jacob wandte den Blick nicht von Valiant, während er die Münzen und das Taschentuch zurück in die Taschen schob. »Die Goyl haben ihn also mitgenommen. Und ich nehme an, der Zwerg hat ihnen erzählt, wo sie ihn finden können?«

Er bückte sich nach seiner Pistole, die immer noch da im Gras lag, wo Fuchs sie hatte fallen lassen.

»Erschieß ihn noch nicht«, sagte sie und trat an Jacobs Seite. »Er weiß vermutlich, wohin sie deinen Bruder gebracht haben.«

»In der Tat.« Valiant brach den verbogenen Lauf der Flinte ab, als wäre es ein morscher Ast. »Und ich hatte die Mündung einer Goylflinte an meiner Schläfe, als ich ihnen gesagt habe, wo sie ihn finden. Was hättest du gemacht? Na ja, vermutlich hättest du dich erschießen lassen, da deine Feengeliebte dich ja wohl jederzeit von den Toten zurückholt. Die meisten von uns haben das Glück nicht.«

»Also wo haben sie Will hingebracht?«, fragte Clara.

»In die Königsfestung der Goyl«, gab Valiant zurück. »Der letzte Mensch, der sich dort eingeschlichen hat, war ein kaiserlicher Spion. Kami'en hat ihn in Bernstein gießen und gleich neben dem Haupttor aufstellen lassen. Abscheulicher Anblick.«

Jacob schob die Pistole in den Gürtel. »Aber du kennst natürlich einen Weg hinein.«

Valiant verzog den Mund zu einem so selbstzufriedenen Lächeln, dass Fuchs versucht war, ihn doch zu erschießen. »Selbstverständlich.«

»Wie viel?« Jacob klang immer noch, als wäre er weit fort. Fuchs griff nach seinem Arm, als er schwankte. Er war zurück, blass wie ein Geist, aber er lebte und atmete. Sie wollte ihn umarmen und sein Herz gegen das ihre schlagen fühlen. Die Füchsin hatte solche Wünsche nicht. Die Menschenhaut brachte sie. Sie machte das Leben kompliziert. Das Leben, Freundschaft, Liebe … Sie liebte ihn so sehr.

Valiant gab dem Metall der abgebrochenen Flinte die Form einer Pistole.

»Wie viel? Der Goldbaum, den du letztes Jahr der Kaiserin verkauft hast … Es heißt, sie hat dir einen Ableger überlassen.«

Fuchs warf Jacob einen Blick zu, den nur er lesen konnte. Den Ableger gab es tatsächlich. Jacob hatte ihn in den überwucherten Garten der Schlossruine gepflanzt. Er war schnell gewachsen, aber bislang war das einzige Gold, das er regnete, sein übel riechender Blütenstaub.

Jacob brachte dennoch ein empörtes Gesicht zustande.

»Das ist ein unverschämter Preis.«

»Ganz im Gegenteil.« Valiants Augen leuchteten, als spürte er das Gold schon auf seine Schultern prasseln. »Meine Forderung ist sehr bescheiden, wenn man bedenkt, dass wir vermutlich alle in Bernstein gegossen enden werden.«

Fuchs hätte ihn zu gern in das leere Grab gestoßen.

31
WAS, WENN ...

Ohne die Pferde dauerte es Stunden, bis sie endlich eine Straße erreichten, die aus dem Tal hinauf in die Berge führte. Jacob vermisste die Stute und hoffte, dass die Goyl so gut mit ihren Pferden umgingen, wie man es ihnen nachsagte. Das eigene Pferd war ein hoch geschätzter Gefährte hinter dem Spiegel, und Jacob erinnerte sich an sie alle mit Dankbarkeit, die eingeschlossen, die ihm davongerannt waren. Die Pferde, die er schließlich einem Bauern abkaufte, konnten es mit keinem von ihnen aufnehmen, aber sie waren immer noch besser, als zu Fuß zu gehen. Der Zwerg protestierte wortreich, als Jacob einen Esel für ihn kaufte, aber er war schon bald so zufrieden mit seinem Reittier, dass er ihnen die Ohren mit Lobliedern auf die Vorzüge eines nicht allzu hochgewachsenen Körpers füllte.

Die Pfade, die nach Norden führten, wurden mit jeder Meile steiler, aber Jacob hielt nur an, wenn selbst der Esel in der Dunkelheit zu stolpern begann. Sie machten Rast unter einem Felsvorsprung, der sie vor dem kalten Wind schützte, und Valiant schnarchte schon bald so laut, als läge er in einem der weichen Betten, für die die Gasthäuser der Zwerge berühmt waren. Die Füchsin verschwand in die Nacht, um zu jagen, und Jacob riet Clara, sich hinter den Pferden schlafen zu legen, damit ihre Nähe sie wenigstens etwas wärmte.

Er selbst zündete sich mit dem trockenen Holz, das er zwischen den Felsen fand, ein Feuer an und starrte in die Nacht, dem eigenen Herzschlag lauschend, wie es vermutlich jeder tat, der von den Toten zurückgekommen war. Er erinnerte sich an Dunkelheit. Und dann an Licht. An das Gefühl, etwas Wichtiges unerledigt zurückgelassen zu haben, und an den Wunsch, es zu vergessen und in dem Licht verloren zu gehen. Frieden. Ja, er erinnerte sich sehr genau an das Gefühl von Frieden. Daran, alles und nichts zu sein. Und dann … hatte er die Stimme einer Fee gehört. Mirandas Stimme, die ihn rief. Und da waren Flügel gewesen. Rote Flügel. Und Fuchs. Ja, sie war der Grund, warum er zurückgekommen war. Nicht die Fee, nicht einmal Will, nur die Füchsin.

Aber nun kam auch alles andere zurück, während das Feuer die Nacht forttanzte: der Friedhof der Einhörner, die Rose und die Art, wie Will ihn angesehen hatte, als er die Wirkung des Dorns gespürt hatte. *Wenn du aufwachst, ist alles vorbei. Ich verspreche es.*

Wie, Jacob? Selbst wenn der Zwerg ihn nicht wieder verriet und er die Dunkle Fee in der Festung der Goyl fand. Wie sollte er ihr nah genug kommen, um das zu nutzen, was ihre Schwester ihm verraten hatte?

»Jacob?« Clara stand hinter ihm. Sie hatte sich eine der Pferdedecken um die Schultern gelegt. »Kannst du nicht schlafen?«

Aus ihrer Stimme klang immer noch das ungläubige Staunen da-

175

rüber, dass er am Leben war. Und wie sehr ihr das Angst machte. Es machte ihm ebenfalls Angst.

»Nein. Das war zu erwarten, oder?«, gab er zurück. »Ein paar Minuten Tod macht viele Stunden Schlaf wett, nehm ich an.«

Über ihnen schrie eine Eule. In der Spiegelwelt hielt man sie für die Seelen toter Hexen. Clara kniete sich neben ihn auf die kalte Erde und hielt die Hände über die wärmenden Flammen.

»Bitte sag mir, was du auf der Insel erfahren hast.«

Sie sah furchtbar müde aus.

»Das kann ich nicht. Ich musste versprechen, es mit niemandem zu teilen.« Das war nicht die ganze Wahrheit, aber er würde Clara nicht anvertrauen, was er nicht einmal Fuchs erzählt hatte. Auch wenn er, falls alles so geschah, wie die Rote Fee es geschildert hatte, Claras Hilfe brauchen würde.

Ihre Augen waren so blau wie die seines Bruders. Bevor sie im Gold ertrunken waren.

»Was, wenn ihm die Jade gefällt?« Sie sprach mit so leiser Stimme, dass er sie kaum hören konnte. »Hast du dir die Frage jemals gestellt?«

Die Flammen streiften ihr Gesicht mit tanzenden Schatten.

»Was, wenn Will gar nicht möchte, dass wir ihm helfen?«

Ja, was dann …

Natürlich, wollte Jacob antworten. *Natürlich habe ich mir die Frage gestellt.* Aber er konnte Clara keine Antwort auf sie geben. Ganz sicher nicht in dieser Nacht, mit einem Herzen, das ihm immer noch in der Brust schlug, als hätte es vergessen, wie.

32

DER FLUSS

Die Gebirgskette, die in ihrem Schoß die Königsfestung der Goyl barg, lag mehr als zweihundert Meilen nördlich vom Tal der Feen. Das zeigte sich schon bald im Wetter. Jacob war nicht der Einzige, der den ewigen Frühling auf der Insel der Feen vermisste, als ihre Decken am Morgen mit Raureif bedeckt waren und der Regen so ununterbrochen vom grauen Himmel fiel, dass ihre Kleider nicht mehr trockneten.

»Was macht sie noch hier?«, fragte Valiant, als Clara nach einer weiteren kalten Nacht nur mit Mühe auf ihr Pferd kam. »Was treibt ihr Menschen nur mit euren Frauen? Sie gehört in ein Haus. Schöne Kleider, Diener, Kuchen, ein weiches Bett – das ist es, was sie braucht.«

»Und einen Zwerg zum Ehemann und ein goldenes Schloss vor der Tür, zu dem nur du den Schlüssel hast?«, fragte Fuchs.

»Warum nicht?«, erwiderte Valiant – und schenkte Clara sein umwerfendstes Lächeln.

Nach zwei Tagen war sie so blass vor Erschöpfung, dass sogar Jacob sich Sorgen machte und er sie von da an die Nächte in Gasthöfen verbringen ließ. Fuchs teilte sich das Bett mit Clara, während Jacob neben dem schnarchenden Zwerg lag, aber er fand nicht nur deshalb keinen Schlaf. Er glaubte immer noch, sein eigenes Blut auf der Zunge zu schmecken, und manchmal spürte er die klaffende Wunde über seinem Herzen, von der die anderen ihm erzählt hatten.

Am Abend des vierten Tages erreichten sie einen der Türme, die die Goyl bauten, um ihre oberirdischen Grenzen zu bewachen. Die Wände waren so fugenlos glatt, dass die meisten Menschengebäude im Vergleich zu ihnen primitiv wirkten. Hinter den Onyxfenstern wachten gewöhnlich mindestens zwölf Posten, aber Valiant brachte sie auf schmalen Pfaden unbemerkt an dem Turm vorbei. Die Goyl waren in diesem Landstrich jahrhundertelang im selben Atemzug mit Menschenfressern und Braunen Wölfen genannt worden, aber ihr schlimmstes Verbrechen war schon immer gewesen, dass sie allzu menschlich aussahen. Sie waren die steinernen Vettern, die in der Tiefe hausten, das Abbild der Menschen in einem schwarzen Spiegel. Nirgendwo hatte man sie gnadenloser gejagt als in den Bergen, aus denen sie stammten, und die Goyl zahlten inzwischen mit gleicher Münze zurück. Ihre Herrschaft war nirgends mitleidloser als in ihrer alten Heimat.

Valiant mied die Straßen, die ihre Truppen benutzten, aber von Zeit zu Zeit konnten sie es nicht umgehen, ihren Patrouillen zu begegnen. Während die Füchsin ungesehen an ihnen vorbeihuschte, stellte Valiant Jacob und Clara als reiche Klienten vor, die beabsichtigten, nah der Königsfestung eine Glasfabrik zu errichten. Jacob hatte Clara einen der mit Goldfäden bestickten Röcke gekauft, die

die wohlhabenderen Frauen dieser Gegend trugen, und seine eigenen Kleider gegen die eines reichen Kaufmanns eingetauscht, auch wenn er sich selbst kaum erkannte in dem Mantel mit dem pelzbesetzten Kragen und den weichen grauen Hosen. Für Clara war das Reiten in dem weiten Rock noch mühsamer, aber die Goyl ließen sie jedes Mal passieren, wenn Valiant seine Geschichte erzählte.

Die Luft roch nach Schnee, als sie eines Abends endlich den Fluss erreichten, hinter dem die Königsfestung lag. Die Fähre legte in Blenheim ab, einem Ort, den die Goyl schon vor Jahren eingenommen hatten. Fast die Hälfte der Häuser hatte zugemauerte Fenster, die Besatzer hatten viele Straßen überdacht, um sich vor dem Tageslicht zu schützen, und hinter der Hafenmauer bemerkte Jacob einen streng bewachten Einstieg, wie die unterirdischen Viertel sie hatten, die Kami'en unter vielen Menschenstädten hatte bauen lassen.

Während Fuchs zwischen den Häusern verschwand, um eine der Tauben zu fangen, die auf dem Kopfsteinpflaster herumpickten, ging Jacob mit Valiant und Clara hinunter zum Anleger der Fähre. Am gegenüberliegenden Ufer klaffte in der Bergflanke ein weites Steintor.

»Ist das der Eingang zur Festung?«, fragte Jacob den Zwerg.

Valiant schüttelte den Kopf. »Nein, nein. Das ist nur eine der Höhlenstädte, die sie oberirdisch angelegt haben. Die Festung liegt weiter landeinwärts und so tief unter der Erde, dass du in ihr das Atmen verlernst.«

Die Fähre, die am Anleger festgemacht war, hatte schon viele raue Überfahrten gesehen. Die Metallplatten, die den hölzernen Rumpf bedeckten, waren ramponierter als die eines Schlachtschiffs. Der Fährmann sperrte den Anleger bereits mit einer rostigen Kette ab, und als Jacob ihn fragte, ob er sie vor Beginn der Nacht noch übersetzen konnte, verzog er den Mund zu einem verächtlichen Lächeln.

Er war fast so hässlich wie die berüchtigten Warzentrolle Frons, die vor ihrem eigenen Spiegelbild erschraken.

»Dieser Fluss ist kein sehr gastlicher Ort, wenn es dunkel wird.« Er sprach so laut, als wollte er auch am anderen Ufer zu hören sein. »Und ab morgen ist die Überfahrt verboten, weil der gekrönte Goyl seine Höhle verlässt, um zu seiner Hochzeit zu fahren.«

»Hochzeit?« Jacob warf Valiant einen fragenden Blick zu, aber der Zwerg zuckte die Schultern.

»Wo seid ihr gewesen?«, höhnte der Fährmann. »Die Kaiserin von Austrien kauft sich Frieden mit den Steingesichtern, indem sie ihre Tochter mit ihrem König verheiratet. Morgen werden sie wie Termiten aus ihren Löchern schwärmen, und der Goyl wird in seinem Teufelszug nach Vena fahren, um die schönste aller Prinzessinnen mit sich unter die Erde zu nehmen. Verflucht soll er sein. Verflucht seien sie alle!«

Jacob war zum ersten Mal erleichtert, dass Will nicht bei ihnen war. »Reist die Dunkle Fee mit Kami'en zu der Hochzeit?«

Valiant warf ihm einen neugierigen Blick zu. Der Zwerg würde sich bestimmt schon bald zusammenreimen, dass Jacob nicht nur nach seinem Bruder suchte, aber je länger er das für sich behalten konnte, desto besser. Jacob hatte Sorge, dass nicht einmal der Ableger eines Goldbaumes Valiant an seiner Seite halten würde, wenn der Zwerg begriff, dass er sich mit der Dunklen Fee anlegen wollte.

»Sicher«, grunzte der Fährmann. »Kami'en geht nirgendwohin ohne die Feenhexe. Nicht mal zur Hochzeit mit einer anderen.«

Jacob blickte über den Fluss. Morgen. Es kehrte sich erneut alles gegen sie. Das gab ihm noch weniger Zeit als erwartet, die Fee zu finden. Er schob die Hand in die Tasche.

»Hast du heute einen Goyloffizier übergesetzt?«

»Was?« Der Fährmann hielt die Hand ans Ohr.

»Einen Goyloffizier. Jaspishaut, ein Auge fast blind. Er hatte eine Soldatin bei sich. Und einen Gefangenen.«

Die Augen des Fährmanns wurden schmal vor Misstrauen. »Wieso? Bist du einer von denen, die sie immer noch jagen?« Er sprach erneut so laut, dass Jacob besorgt zu den Posten blickte, die den Einstieg zu ihren unterirdischen Wohnquartieren bewachten. Aber glücklicherweise kehrten sie ihnen den Rücken zu.

»Der Gefangene, den er bei sich hatte, würde dir viel Geld einbringen.« Der Fährmann zwinkerte Jacob verschwörerisch zu. »Seine Haut war aus Jade! Ihr heiliger Stein. Ich hab noch nie einen mit der Farbe gesehen.«

Jacob hätte ihm zu gern in sein hässliches Gesicht geschlagen. Das war aus seinem Bruder geworden – Beute, die man für ihre Haut jagte. Er rieb das Taschentuch, bis er Metall zwischen den Fingern spürte.

»Der ist für dich«, sagte er und drückte dem Fährmann einen Taler in die schwielige Hand. »Du bekommst einen zweiten am anderen Ufer – wenn du uns noch heute übersetzt.«

Der Fährmann starrte begierig auf den Taler, aber Valiant griff nach Jacobs Arm und zog ihn zur Seite.

»Lass uns bis morgen warten!«, zischte er ihm zu. »Es wird dunkel und der Fluss wimmelt von Loreley.«

Loreley. Jacob blickte über das träge dahinfließende Wasser. Sein Großvater hatte ihnen manchmal ein Lied über diese Flussnymphen vorgesungen. Der Text hatte ihn als Kind schaudern lassen, und die Geschichten, die man hinter dem Spiegel über die Loreley erzählte, waren noch wesentlich finsterer. Aber morgen würde die Dunkle Fee fort sein und er würde sie auf einer kaiserlichen Hochzeit finden müssen.

»Keine Sorge!« Der Fährmann verzog den Mund zu einem zuversichtlichen Lächeln, während er die Finger fest um den Goldtaler schloss. »Wir werden sie schon nicht wecken!«

Er griff in die ausgebeulten Taschen und drückte Jacob und Valiant je ein Paar Wachspfropfen in die Hand, die sicher schon in vielen Ohren gesteckt hatten.

»Nur zur Vorsicht. Man kann ja nie wissen. Sie braucht keine!«, setzte er mit einem Nicken in Claras Richtung hinzu. »Die Loreley haben es nur auf Männer abgesehen.«

Jacob fragte sich gerade, ob Fuchs rechtzeitig zurück sein würde, als die Füchsin den Anleger herunterkam. Sie zupfte sich ein paar Federn aus dem Fell, bevor sie auf das flache Boot sprang. Die Pferde waren unruhig, Jacob konnte sie kaum beruhigen, aber der Fährmann löste die Seile, und die Fähre trieb auf den Fluss hinaus. Hinter ihnen verschwammen die Häuser von Blenheim in der Dämmerung und das einzige Geräusch in der abendlichen Stille war das Schwappen des Wassers gegen den metallbeschlagenen Schiffsrumpf. Jacob konnte eine unbefestigte Straße am anderen Ufer ausmachen, die landeinwärts führte, und der Fährmann zwinkerte ihm erneut zuversichtlich zu. Aber die Pferde waren immer noch unruhig und die Füchsin stand mit gespitzten Ohren an der Reling.

Eine Stimme wehte über den Fluss.

Zuerst klang sie wie die eines Vogels, doch dann immer mehr wie die einer Frau. Die Stimme kam von einem Felsen, der links von ihnen aus dem Wasser ragte, so grau, als wäre die Dämmerung zu Stein geworden. Eine Gestalt löste sich daraus und glitt in den Fluss, fischschwänzig, mit den Brüsten einer Frau. Eine zweite folgte. Sie kamen von überall.

Valiant stieß einen Fluch aus. »Was habe ich dir gesagt?«, fuhr er Jacob an. »Schneller!«, rief er dem Fährmann zu. »Nun mach schon.«

Aber der schien weder den Zwerg noch die Stimmen zu hören,

die immer lockender über das Wasser klangen. Erst als Jacob ihm die Hand auf die Schulter legte, fuhr er herum.

»Schwerhörig! Der verschlagene Hund ist fast so taub wie ein toter Fisch!«, schrie Valiant und stopfte sich hastig die Wachspfropfen in die Ohren.

Der Fährmann zuckte nur die Achseln und klammerte sich fest an sein Ruder, und Jacob fragte sich, wie oft er schon ohne seine Passagiere zurückgekommen war, während er sich das schmutzige Wachs in die Ohren schob.

Die Pferde scheuten. Sie konnten sie kaum bändigen. Das letzte Tageslicht schwand, und das andere Ufer kam so langsam näher, als triebe das Wasser sie wieder zurück. Clara trat dicht an Jacobs Seite, und Fuchs stellte sich vor sie beide, entschlossen, sie vor dem zu beschützen, was sich in der Dunkelheit regte. Die Stimmen wurden so laut, dass Jacob sie trotz der Pfropfen hörte. Sie lockten ihn zum Wasser. Clara zog ihn von der Reling zurück, aber der Gesang drang ihm durch die Haut wie süßes Gift. Köpfe tauchten aus den Wellen auf. Haar trieb wie Schilf auf dem Wasser, und als Clara ihn für einen Augenblick losließ, um sich selbst die Hände auf die schmerzenden Ohren zu pressen, spürte Jacob, dass seine Finger nach den schützenden Pfropfen griffen und sie über Bord warfen.

Die singenden Stimmen schnitten ihm wie honigtriefende Messer ins Hirn. Clara versuchte erneut, ihn festzuhalten, als er auf den Fährenrand zustolperte, aber Jacob stieß sie so unsanft zurück, dass sie gegen den Fährmann stolperte.

Wo waren sie? Er beugte sich über das Wasser. Zuerst sah er nur sein eigenes Spiegelbild, doch plötzlich verschmolz es mit einem Gesicht. Es glich dem einer Frau, aber es war nasenlos, mit riesigen Augen aus Silber und Fangzähnen, die sich über die blassgrünen Lippen schoben. Arme streckten sich aus dem Fluss und Finger schlossen sich um Jacobs Handgelenk. Eine andere Hand griff ihm ins Haar. Wasser schwappte über den Fährenrand. Sie waren überall, streckten die Arme nach ihm aus, die fischigen Leiber halb aus dem Wasser gestemmt, die Zähne gebleckt. Loreley. Viel schlimmer als das Lied, das sein Großvater so oft gesummt hatte. Die Wirklichkeit war fast immer schlimmer.

Die Füchsin grub die Zähne tief in einen der schuppigen Arme, die Jacob gepackt hielten, doch eine andere Loreley zerrte ihn bereits über die Reling. Er verlor den Halt, sosehr er sich auch wehrte, aber plötzlich hörte er einen Schuss, und eine der Nixen versank mit zerschossener Stirn in dem trüben Wasser.

Clara stand hinter ihm und hielt die Pistole, die er ihr gegeben hatte, in den zitternden Händen. Fuchs erschoss zwei weitere Loreley, die versuchten, den Zwerg ins Wasser zu zerren. Der Fährmann vergaß sein Ruder, als sie sich verwandelte, und Fuchs musste noch drei Nymphen töten, um zu verhindern, dass sie ihn über Bord zerrten. Sie versuchten, sie auch zu packen. Offenbar hatten sie kein Mitleid mit Frauen, die auf sie schossen. Als ihre toten Leiber davontrieben, wichen die anderen Loreley zurück und machten sich über ihre toten Schwestern her.

Clara ließ bei dem Anblick die Pistole fallen und übergab sich über die Reling, während Jacob und Valiant die scheuenden Pferde einfingen und Jacob dem Fährmann half, das wild schlingernde Boot auf den Anleger zuzusteuern. Die Loreley schrien ihnen wütend nach, aber ihre Stimmen klangen nur noch wie ein Schwarm keifender Möwen.

Sie schrien auch noch, als Jacob die Pferde ans Ufer führte. Der Fährmann trat ihm in den Weg und hielt ihm auffordernd die Hand hin, Fuchs stieß ihn dafür fast in den Fluss.

»Ach, das mit dem zweiten Taler hast du also gehört!«, fuhr sie ihn an. »Verdienst du dir immer dein Geld damit, den Loreley ihr Abendessen zu liefern?«

Der Fährmann starrte sie mit der üblichen Mischung aus Furcht, Faszination und Abscheu an, der alle Gestaltwandler begegneten, wenn sie ihr Geheimnis preisgaben.

»Ich hab mir den Taler verdient!«, zeterte der Fährmann. »Ihr seid am anderen Ufer, oder? Die verfluchte Fee hat sie in den Fluss gesetzt. Alle sagen das. Soll ich mir dadurch das Geschäft ruinieren lassen?«

»Dein Geschäft!« Valiants Gesicht war immer noch ungewöhnlich blass. »Ich schlage vor, du gibst den anderen Taler auch zurück, du verlogener Sack Pferdescheiße!«

»Nein, lass ihn den Taler behalten«, sagte Jacob und zog einen weiteren aus der Tasche. »Gibt es noch andere Menschenfresser an diesem Ufer, vor denen wir uns besser in Acht nehmen?«

Der Fährmann griff hastig nach dem Taler und stopfte ihn sich in die schmutzigen Taschen.

»O ja. Da sind noch die Drachen! Sie kommen von der Festung, so rot wie das Feuer, das sie speien, wenn sie die Berge in Brand setzten, die Berge, das Gras, die Bäume … Manchmal brennen die Hänge tagelang und mein Boot ist mit Asche bedeckt.«

»Drachen? Sicher!« Valiant warf Jacob einen vielsagenden Blick zu. »Erzählt ihr euren Kindern nicht auch, dass an diesem Ufer noch Riesen hausen?« Er senkte die Stimme und winkte dem Fährmann, sich zu ihm herabzubeugen. »Soll ich dir sagen, wo es tatsächlich Drachen gibt?«

»Wo?« Der Fährmann verzog das Gesicht von der Anstrengung, den Zwerg zu verstehen.

»Ich hab sie mit eigenen Augen gesehen!«, rief Valiant ihm in das schwerhörige Ohr. »In ihrem Knochennest, nur zwei Meilen flussaufwärts, aber sie waren grün, und einem hing ein Bein aus dem hässlichen Maul, das genauso mager wie deine war! Beim Teufel und all seinen goldenen Haaren, hab ich mir gesagt, ich möchte nicht in Blenheim leben, sollte es den Biestern eines Tages einfallen, den Fluss abwärtszufliegen!«

Die Augen des Fährmanns wurden so groß wie Jacobs Goldtaler. »Zwei Meilen?«

Er blickte besorgt den Fluss hinauf.

»Ja, vielleicht war es auch etwas weniger!« Valiant ließ ihm die schmutzigen Ohrenpfropfen in die Hand fallen. »Viel Spaß auf der Rückfahrt.«

Der Fährmann starrte weiter so angestrengt den Fluss hinauf, während er zurück zu seinem Boot ging, als suchte er die Nacht nach den Silhouetten zweier Drachen ab.

»Keine schlechte Geschichte!«, sagte Jacob, als der Zwerg sich auf seinen Esel schwang. »Aber was würdest du sagen, wenn ich dir erzähle, dass ich in Parsien einen Mann getroffen habe, der behauptet, erst vor ein paar Jahren einen Drachen in einem Tal in Zhonggua gesehen zu haben?«

»Dass entweder du ein Lügner bist«, gab Valiant zurück, »oder er.«

Hinter ihnen schrien immer noch die Loreley, und Clara blickte noch einmal auf den Fluss zurück, bevor sie aufs Pferd stieg. Fuchs verwandelte sich erneut in die Füchsin und hob die Nase in den Wind.

»Was riechst du?«, fragte Jacob.

»Goyl«, antwortete sie. »Nichts als Goyl. Als wären die Erde und die Luft aus ihnen gemacht.«

33

SO MÜDE

Will wollte schlafen. Nur schlafen und das Blut vergessen, all das Blut auf Jacobs Brust. Sein toter Bruder. Das war das einzige Bild, das den Weg in seine Träume fand. Und der Klang einer Frauenstimme. Sie klang wie Wasser, dunkles, tiefes Wasser.

Aber Will musste schlafen. Schlafen. Und all das Blut vergessen, das aus der Brust seines Bruders rann.

»Warum wachst du nicht auf? Hast du Angst vor mir?«

Eine Hand strich ihm übers Gesicht. Sechs Finger, weich und kühl.

»Ich glaube nicht, dass er Angst vor Euch hat. Eure rote Schwester hat ihn verzaubert.«

Die Stimme des Mörders.

Will wollte ihn nur töten. Er wollte ihn mit seinen bloßen Händen zu Tode prügeln … damit er ebenso reglos dalag wie Jacob. Aber der Schlaf hielt ihn gefangen und lähmte ihm Glieder und Verstand.

»Meine Schwester? Wann hat er meine Schwester getroffen? Warum hast du ihn nicht aufgehalten?«

»Wir haben es versucht, aber sie hatten einen Zwerg dabei, der sie an den Einhörnern vorbeigebracht hat. Ihr habt mir nicht verraten, wie man das zustande bringt. Ich habe die Hälfte meiner Männer in dem verdammten Tal verloren.«

Der Mörder seines Bruders. Und er konnte sich nicht bewegen. Will kam es vor, als triebe er in schwarzem Wasser und sänke mit jedem Atemzug tiefer.

»Ihr seid mächtiger als all Eure Schwestern! Was immer die Rote an Zauber gewirkt hat – warum macht Ihr ihn nicht einfach rückgängig?«

»Es ist ein Dornenzauber! Niemand kann ihn rückgängig machen. Er hatte ein Mädchen bei sich. Ich habe sie gesehen. Wo ist sie?«

»Ich hatte keinen Befehl, sie herzubringen.«

Dornenzauber. Schwarzes Wasser ... Die Stimmen entfernten sich langsam oder sank er nur tiefer?

»Bring mir das Mädchen! Das Leben deines Königs hängt davon ab.«

Will spürte erneut die sechs Finger auf dem Gesicht. Sie strichen ihm über die Wangen, die Lider seiner Augen, so fest geschlossen, seine Stirn ...

»Der Jadegoyl. Aus dem Fleisch seiner Feinde geboren.« Selbst ihre Stimme streichelte seine Haut. »Meine Träume lügen nie.«

34

LERCHENWASSER

Für eine Weile führte Valiant sie sehr zielstrebig durch die Nacht.
Doch als die Hänge um sie her immer schroffer wurden und die
Straße, der sie vom Fluss aus gefolgt waren, nur noch ein Kiesweg
war, der sich zwischen dornigen Büschen verlor, zügelte der Zwerg
den Esel und blickte sich ratlos um.

»Was?«, fragte Jacob und ritt an seine Seite. »Sag nicht, du hast
dich jetzt schon verirrt. Oder ist dir eingefallen, dass du den geheimen Eingang, den du angeblich kennst, nur geträumt hast?«

Es hatte von Anfang an zu gut geklungen, um wahr zu sein: ein
Eingang zu ihrer Königsfestung, von dem die Goyl nichts wussten …
Jacob verfluchte sich selbst dafür, dass er dem Zwerg erneut vertraut
hatte, obwohl ihn das inzwischen zweimal fast das Leben gekostet
hatte. *Fast, Jacob? Beim letzten Mal bist du gestorben.*

»Unsinn, ich hab den Eingang viele Male benutzt!«, gab der Zwerg

189

zurück. »Aber niemals bei Nacht. Wie soll man einen verborgenen Eingang finden, wenn es dunkler ist als im Hintern eines Riesen? Er muss ganz in der Nähe sein, ich bin sicher!«

Er ließ sich von seinem Esel rutschen und sah sich mit finster entschlossener Miene um, bis Jacob vom Pferd stieg und ihm die Taschenlampe in die Hand drückte. Der Zwerg ließ den Lichtstrahl mit einem ungläubigen Lächeln über Bäume und Sträucher wandern.

»Was ist das? Ein Feenzauber?«

»So etwas Ähnliches«, gab Jacob zurück.

»Das ist fantastisch! Wo kann ich so ein Ding bekommen?« Valiant leuchtete einen Hang hinab, der sich zu ihrer Linken im Dickicht verlor. »Ich könnte schwören, dass es da unten ist.«

»Ich besorg dir ein Ding wie das«, sagte Jacob, »wenn du den Eingang findest.«

Fuchs blickte dem Zwerg misstrauisch nach, als er den Hang hinunterstiefelte.

»Du lässt ihn allein gehen?«, fragte sie. »Denkst du nicht, es ist sehr wahrscheinlich, dass er mit einer Goylpatrouille zurückkommt?«

Sie folgte Valiant in die Nacht, bevor Jacob zugeben konnte, dass sie natürlich recht hatte. Seine einzige Entschuldigung war, dass er sich immer noch so fühlte, als hätte ein Teil von ihm das Feental nie verlassen oder das moosbedeckte Bett auf ihrer Insel. Vielleicht war das Mirandas Preis dafür, dass sie ihm sein Leben zurückgegeben hatte: dass sie die Hälfte seiner Seele behalten hatte … *Unsinn*, sagte er sich. Er hatte seit Tagen kaum geschlafen, die Goyl hatten seinen Bruder und er wollte sein altes Leben zurück. Nach Schätzen suchen mit Fuchs, ohne einen Gedanken an gestern oder morgen oder an Feen und Goyl …

Clara band ihr Pferd und Valiants Esel an den nächsten Baum – nicht ohne sich mit einem schnellen Blick zu vergewissern, dass keine

Vogelbäume in der Nähe wuchsen. Sie hatte ihre Lektion gelernt, auch wenn Jacob sicher war, dass sie diese Welt immer noch nicht mochte. Wie konnte sie? Die Goldfäden auf ihrem Rock fingen das Mondlicht. Jacob pflückte ein paar Eichenblätter und gab sie ihr.

»Hier. Reib sie zwischen den Händen und streich dann über die Stickerei.«

Die Fäden verblassten unter ihren Fingern, als hätte sie das Gold von dem blauen Stoff gewischt.

»Elfengarn«, sagte Jacob. »Wunderschön, aber nachts schlimmer als ein Schwarm Irrlichter.«

Clara fuhr sich durch das verräterisch helle Haar, als wollte sie es ebenso umfärben wie das Kleid. »Ich nehme an, du planst, dass der Zwerg nur dich in die Festung bringt?«

»Natürlich. Es wird schon für uns zwei schwierig genug, unbemerkt zu bleiben.« Und ja, Valiant würde ihn vermutlich beim ersten Ansatz von Gefahr im Stich lassen, aber er würde es dennoch erneut riskieren müssen, ihm zu trauen.

»Nein, warte.« Clara griff nach seinem Arm, als er sich umwandte, um nach den anderen Pferden zu sehen. »Wir sind nur so weit gekommen, weil wir einander geholfen haben. Du wärst tot, wenn du auf dem Fluss allein gewesen wärst! Hör auf, zu denken, dass du alles allein machen musst. Du machst bei Fuchs nur deshalb eine Ausnahme, weil sie es dir nicht erlaubt, sie einfach fortzuschicken. Lass uns mit dir kommen. Bitte.«

»Nein.« Jacob schüttelte den Kopf. »Die einzigen Menschen in der Festung sind männliche Kriegsgefangene. Der Zwerg wird keinen Verdacht erregen, weil sie mit den Goyl Handel treiben, aber eine Menschenfrau und eine Füchsin sind eindeutig Eindringlinge, und ich will nicht, dass ihr zwei in Bernstein gegossen endet. Auch wenn die Farbe gut zum Fell der Füchsin passen würde.«

Wie sie ihn ansah! Er war so ein Dummkopf. Wie konnte er ihr all das erzählen? Um ihr klarzumachen, wie selbstmörderisch die ganze Mission war? Ja, Jacob sah es in ihren Augen: Seine Worte hatten ihr jede Illusion darüber genommen, wie diese Rettungsaktion sehr wahrscheinlich enden würde. Vielleicht redete er deshalb weiter. Weil sie so verzweifelt aussah. Und – weil er ein Dummkopf war.

»Du musst noch aus einem anderen Grund hierbleiben.« *Jacob!* Aber er konnte sie nicht länger anlügen.

»Was für ein Grund?«

»Falls ich Will tatsächlich finde, wird er dich sehr viel mehr brauchen als mich.«

Dummkopf.

»Warum?«

»Du wirst ihn aufwecken müssen.«

»Aufwecken?«

Es dauerte ein paar Augenblicke, bis sie begriff. Sie starrte auf ihre Finger, als hätte der Rosendorn ihre Haut zerstochen. »Die Rose ...«, flüsterte sie.

> *Und der Prinz beugte sich über sie und weckte sie mit*
> *einem Kuss.*

Über ihnen standen die Sicheln der zwei Monde so schmal am schwarzen Himmel, als wären sie in der Nacht verhungert.

»Wieso glaubst du, dass mein Kuss ihn wecken kann?« Sie gab sich Mühe, den Schmerz in ihrer Stimme zu verbergen. »Es geht dabei um wahre Liebe, oder? Aber dein Bruder liebt mich nicht mehr!«

Jacob zog den Mantel aus, der ihn wie einen reichen Händler aussehen ließ. Die einzigen Menschen in der Festung waren Sklaven. Sie trugen bestimmt keinen Pelzbesatz am Kragen, und den Sklaven

192

würde er spielen müssen – gefangen von Goyltruppen und unter die Erde verschleppt.

»Aber du liebst ihn noch«, sagte er. »Oder? Wir können nur hoffen, dass das reicht.«

Clara stand bloß da und schwieg. Vermutlich sah sie den stillen Schlosshof vor sich, auf dem Tote unter den welken Blättern schliefen und Prinzenskelette in den Rosenranken hingen. *Lenk sie ab, Jacob.*

»Wie lange hat es gedauert, bis Will dich gefragt hat, ob du mit ihm ausgehst?« Jacob schlüpfte in seinen alten Mantel.

»Zwei Wochen.« Die Erinnerung wischte Clara für einen Moment die Verzweiflung vom Gesicht. »Ich dachte, er fragt nie. Dabei haben wir uns jeden Tag im Krankenhaus gesehen, wenn er eure Mutter besucht hat.«

»Zwei Wochen? Das ist schnell für Will.« Hinter ihnen raschelte es, und Jacob griff nach der Pistole, aber es war nur ein Dachs, der sich seinen Weg durch die Büsche suchte. »Wo ist er mit dir hingegangen?«

»Ins Krankenhauscafé. Kein sonderlich romantischer Ort.« Clara lächelte, weit fort, in einer anderen Welt. »Er hat mir von einem angefahrenen Hund erzählt, den er gefunden hat. Bei unserer nächsten Verabredung hat er ihn mitgebracht.«

Jacob ertappte sich dabei, dass er Will um den Ausdruck auf ihrem Gesicht beneidete. Er war nicht sicher, ob der bloße Gedanke an ihn je einem Mädchen so ein Lächeln aufs Gesicht gezaubert hatte.

»Wir müssen die Pferde tränken«, sagte er. »Willst du mitkommen?«

Sie fanden schon bald einen Tümpel. Die Pferde senkten gierig die Nüstern in das klare Wasser und Valiants Esel watete bis zu den Knien hinein. Aber als Clara auch davon trinken wollte, zog Jacob sie zurück.

»In dieser Welt solltest du dich niemals zu dicht an einen Tümpel wie diesen wagen. Siehst du den Karren?« Die Räder versanken im Uferschlamm und ein Reiher hatte auf der morschen Ladefläche sein Nest gebaut. »Er hat wahrscheinlich irgendeinem Bauernmädchen gehört. Wassermänner fangen sich zu gern eine Menschenbraut.«

Jacob glaubte, den Wassermann seufzen zu hören, als Clara von dem Tümpel zurückwich. Sie waren gefährliche Kreaturen, aber sie fraßen ihre Opfer nicht wie die Loreley. Wassermänner schleppten die Mädchen, die sie fingen, in ihre Höhlen, wo sie atmen konnten. Sie fütterten sie und brachten ihnen Geschenke. Muscheln, Flussperlen, den Schmuck Ertrunkener ... Jacob hatte eine Zeit lang für die verzweifelten Eltern solcher Verschleppter gearbeitet. Er hatte drei Mädchen zurück ans Tageslicht gebracht, arme verstörte Dinger, die nie ganz aus den dunklen Höhlen zurückkehrten, in denen sie Monate zwischen Perlen und Fischgräten die schleimigen Küsse eines verliebten Wassermanns hatten ertragen müssen. Einmal hatten die Eltern die Bezahlung verweigert, weil sie ihre Tochter nicht wiedererkannt hatten.

Jacob ließ die Pferde weitertrinken und machte sich auf die Suche nach dem Bach, der den Tümpel speiste. Er fand ihn schon bald, ein schmales Rinnsal, das aus einem nahen Felsspalt floss. Jacob fischte die welken Blätter von der Oberfläche und Clara füllte sich die Hände mit dem eiskalten Wasser. Es schmeckte erdig und frisch, und Jacob sah die Vögel erst, nachdem er ebenfalls getrunken hatte. Zwei tote Lerchen, die aneinandergepresst zwischen den feuchten Steinen klemmten.

Er spuckte aus und zerrte Clara auf die Füße.

»Was ist?«, fragte sie erschrocken.

Sie war schöner als die Feen. Schöner als alle Frauen, die er jemals gesehen hatte. *Nein, Jacob.* Aber es war zu spät. Clara wich nicht zurück, als er sie an sich zog. Er griff ihr ins Haar und spürte ihr Herz ebenso heftig schlagen wie seins. Sie küsste seinen Mund, seine Augen, flüsterte seinen Namen. Den Lerchen zerplatzten die winzigen Herzen von der Raserei, daher der Name: Lerchenwasser. Unverdächtig, kühl und klar, aber ein Schluck, und man war verloren. *Lass sie los, Jacob.* Aber er küsste sie weiter, knöpfte ihr das Kleid auf, während Clara ihm die Hände unters Hemd schob.

»Jacob!«

Frau oder Füchsin. Für einen Moment glaubte Jacob Fuchs in beiden Gestalten zugleich zu sehen. Doch es war die Füchsin, die ihn so fest biss, dass er Clara losließ. Sie stolperten beide zurück, die eigene Scham gespiegelt auf dem Gesicht des anderen. Clara fuhr sich mit dem Ärmel über den Mund, als könnte sie seine Küsse fortwischen.

»Na sieh einer an!« Valiant richtete die Taschenlampe auf sie beide und bedachte Jacob mit einem schmutzigen Lächeln. »Heißt das, wir vergessen deinen Bruder?«

Jacob antwortete nicht. Er hatte nur Augen für Fuchs. Sie sah ihn an, als hätte er sie getreten, und wich zurück, sobald er einen Schritt auf sie zumachte. Sie trat an den Bach und musterte die toten Vögel.

»Seit wann bist du so dumm, Lerchenwasser zu trinken?« Sie bleckte die Zähne.

»Verdammt. Es war dunkel, Fuchs.« Das Herz schlug ihm immer noch bis zum Hals.

»Lerchenwasser?« Claras Hände zitterten, als sie sich das Kleid zuknöpfte. Sie blickte Jacob nicht an.

»Ja. Abscheulich.« Valiant schenkte ihr ein übertrieben mitfühlendes Lächeln. »Man fällt über die Nächste, die einem über den Weg läuft, her. Ein Schluck Lerchenwasser und das hässlichste Mädchen wird zur Fee. So jedenfalls heißt es. Bei Zwergen wirkt es kaum.

Aber leider«, setzte er mit einem hämischen Blick in Jacobs Richtung hinzu, »war nicht ich, sondern er zur Stelle.«

»Wie lange wirkt es?« Claras Stimme war kaum hörbar.

»Manche behaupten, dass die Wirkung nach einem Anfall verfliegt. Aber es gibt auch die Ansicht, dass es Monate lang wirkt.« Valiant lächelte Jacob anzüglich zu.

»Du scheinst ja alles über Lerchenwasser zu wissen«, fuhr Jacob ihn an. »Ich bin sicher, du ziehst es auf Flaschen und handelst damit.«

Valiant zuckte bedauernd die Achseln. »Leider hält es sich nicht. Und die Wirkung ist zu unberechenbar. Es ist eine Schande. Kannst du dir vorstellen, welche Geschäfte man damit machen könnte?«

Jacob spürte Claras Blick, aber sie wandte den Kopf ab, sobald er ihn erwiderte. Er fühlte ihre Haut noch unter den Fingern. *Aber es gibt auch die Ansicht, dass es Monate lang wirkt.* Nein. Er fühlte nur Scham. Und Wut auf sich selbst, dass er so unvorsichtig gewesen war. Er konnte nur hoffen, dass Will nie davon erfahren würde. Es war schlimm genug, dass er ihm nicht die Wahrheit über die Rose gesagt hatte. Zauberei. Manchmal wünschte er sich, dass sie aus dieser Welt verschwand. *Nein, das tust du nicht, Jacob.*

»Habt ihr den Eingang gefunden?«, fragte er.

»Ja.« Die Füchsin musterte ihn wie einen Fremden. »Er riecht nach Tod.«

»Ach was.« Valiant winkte verächtlich ab. »Es ist ein natürlicher Tunnel, der auf eine ihrer unterirdischen Straßen stößt. Vollkommen sicher.«

»Natürlich.« Jacob glaubte, die Narben auf seinem Rücken zu spüren. »Entschuldige meine Vergesslichkeit, aber woher weißt du noch mal von dem Tunnel?«

Valiant verdrehte die Augen über so viel Misstrauen. »Jeder Zwerg, der mit wertvollen Steinen handelt, weiß davon, aber es ist ein gut gehütetes Geheimnis. Nicht mal die Goyl, mit denen wir handeln, wissen, wie wir die Steine aus ihrer Festung schaffen. Kami'en hat die Ausfuhr einiger sehr beliebter Steine verboten. Die Goylhändler sind darüber ebenso erbost wie wir.«

»Ich sage, der Tunnel riecht nach Tod«, wiederholte Fuchs.

»Ihr könnt es gern mit dem Haupteingang versuchen!«, spottete Valiant. »Vielleicht ist Jacob Reckless ja der einzige Mensch, der in die Königsfestung der Goyl spaziert, ohne in Bernstein gegossen zu werden.«

Jacob mied es, Clara anzusehen, als er zu seinem Pferd ging. Lerchenwasser ... Fuchs hatte recht. Er lebte lange genug in dieser Welt, um sich vor solchen Gefahren in Acht zu nehmen, aber er war eben erst vom Tod zurückgekommen, und er verlor langsam die Hoffnung, dass er seinen Bruder noch retten konnte. Ganz sicher nicht die Verfassung, in der man sich in die Königsfestung der Goyl stehlen sollte. Aber er würde Will finden. Er hatte ihn schon einmal wiedergefunden – vor langer Zeit, in einer anderen Welt. Damals war er verschwunden, als er ihn vor einem Tabakladen hatte warten lassen. Er war stundenlang durch die Straßen gerannt, atemlos vor Schuld und Angst, bis er ihn gefunden hatte, zusammengekauert auf der Schwelle einer Tür, zitternd vor Angst, die Augen rot vom Weinen. Er hatte ihn den ganzen Weg zurück zu ihrer Wohnung getragen, aus Sorge, ihn erneut zu verlieren.

Er lud die Pistole nach, füllte sich die Taschen mit Munition und nahm ein paar Dinge aus den Satteltaschen: das Fernrohr, die Schnupftabakdose, das Fläschchen aus grünem Glas, das er erst vor ein paar Monaten aufgefüllt hatte, und Chanutes Messer. Fuchs war nirgends zu entdecken, als er sich nach ihr umsah. Es dauerte eine Weile, bis er sie zwischen den Bäumen fand.

»Nehmt euch vor den Goylpatrouillen in Acht«, sagte er. »Valiant sagt, sie machen alle drei Stunden ihre Runde. Falls ich bis morgen Abend nicht zurück bin, warte nicht auf mich.«

Sie sah ihn nicht an.

»Es ist Wahnsinn, in die Festung zu gehen«, sagte sie und wischte sich eine Spinne aus dem Fell. »Du kannst nicht klar denken, wenn es um deinen Bruder geht. Und du bist ein Narr, dass du dem Zwerg erneut traust.«

Sie huschte so lautlos davon, als wöge der Körper der Füchsin weniger als die welken Blätter unter ihren Pfoten. Und Jacob wünschte sich, dass sie zum Abschied erneut nach seiner Hand geschnappt hätte. Die Bisse der Füchsin sprachen immer von Liebe. Warum war sie so zornig auf ihn? Weil er unvorsichtig genug gewesen war, Lerchenwasser zu trinken? Nein. Weil er sie erneut zurückließ, nachdem sie zusammen schon an so vielen gefährlichen Orten gewesen waren? Oder war sie es einfach leid, seinem Bruder nachzujagen und auf Clara aufzupassen?

Jacob wollte ihr nach, als Valiant ihm in den Weg trat.

»Worauf warten wir? Ich dachte, du hättest es eilig.«

Da hatte er recht.

Clara stand immer noch am Bach. Sie wandte sich ab, als Jacob auf sie zutrat.

»Sieh mich an.«

Sie gehorchte. Aber sie errötete, als ihre Augen sich trafen, und Jacob spürte, wie auch ihm das Blut ins Gesicht schoss. Zorn, Scham … er musste das Ganze vergessen oder er würde in Valiants Tunnel schon nach ein paar Schritten tot sein.

»Es bedeutet nichts, Clara«, sagte er. »Nichts, hörst du mich? Du liebst Will. Wenn du das vergisst, können wir ihm nicht helfen. Niemand kann ihm dann helfen. Weder in dieser noch in der anderen Welt. Verstehst du?«

Sie nickte, aber ihre Augen waren dunkel vor Scham. Was konnte er sagen, damit sie sich selbst wieder vertraute? Und ihm. *Versuch es mit der Wahrheit, Jacob.*

»Du wolltest wissen, was ich vorhabe.«

Wie konnte er es ihr erklären, ohne dass es vollkommen hoffnungslos klang?

»Ich muss die Dunkle Fee finden. Es gibt eine Möglichkeit, sie zu zwingen, Will seine Haut zurückzugeben. Ihre Schwester hat mir verraten, wie. Aber ich muss dafür ziemlich nah an die Dunkle herankommen.«

Er legte den Finger warnend an die Lippen, als ihre Augen sich vor Furcht weiteten. »Bitte! Fuchs darf nichts davon erfahren. Sie würde mir sofort folgen. Aber ich schwöre es dir: Ich werde die Fee finden. Und Will. Dein Kuss wird ihn wecken und alles wird gut.«

Alles wird gut und sie lebten glücklich bis an ihr Lebensende.

Fuchs war nirgends zu sehen, als er Valiant in die Nacht folgte.

35

IM SCHOSS DER ERDE

Fuchs hatte nicht übertrieben. Der Tunnel, den die Zwerge für ihre illegalen Geschäfte mit den Goyl benutzten, roch tatsächlich wie der Tod. Er roch nach Tod, Verwesung und Verzweiflung, denn sein Eingang verbarg sich in der Höhle eines Menschenfressers.

Es gab viele Arten von Menschenfressern hinter dem Spiegel und trotz ihres Namens jagten sie auch Zwerge und Goyl. Der Boden der Höhle war übersät mit Knochen. Menschenfresser umgaben sich gern mit den Resten ihrer Mahlzeiten. Einige bauten sogar Musikinstrumente oder Skulpturen aus den Knochen ihrer Opfer, andere rezitierten Gedichte, während sie sie kochten. Der Menschenfresser, dessen Höhle den Eingang zum Tunnel der Zwerge verbarg, schien an dergleichen nicht interessiert. Die Hinterlassenschaften seiner Opfer lagen mitsamt ihren Knochen da, wo er sie verspeist hatte. Jacobs Blick fiel auf eine Taschenuhr, während unter seinen Stiefeln

Finger- und Beinknochen splitterten. Er sah den zerfetzten Ärmel eines Frauenkleides, einen Kinderschuh – bestürzend klein –, ein Notizbuch mit getrocknetem Blut auf den Seiten. Er war schon oft in Menschenfresserhöhlen gewesen, doch sie erfüllten ihn immer noch mit einem Grauen, für das es keine Worte gab. Für einen Moment wollte er umdrehen, um Fuchs und Clara zu warnen – bis er sich daran erinnerte, dass die Füchsin die Höhle gesehen hatte.

»Hast du diesen Menschenfresser je getroffen?«, fragte er, während Valiant sich vor ihm scheinbar ungerührt einen Weg durch die Knochen bahnte.

»Nein, die Goyl haben ihn und seine bessere Hälfte schon vor Jahren erschlagen.« Valiant stieß einen verwitterten Gürtel aus dem Weg. »Aber den Tunnel haben sie dabei zum Glück nicht entdeckt.«

Der Spalt in der Höhlenwand, durch den er verschwand, war für einen Zwerg mehr als weit genug, aber Jacob konnte sich kaum hindurchzwängen. Der Tunnel dahinter war so niedrig, dass er auf den ersten Metern kriechen musste (ein Anblick, den Valiant sehr genoss), und führte so tückisch steil in die Tiefe, dass Jacob dankbar für jeden Absatz und jede Windung war. Schon bald fiel ihm das Atmen schwer, und er war sehr erleichtert, als der Tunnel endlich auf eine der unterirdischen Straßen stieß, die die Goyl unter der Erde bauten, um nicht nur ihre unterirdischen Festungen, sondern auch ihre Eroberungen über der Erde zu verbinden. Die Straße war breit genug für Kutschen und Karren und mit phosphoreszierenden Steinen gepflastert, die ein mattes Licht abgaben, als Valiant die Taschenlampe darauf richtete. Jacob glaubte, in der Ferne Maschinen zu hören und ein Summen wie von Wespen über einer Wiese voll Fallobst.

»Was ist das?«, fragte er den Zwerg mit gesenkter Stimme.

»Insekten, die die Abwässer der Goyl klären. Ihre Städte riechen wesentlich besser als unsere.« Valiant zog einen Stift aus der Jacke.

»Bück dich! Zeit für dein Sklavenzeichen! P für Prussan, merk dir den Namen.« Er presste den Stift so fest auf Jacobs Haut, als wollte er ihm die Goylbuchstaben unauslöschlich auf die Stirn gravieren. »Prussan ist ein Händler, mit dem ich Geschäfte mache, und nun ist er dein Besitzer. Allerdings sind seine Sklaven wesentlich sauberer als du und tragen ganz bestimmt keinen Waffengürtel, also solltest du den besser mir geben.«

»Nein, danke«, raunte Jacob und knöpfte den Mantel über dem Gürtel zu. »Falls die Goyl uns anhalten, will ich ganz bestimmt nicht auf deine Hilfe angewiesen sein.«

Die Straße, der sie folgten, führte in einen Tunnel, der so breit wie die Alleen von Vena, Lutis und Londra war. Aber diese Allee wurde nicht von Bäumen gesäumt. Als Valiant den Strahl der Taschenlampe an den hohen Felswänden entlangwandern ließ, die viele Meter über ihnen in einer gewölbten Decke aus Kristall endeten, schälten sich Gesichter aus der Dunkelheit. Jacob hatte es immer für ein Märchen gehalten, dass die Goyl ihre Helden ehrten, indem sie die Straßen ihrer Festungen mit ihren Köpfen säumten. Aber wie so oft in dieser Welt berichteten die Märchen von der Wahrheit. Tausende gefallener Goylkrieger starrten auf sie herab, ihre Köpfe aneinandergereiht wie Ziegelsteine, die steinernen Gesichter unverändert im Tod. Nur die erloschenen Augen waren durch Goldtopas ersetzt worden.

Valiant blieb nicht lange auf der Allee der Toten. Stattdessen nahm er Tunnel, die sich schmal wie Bergstraßen abwärtswanden, tiefer und tiefer unter die Erde. Jacob sah immer öfter Licht am Ende eines Seitentunnels oder spürte den Lärm von Motoren wie ein Vibrieren auf der Haut. Ein paarmal hallte ihnen das Geräusch von Hufschlag oder Wagenrädern entgegen, aber zum Glück taten sich entlang der Tunnel immer wieder lichtlose Höhlen auf, in denen sie sich in ei-

nem Dickicht von Stalagmiten oder hinter Vorhängen aus Tropfstein
verstecken konnten.

Das Tropfen des Wassers war überall zu hören, stetig und un-
entrinnbar, und die Taschenlampe enthüllte die Wunder, die es in
Jahrtausenden geformt hatte: kalkweiße Kaskaden aus versteinertem
Schaum, Wälder aus Sandsteinnadeln, die über ihnen von den Decken hingen, und Blumen aus Kristall, die in der Finsternis blühten.
Für die Goyl war all das ohne eine Lichtquelle sichtbar. Ihre Augen
waren für die Dunkelheit gemacht, und Jacob fragte sich, ob Will all
die unterirdische Schönheit gesehen oder ob er bereits tief und fest
geschlafen hatte, als Hentzau ihn zu der Dunklen Fee gebracht hatte,
eingehüllt in Mirandas Zauber.

In vielen Höhlen war kaum eine Spur von den Goyl zu entdecken,
außer einem geraden Pfad, der durch das Steindickicht führte, oder
Tunneln, die sich zwischen gemeißelten Säulen in einer Felswand
öffneten. Andere waren gesäumt von Steinfassaden und Mosaiken,
die aus älteren Zeiten zu stammen schienen – Ruinen zwischen den
Säulen, die der Stein hatte wachsen lassen. Die Goyl behaupteten,
dass sie ihre Städte und Festungen unter der Erde gebaut hatten,
lange bevor Menschen die Oberfläche besiedelten.

Es schien Jacob, als wären sie bereits Tage durch diese unterirdische Welt geirrt, als sich vor ihnen eine gewaltige Höhle öffnete, die
einen See wie das Innere einer Kathedrale umschloss. Das dunkle
Wasser schimmerte vom Licht Tausender phosphoreszierender Libel-
len, die über der Oberfläche schwärmten. Die Höhlenwände waren
bewachsen mit schwärzlich grünen Pflanzen, die keine Sonne brauchten, und über das Wasser spannte sich eine endlose Brücke, die kaum
mehr als ein mit Eisen verstärkter Felsbogen war. Ihre Schritte hallten
verräterisch laut auf dem Stein und scheuchten Schwärme von Fle-
dermäusen auf, die von der Decke hingen, und die schwarze Leere

um sie her war so bedrohlich, dass Jacob sich mehr als einmal dabei ertappte, dass er über die Schulter blickte.

Sie hatten die Brücke erst zur Hälfte überquert, als Valiant abrupt stehen blieb und auf etwas hinabstarrte, das ihm den Weg versperrte. Es war ein Toter, kein Goyl, sondern ein Mensch. Auf seine Stirn war das Zeichen seines Besitzers tätowiert und an Brust und Kehle klafften Bisswunden.

Valiant starrte besorgt hinauf zur Höhlendecke.

»Was hat ihn getötet?« Jacob zog die Pistole.

Der Zwerg leuchtete mit der Taschenlampe zwischen die Stalaktiten, die über ihnen von der Decke hingen.

»Die Wächter«, raunte er. »Die Goyl züchten sie als Wachhunde für die äußeren Tunnel und Straßen. Sie regen sich nur, wenn sie etwas anderes als Goyl wittern. Aber auf dieser Route hatte ich noch nie Ärger mit ihnen! Warte!«

Valiant ließ einen unterdrückten Fluch hören, als der Strahl der Taschenlampe eine Reihe beunruhigend großer Löcher zwischen den Stalaktiten fand.

Ein Zwitschern hallte durch die Stille, und der Zwerg sprang über den Toten und rannte so schnell die schmale Brücke entlang, wie seine kurzen Beine es ihm erlaubten.

Über ihnen füllte sich die Höhle mit dem Flattern ledriger Flügel. Die Wächter der Goyl stießen wie Raubvögel zwischen den Stalaktiten hervor: bleiche, menschenähnliche Kreaturen mit Flügeln, die in scharfen Klauen endeten. Ihre riesigen Augen waren milchig weiß wie die von Blinden, doch ihre Ohren wiesen ihnen zuverlässig den Weg.

Jacob tötete zwei im Flug, während er dem Zwerg nachrannte, aber drei weitere krochen bereits aus ihren Löchern. Als einer versuchte, Jacob die Pistole zu entreißen, stieß er ihm den Ellbogen in das blasse Gesicht und hieb ihm mit dem Säbel einen Flügel ab. Das

Geschöpf kreischte so schrill auf, dass Jacob sicher war, das würde Dutzende von Angreifern herbeirufen, doch zu ihrem Glück schienen nicht alle Löcher bewohnt.

Die Wächter waren plumpe Kämpfer, aber einem von ihnen gelang es, den Zwerg zu Boden zu reißen, bevor er das Ende der Brücke erreichte. Er bleckte die Zähne bereits an Valiants Kehle, als Jacob ihm den Säbel zwischen die Flügel stieß. Sein Gesicht glich aus der Nähe dem eines menschlichen Embryos. Selbst der Körper hatte etwas Kindliches und Jacob übergab sich neben der blutigen Leiche.

Sie entkamen in einen Tunnel, von dem sie hofften, dass er zu eng für ihre Angreifer war. Sie hatten beide Bisswunden an Schultern und Armen, aber keine war allzu tief, und Jacob tropfte sich schnell heimlich etwas von dem Jod auf die Wunden, das er immer bei sich trug, während Valiant damit beschäftigt war, seine eigenen zu inspizieren und sich dafür zu verfluchen, dass er dieser Unternehmung je zugestimmt hatte.

»Dieser Goldbaum ...«, zischte er, »... ich kann nur hoffen, dass er mich bis zum Hals mit Gold zuschüttet! Wie konnte ich es jemals erlauben, dass du dich zurück in mein Leben schleichst? Unternehmungen mit dir enden immer auf diese Art! Ich hätte es wissen müssen!«

Jacob war sehr versucht, ihn daran zu erinnern, wie ihre letzten Begegnungen für ihn ausgegangen waren, aber er war zu erschöpft. In der Höhle kreisten immer noch zwei Wächter über der Brücke, aber wie Jacob gehofft hatte, folgten sie ihnen nicht in den engen Tunnel. Es fiel ihnen beiden nicht leicht, wieder auf die Füße zu kommen, doch sie stolperten weiter durch das Labyrinth aus Tunneln und dunklen Straßen, das einfach nicht enden wollte. Jacob fragte sich gerade, ob der Zwerg am Ende doch wieder ein schmutziges Spiel spielte, als der Tunnel vor ihnen eine scharfe Biegung machte und sich alles in Licht auflöste.

»Und da ist es!«, raunte Valiant. »Das Nest der Bestien oder die Höhle der Löwen, je nachdem, auf wessen Seite du stehst.«

Die Höhle, in deren Felswand der Tunnel sich öffnete, hatte so gewaltige Ausmaße, dass Jacob nicht erkennen konnte, wo sie endete. Unzählige Lampen verbreiteten das spärliche Licht, das Goyl vorzogen, aber Jacob war erstaunt zu sehen, dass sie von Elektrizität statt von Gas betrieben wurden. Die Stadt, die sie beleuchteten, sah aus, als hätte der Stein selbst sie hervorgebracht. Häuser, Türme und Paläste wuchsen vom Boden der Höhle und an ihren Wänden hinauf wie die Waben eines Wespennestes, und Dutzende eiserner Brücken spannten sich über das Häusermeer, als sei es ein Leichtes, Eisen durch die Luft zu bauen. Ihre Pfeiler wuchsen wie metallene Bäume zwischen den Dächern empor, und einige wurden wie die mittelalterlichen Brücken, die es einmal in Jacobs Welt gegeben hatte, von Häusern gesäumt, schwebende Gassen unter einem Himmel aus Sandstein. Sie glichen dem eisernen Netz einer Spinne, aber Jacobs Blick wanderte höher, hinauf zu der Höhlendecke, von der drei gigantische Stalaktiten hingen. Sie waren durchsetzt von Fenstern, und der größte leuchtete, als wären seine Mauern mit dem Mondlicht der oberen Welt getränkt. An seiner Spitze wies eine Krone aus schimmernden Dornen hinab auf die Stadt am Grund der Höhle, wie ein Kranz aus Kristallspeeren.

»Ist das der Palast des Königs?«, raunte Jacob dem Zwerg zu. »Kein Wunder, dass die Goyl nicht allzu beeindruckt von unseren Bauten sind. Und seit wann bauen sie solche Eisenbrücken?«

»Woher soll ich das wissen?«, gab Valiant mit gesenkter Stimme zurück. »Goylgeschichte wird an Zwergenschulen nicht gelehrt. Der Palast ist angeblich mehr als siebenhundert Jahre alt, aber es gibt Gerüchte, dass Kami'en eine modernere Version plant, weil dieser zu altmodisch für seinen Geschmack ist. Der Stalaktit links davon ist ihr

Armee-Hauptquartier und der rechts ist ein Gefängnis.« Der Zwerg grinste Jacob verschlagen zu. »Willst du, dass ich für dich herausfinde, in welcher Zelle dein Bruder steckt? Deine Goldtaler machen sicher auch Goylzungen gesprächig.«

Als Jacob zur Antwort in die Manteltasche griff und drei Goldtaler herausholte, konnte Valiant sich nicht beherrschen. Er reckte sich hoch und schob seine kurzen Finger ebenfalls in die Manteltasche.

»Wie ist das möglich?«, murmelte er. »Nichts! Gar nichts! Ist es der Mantel? Nein, es hat auch bei der Lederjacke funktioniert, die du früher getragen hast. Wachsen diese Taler dir zwischen den Fingern?«

»Genau«, antwortete Jacob und zog die Hand des Zwerges aus der Tasche, bevor sie sich um das Taschentuch schloss.

»Irgendwann komm ich drauf!«, knurrte der Zwerg, während er die Goldtaler in die Tasche seiner samtenen Weste schob. »Und jetzt: Kopf runter. Gesenkter Blick. Denk dran: Du bist ein Sklave.«

Die Gassen, die das Häusermeer an den Höhlenwänden durchzogen, waren für Menschen fast ebenso unzugänglich wie die Straßen von Terpevas. Einige waren so steil, dass Jacob Halt an einem Türrahmen oder Fenstersims suchen musste, um nicht ins Rutschen zu kommen. Valiant dagegen schritt so mühelos aus wie ein Goyl. Die Menschen, denen sie begegneten, waren blass wie der Leichnam, den sie auf der Brücke gefunden hatten, und alle trugen das Zeichen ihres Besitzers auf der Stirn, tief in die weiche Haut gebrannt oder geschnitten. Die meisten hatten die Sonne vermutlich seit Jahren nicht gesehen, und sie hoben selten den Kopf, wenn Jacob in dem dämmrigen Häuserlabyrinth an ihnen vorbeiging. Niemand beachtete ihn und Valiant, weder Mensch noch Goyl. Ein Zwerg mit einem menschlichen Sklaven an seiner Seite war ein alltäglicher Anblick, und Valiant genoss es, Jacob mit all dem zu beladen, was er in den Geschäften erstand, in denen er verschwand, um etwas über Wills Aufenthaltsort zu erfahren.

»Treffer!«, raunte er endlich, nachdem er Jacob fast eine halbe Stunde vor der Werkstatt eines Juweliers hatte warten lassen. »Gute und schlechte Nachrichten. Die gute ist: Ich habe erfahren, wo dein Bruder ist. Der Adjutant des Königs – ich nehme an, das ist unser milchäugiger Jaspisfreund – hat einen Gefangenen in die Festung gebracht, angeblich hat die Dunkle Fee persönlich nach ihm suchen lassen. Seine Haut soll aus Jade ein.«

»Und die schlechte Nachricht?«

»Sie haben ihn nicht in den Gefängnisstalaktiten gebracht. Er ist im Palast. In den Quartieren der Fee, um es noch schlimmer zu machen. Und er ist in einen tiefen Schlaf gefallen, aus dem nicht mal die Dunkle ihn wecken kann. Ich nehme an, du weißt, was es damit auf sich hat?«

»Ja.« Jacob blickte zu dem riesigen Stalaktiten hinauf.

»Vergiss es!«, raunte Valiant. »Dein Bruder könnte sich ebenso gut in Luft aufgelöst haben. Die Quartiere der Fee sind in einem der Kristalldornen. Du müsstest dich durch den ganzen Palast kämpfen. Nicht mal du bist verrückt genug, das zu versuchen.«

Jacob musterte die schimmernde Fassade.

»Kannst du eine Audienz bei dem Offizier bekommen, mit dem du Geschäfte machst?«

»Und dann?« Valiant schüttelte spöttisch den Kopf. »Den Sklaven im Palast wird das Zeichen des Königs auf die Stirn gebrannt. Selbst wenn deine brüderliche Liebe groß genug ist, dir das zuzulegen – keinem von ihnen ist es erlaubt, die oberen Geschosse zu verlassen.«

»Was ist mit den Brücken?«

»Was soll damit sein?«

Zwei von ihnen waren direkt mit dem Palast verbunden. Die eine war eine Eisenbahnbrücke, die in einem Tunnel im obersten Teil der Höhle verschwand. Die zweite war eine der Häuserbrücken und auf halber Höhe mit dem Stalaktiten verankert. Dort, wo sie auf den Palast traf, war sie unbebaut und gab den Blick frei auf sein onyxschwarzes Tor und eine Phalanx von Wachtposten.

»Der Ausdruck auf deinem Gesicht!«, knurrte Valiant. »Er gefällt mir nicht. Ganz und gar nicht.«

Jacob beachtete ihn nicht. Er musterte die eisernen Streben, die die Häuserbrücke trugen. Auf die Entfernung sahen sie so aus, als wären sie nachträglich angebracht worden, um eine alte Steinkonstruktion zu stützen. So konnte es vielleicht gehen. Jacob suchte Deckung in einem Hauseingang und richtete das Fernglas auf den Stalaktiten. Die Streben krallten sich mit Metallklauen in die Seite des Hängenden Palastes. *In einem der Kristalldornen* … Es waren sechs, aber nur einer hatte Fenster aus Malachit. Grün. Die Lieblingsfarbe der Fee, falls man den Zeitungen glauben konnte.

»Die Fenster sind nicht vergittert«, murmelte er.

»Warum sollten sie vergittert sein?«, raunte Valiant zurück. »Nur Vögel und Fledermäuse kommen in ihre Nähe. Aber offenbar hältst du dich für eins von beiden.«

Eine Schar Kinder drängte an der Gasse vorbei. Jacob hatte nie zuvor ein Goylkind gesehen, und für einen verrückten Augenblick glaubte er, in einem der Jungen seinen Bruder zu erkennen.

»Warte!«, zischte Valiant. »Jetzt weiß ich, was du vorhast! Du hast den Verstand verloren! Aber vermutlich ist das keine Überraschung. Schließlich warst du vor ein paar Tagen noch tot!«

Jacob schob das Fernrohr zurück in die Manteltasche.

»Du bekommst den Goldbaum nur, wenn du mich zu der Brücke bringst.«

DER FALSCHE NAME

F uchs?« Clara rief schon eine ganze Weile nach ihr.
Fuchs war überrascht, dass der Wassermann sie noch nicht in
den Tümpel gezerrt hatte. Sie wusste wirklich nichts über diese
Welt – aber alles über die, aus der Jacob kam. Vielleicht konnte sie
deshalb nicht aufhören, sich Clara in seinen Armen vorzustellen.
Nicht mal die Rote Fee hatte sie solche Eifersucht fühlen lassen.
Auch nicht die Hexe, in deren Hütte Jacob ein Jahr lang fast jede
Nacht verschwunden war. Oder die Zofe der Kaiserin, deren süßli-
ches Parfüm sie wochenlang an seinen Kleidern gerochen hatte. Ja,
vielleicht konnte sie Clara nicht verzeihen, weil sie aus seiner Welt
stammte. Es würde immer ihre größte Angst sein, dass Jacob eines
Tages dorthin zurückkehrte – und sie ihn nie wiedersah. Sie versuchte, diese Angst nicht zu zeigen, aber er kannte sie zu gut. Nicht
einmal das Fell der Füchsin konnte ihre Geheimnisse vor ihm be-

wahren. Bis auf eines. Sie war sehr gut darin, zu verbergen, wie sehr sie ihn liebte.

»Fuchs? Bitte!«

Die Füchsin rührte sich nicht. Es fühlte sich fast so an, als hätte sie auch von dem verzauberten Wasser getrunken. Sie hatte sich sogar dabei ertappt, dass sie das Fell verfluchte, weil es Jacob vergessen ließ, dass sie auch Lippen hatte, die er küssen, und Haut, die er liebkosen konnte.

»Fuchs?«

Sie hatte sie doch noch gefunden.

Clara kniete sich vor ihr in das feuchte Moos und schob die Zweige zur Seite. Sie sah ziemlich verzweifelt aus. Aber ihr Haar war wie blasses Gold. Gefiel ihm das besser? Ihr eigenes Haar war so rot wie das Fell der Füchsin. Sie konnte sich nicht erinnern, ob das jemals anders gewesen war.

Sie wechselte die Gestalt und richtete sich auf. Sie wollte nicht, dass Clara auf sie herabsah. Auch wenn sie sich stärker fühlte, wenn sie das Fell trug.

Clara griff nach ihrem Arm, aber Fuchs mied ihre Berührung, als sie sich an ihr vorbeischob. Und ihre Augen. Es war nicht nur Eifersucht. Clara hatte ihr Geheimnis entdeckt, Fuchs sah es in ihrem Gesicht. *Du liebst ihn*, sagten ihre Augen. *Du liebst ihn, Fuchs. Und?*, war sie versucht zu erwidern. *Selbst wenn das wahr ist, was geht dich das an? Du gehörst nicht in diese Welt. Du hast hier nichts zu suchen.*

»Ich weiß immer noch nicht deinen Namen«, sagte Clara. »Ich meine, deinen wirklichen Namen.«

Wirklich … was war wirklich an ihm? Und wie kam sie auf die Idee, dass sie ihn ihr verraten würde? Nicht einmal Jacob kannte ihren Menschennamen. *»Celeste, wasch dir die Hände. Celeste, kämm dir das Haar.«*

»Spürst du es noch?« Fuchs wandte sich um und starrte ihr in die blauen Augen.

Jacob konnte einem in die Augen sehen und lügen. Er war sehr gut darin, doch nicht einmal er konnte der Füchsin etwas vormachen.

Clara senkte den Blick, aber Fuchs konnte riechen, was sie fühlte: all die Angst und die Scham.

»Hast du je Lerchenwasser getrunken?«

»Natürlich nicht. Keine Füchsin wäre so dumm.«

Es war nicht ihre Schuld, Fuchs. Hör auf, dich wie ein beleidigtes Kind zu benehmen. Ein Kind? Die Liebe war als Kind so viel leichter gewesen. Die Unschuld – was immer das hieß. Sie war ein Kind gewesen, als sie Jacob zum ersten Mal begegnet war, und er war kaum mehr als ein Junge gewesen. Mit all den Schatten, die ihnen beiden folgten. *Erinnere dich, Fuchs.* Liebe war niemals einfach.

Clara starrte zu dem Bach, wo die toten Lerchen immer noch zwischen den Steinen klemmten. Clara. Ihr Name klang nach Glas und kühlem Wasser, und Fuchs hatte sie sehr gemocht – bis sie Jacob geküsst hatte.

Sie wandte ihr den Rücken zu. Die Füchsin konnte ihre Gefühle so mühelos unter ihrem Fell verbergen. Mit einem Menschengesicht war das nicht so leicht. Fuchs war nicht mal sicher, wie das inzwischen aussah. Sie konnte Spiegel nicht leiden. Sie erinnerten sie nur an den, durch den Jacob allzu oft verschwand. Von Zeit zu Zeit sah sie ihr Spiegelbild in dem Wasser eines Sees oder in der Scheibe eines Fensters. Sie betrachtete es nie zu lange. Sie verabscheute Eitelkeit. War sie schön? Vermutlich. Ihre Mutter war einmal schön gewesen, aber ihr Vater hatte sie trotzdem geschlagen.

Nenn ihn nicht deinen Vater, Fuchs.

»Du ziehst es vor, eine Füchsin zu sein, oder?« Die Nacht färbte

Clara die Augen schwarz. »Macht das Fell es leichter, diese Welt zu verstehen?«

Clara strich sich über die Arme, als fühlte sie Jacobs Hände immer noch dort. Und schämte sich dafür.

»Die Füchsin versucht nicht, die Welt zu verstehen«, antwortete Fuchs. Und begriff, dass Clara sich auch ein Fell wünschte.

Das ließ all ihren Zorn schmelzen.

37

DIE FENSTER
DER DUNKLEN FEE

Schlachter, Schneider, Bäcker, Juweliere ... die Brücke, die auf den Hängenden Palast der Goyl zuführte, war eine Einkaufsstraße in schwindelerregender Höhe und bot atemberaubende Ausblicke auf die Stadt unter ihr. In den Ladenfenstern lagen Edelsteine neben Echsenfleisch und schwarzblättrigem Kohl, der ohne Sonne wuchs. Brot und Früchte aus den oberirdischen Provinzen lagen neben getrockneten Käfern und Spinnen, die bei den Goyl als Delikatesse galten. Doch das Einzige, was Jacob interessierte, war der Palast, dessen onyxschwarze Tore man hinter den Ladenfronten sah. Seine Ausmaße waren aus der Nähe noch imposanter.

Jacob lehnte sich zwischen zwei Läden über die Brückenbrüstung, um ihn genauer betrachten zu können. Die sechs Kristalldornen endeten etliche Meter unterhalb der Brücke. Sie glichen spitzen Tür-

men, die auf dem Kopf standen, jeder mit sicherlich mehreren Stock-
werken.

»Die Räume der Dunklen Fee sind hinter den Malachitfenstern,
oder?«

»Würdest du mir glauben, wenn ich Nein sage?« Valiant seufzte
und warf einen nervösen Blick auf eine Gruppe von Goylsoldaten,
die an den Geschäften entlangschlenderten. Es waren viele Soldaten auf der Brücke – von den Wachen vor den Palasttoren ganz zu
schweigen. Jacob blickte erneut zu den Fenstern der Fee. Grüne
Augen, die aus kristallenen Wänden blickten. Die Eisenträger der
Brücke waren kaum zwanzig Meter darüber in der Mauer verankert,
aber die kristallene Oberfläche war im Unterschied zum Rest der
Palastfassade so glatt, dass sie ebenso viel Halt zum Klettern bot wie
Spiegelglas.

Trotzdem. Er musste es versuchen.

Valiant murmelte hinter ihm etwas über die Beschränktheit des
menschlichen Verstandes, als Jacob die Schnupftabakdose aus der
Tasche zog. Sie enthielt eins der praktischsten Zauberdinge, die er je
gefunden hatte: ein einzelnes, sehr langes goldenes Haar. Der Zwerg
verstummte, als Jacob begann, es zwischen den Fingern zu zwirbeln.
Das Haar trieb Faser um Faser, fein wie die Fäden einer Spinne. Schon
bald war es so dick wie Jacobs Mittelfinger und fester als jedes Seil in
dieser oder der anderen Welt. Aber nicht nur seine Festigkeit machte
es so nützlich. Es hatte noch andere, weit wunderbarere Eigenschaften. Das Seil wuchs zu jeder Länge, die man brauchte, und machte
sich genau dort fest, wohin man hinblickte, wenn man es warf.

»Ein Rapunzelhaar. Du bist wohl nicht ganz so verrückt, wie ich
dachte!«, murmelte Valiant. »Aber nicht mal das Seil wird dir bei den
Wachen helfen! Sie werden dich so deutlich sehen wie einen Käfer,
der ihnen übers Gesicht kriecht!«

Zur Antwort zog Jacob das Fläschchen aus grünem Glas aus der Tasche. Der Schleim darin machte für ein paar Stunden unsichtbar. Die Raubschnecken, die ihn produzierten, nutzten ihn als Tarnung, um sich an alles heranzuschleichen, was ihnen schmeckte. Stilze und Däumlinge züchteten die Schnecken, um dank ihres Schleims ebenso unsichtbar auf die Jagd zu gehen. Jacob hatte das Fläschchen zuletzt von den Vorräten des Stilzes gefüllt, der im Turm der Ruine hauste. Man strich sich den Schleim unter die Nase – eine sehr unappetitliche Prozedur, auch wenn er geruchlos war –, und er wirkte auf der Stelle. Das einzige Problem waren die Nebenwirkungen: Magenkrämpfe, Übelkeit und Lähmungen, wenn man den Schleim zu lange oder oft benutzte.

»Schwindschleim und Rapunzelhaar.« Jacob hörte eine Spur von Bewunderung in Valiants Stimme. »Ich gebe zu, du bist bestens ausgerüstet. Trotzdem. Ich will wissen, wo dein Goldbaum wächst, bevor du dort hinuntersteigst.«

Jacob rieb sich bereits den Schneckenschleim unter die Nase.

»O nein«, sagte er. »Was, wenn du wieder vergessen hast, mir von etwas zu erzählen, und das dazu führt, dass ich mit gebrochenem Rückgrat auf den Dächern da unten lande oder in dem Gefängnisstalaktiten? Das Seil trägt nur einen, also bleibst du hier. Und sollten die Wachen mich entdecken, dann sorgst du für Ablenkung, damit das Wissen um den Standort des Goldbaumes nicht mit mir stirbt.«

Jacob schwang sich über die Brückenbrüstung, bevor der Zwerg protestieren konnte. Der Schleim ließ seinen Körper bereits verschwinden, und als er sich zu den Eisenträgern hinunterhangelte, sah er die eigenen Hände nicht mehr. Er schaffte es dennoch, sich an eine der Streben zu klammern und das Seil zu werfen. Es wand sich wie eine goldene Schlange durch die Luft, bis es sich an einem Sims zwischen den Malachitfenstern festmachte.

Und was wirst du tun, falls du Will und die Fee tatsächlich hinter diesen Fenstern findest, Jacob? Selbst wenn er den Fluch der Dunklen brechen konnte – dank ihrer Schwester würde Will wie ein Toter schlafen. Wie sollte er ihn aus der Festung und zu Clara bringen? Die Frage stellte sich ihm natürlich nicht zum ersten Mal, aber er hatte auf sie noch immer keine Antwort.

Es kletterte sich leicht an Rapunzelhaar. Das Seil schmiegte sich in seine Hände, und Jacob versuchte, die Tiefe unter sich zu vergessen. *Es wird alles gut enden.* Die Fenster des Palastes schimmerten von den Lichtern der Stadt, die unter ihm lag, und er spürte bereits die Übelkeit, die der Schwindschleim brachte. *Nur ein paar Meter noch, Jacob. Sieh nicht nach unten.*

Er schloss die Finger fester um das straff gespannte Seil und kletterte weiter, bis seine unsichtbaren Hände endlich die glatte Kristallwand berührten. Seine Füße fanden Halt auf dem Sims, und er schöpfte für einen Moment Atem, während er sich gegen die polierte Oberfläche presste. Links und rechts von ihm schimmerten die Fenster der Fee wie das erstarrte Wasser eines fernen Ozeans. Er zog Chanutes Messer aus dem Gürtel und setzte die Klinge an das Fenster zu seiner Linken.

Sieh nicht nach unten, Jacob!

Er bemerkte das mit Mondstein eingefasste Loch über dem Fenster erst, als die Schlange herausschoss. Ihre Schuppen waren so blass wie der Mondstein und die Haut ihrer unsterblichen Herrin. Jacob versuchte, ihr das Messer in den Leib zu stoßen, aber sie schlang sich so unerbittlich um seinen Hals, dass ihm das Messer aus den Fingern rutschte, während er verzweifelt versuchte, die schreckliche Schlinge zu lockern, die ihm die Luft abschnürte. Doch die Schlange der Fee war zu stark und bald rutschten seine Füße von dem Sims und er hing so hilflos über dem Abgrund wie ein gefangener Vogel. Zwei weitere Schlangen glitten aus einem Loch unter dem Fenster und wanden sich um seine Brust und seine Beine. Jacob rang nach Luft, aber er konnte nicht mehr atmen, und das Letzte, was er sah, war das goldene Seil, das sich von dem Sims löste und über ihm in der Dunkelheit verschwand.

38
GEFUNDEN UND VERLOREN

Sandsteinmauern und eine vergitterte Tür, ein Stiefel aus Echsenleder, der ihm in die Seite trat, graue Uniformen in dem roten Nebel, der ihm den Kopf füllte … Der Zwerg hatte ihn wieder verkauft. Das war der einzige Gedanke, der in dem Nebel existierte. *In einem der Läden, vor denen du wie ein gehorsamer Hund gewartet hast, Jacob.*

Er schaffte es, sich aufzusetzen, obwohl sie ihm Hände und Füße gefesselt hatten.

»Ihre rote Schwester kann also tatsächlich die Toten zurückbringen.« Der Jaspisgoyl löste sich aus der Dunkelheit. »Ich gebe zu, dass ich es zuerst nicht geglaubt habe, als die Dunkle mir erzählte, dass du noch lebst. Ich bin ein sehr guter Schütze.« Sein Austrisch war fließend, aber er sprach es mit schwerem Akzent. »Du bist ihr wie eine Fliege ins Netz gegangen. Es war ihre Idee, verbreiten zu lassen, dass dein Bruder bei ihr ist. Aber zugegeben, wie konntest du wissen, dass ihre Schlangen sich von Schwindschleim nicht täuschen lassen? Du hast dich wesentlich geschickter angestellt als die zwei Onyxgoyl, die versucht haben, in Kami'ens Gemächer einzubrechen. Wir mussten ihre Reste von den Dächern der Stadt kratzen.«

Onyx – die alte Herrscherklasse der Goyl bekämpfte Kami'en noch leidenschaftlicher als seine menschlichen Gegner. Jacob versuchte, sich gewöhnlich aus den politischen Ränkespielen dieser Welt herauszuhalten, auch wenn das nicht immer leicht war, wenn man mit Königen und Kaiserinnen handelte. Aber falls die Goyl tatsächlich glaubten, dass sein Bruder der Jadegoyl aus ihren Legenden war, würde es mit dem Heraushalten vorbei sein.

»Wo ist mein Bruder?« Die Schlangen hatten ihn so gründlich gewürgt, dass Jacob das heisere Krächzen, das ihm über die Lippen kam, kaum als seine eigene Stimme erkannte.

Der Goyl ignorierte seine Frage.

»Wo hast du das Mädchen gelassen?«, fragte er stattdessen.

Er sprach sicher nicht von Fuchs, oder? Aber warum sollten sie an Clara interessiert sein? *Was denkst du, Jacob? Dein Bruder schläft und sie können ihn nicht wecken.* Das waren gute Nachrichten. Und Valiant hatte wohl tatsächlich eine Schwäche für Clara, oder er hätte den Goyl erzählt, wo sie war.

Also. Stell dich dumm, Jacob.

»Was für ein Mädchen?«

Die Frage brachte ihm einen Tritt in den Magen ein. Der Soldat, der zutrat, war eine Frau. Ihr Gesicht kam Jacob bekannt vor. Natürlich: Er hatte sie bei den Einhörnern aus dem Sattel geschossen. Kein Wunder, dass sie es genoss, ihn zu treten.

»Lass das, Nesser«, sagte der Jaspisgoyl. »Auf die Art wird es Stunden dauern, bis wir Antworten von ihm bekommen. Hol die Skorpione.«

Jacob hatte von ihnen gehört. Die Skorpione der Goyl.

Nesser ließ sich den ersten fast zärtlich über die steinernen Finger laufen, bevor sie ihn Jacob auf die Brust setzte. Das Biest war kaum länger als sein Daumen und schien aus atmendem Kristall gemacht, einschließlich des Stachels und der Scheren.

»Auf unserer Haut können sie nicht viel ausrichten«, sagte der Jaspisgoyl, als der Skorpion Jacob unters Hemd kroch, »aber eure ist so viel weicher. Also noch mal: Wo ist das Mädchen?«

Der Skorpion grub die Zangen in Jacobs Brust. Es fühlte sich an, als schnitten Glasscherben durch seine Haut. Jacob schaffte es dennoch, nicht zu schreien, aber dann stieß der Skorpion ihm den Stachel ins Fleisch. Das Gift goss ihm Feuer unter die Haut und ließ ihn keuchen vor Schmerz.

»Wo ist das Mädchen?«

Nesser setzte ihm einen weiteren Skorpion auf die Schulter.

»Wo ist das Mädchen?« Dieselbe Frage, wieder und wieder. Aber Will würde schlafen, solange sie Clara nicht fanden, und Jacob wünschte sich die Jadehaut seines Bruders, während er stöhnte und schrie.

Jacob konnte sich nicht erinnern, ob er den Goyl erzählt hatte, was sie wissen wollten, als er aufwachte. Durch das schmale Fenster der Zelle, in der er lag, sah man den Hängenden Palast. Das Fenster war vergittert – nicht, dass sie bei der Höhe zur Flucht einluden, aber vielleicht hatten sich schon zu viele Gefangene nach der Bekanntschaft mit den Skorpionen in die Tiefe gestürzt. Jacob schaffte es, auf die Knie zu kommen. Sein ganzer Körper brannte, als hätte ihm jemand die Haut verbrüht, und sein Waffengürtel war ebenso fort wie alles, was er in den Taschen gehabt hatte. Das Gold-Taschentuch hatten sie ihm gelassen, aber es würde ihm hier nicht viel helfen. Goylsoldaten waren berüchtigt für ihre Unbestechlichkeit.

Seine Zelle war nur durch ein Gitter von der nächsten getrennt.

Jacob stemmte die Schulter gegen die Wand und schaffte es, sich aufzurichten. Der Gefangene in der anderen Zelle war sein Bruder.

Will regte sich nicht, aber er atmete, und an Stirn und Wangen waren immer noch Spuren von Menschenhaut zu sehen. Die Rote Fee hatte ihr Versprechen gehalten. Sie hatte die Zeit und den Fluch ihrer Schwester aufgehalten.

Draußen auf dem Korridor näherten sich Schritte, und Jacob wich an das Gitter zurück, hinter dem sein Bruder schlief. Der Jaspisgoyl kam mit zwei Wächtern den Gang herunter. Hentzau. Inzwischen kannte Jacob seinen Namen – und als er sah, wen sie hinter ihm herzerrten, wollte er den Kopf gegen die Stäbe schlagen.

Er hatte ihnen gesagt, was sie wissen wollten.

Clara hatte eine blutige Schramme auf der Stirn und ihre Augen waren weit vor Angst. *Wo ist Fuchs?*, wollte Jacob sie fragen, aber Clara bemerkte ihn nicht. Alles, was sie sah, war Will.

Hentzau stieß sie zu seinem Bruder in die Zelle. Clara machte einen Schritt auf das Bett zu, auf dem Will lag – und blieb stehen, als hätte sie sich daran erinnert, dass sie erst vor ein paar Stunden den anderen Bruder geküsst hatte.

»Clara.«

Sie drehte sich zu ihm um. Jacob sah so viel auf ihrem Gesicht: Erschrecken, Sorge, Verzweiflung … und immer noch Scham.

Sie zitterte, als sie auf das Gitter zutrat.

»Wir haben versucht, zu entkommen«, flüsterte sie. »Aber es waren zu viele.«

Du hast ihnen verraten, wo sie sind, Jacob. Wie würde er sich das jemals verzeihen können?

»Wo ist Fuchs?« Das war alles, was er wissen wollte. Hatten sie sie getötet? War sie entkommen? Die Füchsin war schnell. Aber Clara nahm ihm diese Hoffnung.

»Sie haben sie auch gefangen. Aber ich weiß nicht, wohin sie sie gebracht haben.«

Die Goyl vor den Zellen nahmen Haltung an. Selbst Hentzau straffte die Schultern, auch wenn er es deutlich widerstrebend tat. Es war nicht schwer zu erraten, wer die Frau war, die den Gang herunterkam.

Die Dunkle Fee war tatsächlich noch schöner als ihre rote Schwester. Ihr Haar war trotz des Namens, den man ihr gegeben hatte, wesentlich heller als das von Miranda. Es glich dunklem Bernstein und poliertem Kupfer und der Schimmer ihrer Haut beschämte die kostbarsten Perlen.

Clara wich zurück, als die Fee in Wills Zelle trat, aber Jacob schloss die Finger um die Gitter, die ihn von ihr trennten. *»Du musst sie berühren und dabei ihren Namen sagen.«* Ihre Schwester hatte ihn diese Anweisung zweimal wiederholen lassen. *»Aber du musst schnell sein, oder sie tötet dich, bevor du die Hand ausstreckst.«*

Berühren. Wie? Jacob wünschte sich eine der Zaubernüsse, die Menschen auf die Größe eines Däumlings schrumpften. Hinter den Gittern war die Dunkle Fee so unerreichbar, als läge sie in Kami'ens Bett.

Sie musterte Clara mit der Abneigung, die ihresgleichen für alle Menschenfrauen empfanden. Weil sie im Gegensatz zu den Feen Kinder gebären konnten, hieß es. Aber Jacob war nicht sicher, dass das die ganze Wahrheit war.

Die Dunkle Fee trat an Wills Seite und strich ihm über das schlafende Gesicht.

»Liebst du ihn?«

Als Clara einen weiteren Schritt zurückwich, wurde ihr eigener Schatten lebendig und zog sie an die Seite der Fee.

»Antworte ihr, Clara«, sagte Jacob.

»Ja!«, stammelte sie. »Ja, ich liebe ihn.«

Ihr Schatten ließ sie los und wurde erneut nichts als ein Schatten, während die Dunkle Fee lächelte.

»Gut. Dann willst du doch sicher, dass er aufwacht, oder? Küss ihn! Er wartet auf deinen Kuss, siehst du das nicht?«

Clara blickte sich Hilfe suchend zu Jacob um.

Nein!, wollte er sagen. *Tu es nicht, Clara!* Aber seine Zunge gehorchte ihm nicht mehr. Seine Lippen waren so taub, als hätte die Fee sie ihm versiegelt, und er konnte nicht mal den Kopf schütteln. Zauberei. Die Luft in der Zelle schien nach ihr zu riechen. Nach immergrünen Blättern, nach Wasser und feuchter Erde.

Die Dunkle Fee griff nach Claras Arm und zog sie sacht an Wills Seite.

»Sieh ihn dir an!«, sagte sie. »Wenn du ihn nicht weckst, wird er für immer so schlafen, bis all die Liebe in seinem Herzen zu Staub geworden ist.«

Clara wollte sich abwenden, aber die Fee hielt sie fest.

»Ist das Liebe?«, hörte Jacob sie flüstern. »Ihn zum Tod zu verurteilen, nur weil seine Haut nicht mehr so weich ist wie deine? Sieh ihn an! Mein Zauber hat ihn nur stärker gemacht. Und so schön.«

Clara blickte auf Will herab.

»Berühr ihn«, sagte die Fee. »Siehst du nicht, dass er sich danach sehnt?«

Clara zögerte, aber schließlich hob sie die Hand und fuhr Will über das Jadegesicht.

Die Dunkle Fee trat mit einem Lächeln zurück.

»Lass ihn all deine Liebe spüren, wenn du ihn küsst!«, sagte sie. »Du wirst sehen. Sie stirbt nicht so leicht, wie du denkst.«

Clara wischte sich ein paar Tränen aus den Augen.

Dann beugte sie sich über Will und küsste ihn.

39

AUFGEWACHT

Für einen Moment hoffte Jacob wider besseres Wissen, dass Claras Kuss Will nicht nur wecken, sondern ihn auch an den Jungen erinnern würde, der er gewesen war, bevor er ihm durch den Spiegel gefolgt war, und an die Liebe, die er für Clara empfunden hatte.

Wer konnte es sagen? Vielleicht wäre es so gewesen, wenn Will zuerst Clara gesehen hätte, als er die Augen öffnete. Aber die Dunkle Fee sorgte dafür, dass er zuallererst sie sah. Sie fing ihn mit einem Lächeln, wie eine Fliege, die sich in ihrem Bernsteinhaar verfing, und Jacob sah, wie die letzten Reste von Menschenhaut im Gesicht seines Bruders zu Jade wurden. Wills goldene Augen hingen an der Fee, als er sich von dem Bett erhob, als wäre nur sie es, die ihn leben und atmen ließ.

Clara rief seinen Namen, aber was konnte eine Menschenstimme ausrichten gegen den Zauber einer Fee? Will konnte weder Clara

225

noch Jacob hören. Er sah und hörte nur, was die Fee ihm erlaubte, zu sehen und zu hören, und alles, was er fühlte, war die neue Haut, die sie ihm gegeben hatte. Diese wundersame Haut aus Jade, die ihn so stark und glücklich machte.

Jacob sah seinem Bruder nach, als er der Fee auf den Gang hinausfolgte. Er wusste nur allzu gut, was Will fühlte. War er nicht einst demselben Zauber verfallen? Es gab nur sie, nichts sonst. Der Schmerz, den Jacob empfand, war ebenfalls allzu vertraut. Er schnitt so tief wie der Schmerz, den er gefühlt hatte, als sein Vater verschwunden war. Derselbe Abgrund öffnete sich in seinem Herzen, so weit und dunkel und leer, dass kein Wort das Gefühl beschreiben konnte. Es war ein schwarzer Ozean, der alles verschlang – wer er war, was er liebte und wofür er lebte. Will folgte der Dunklen Fee, und Jacob fühlte sich so verloren wie zuletzt mit zwölf Jahren, verloren und hilflos wütend, auf sich selbst, auf die Welt … und auf seinen Bruder, weil er den Schmerz zurückgebracht hatte.

Wo war Fuchs? Das war das Einzige, was ihm jetzt noch etwas bedeutete. Die Füchsin … er brauchte sie an seiner Seite. Sie war die Einzige, die den Abgrund füllen konnte. Die Einzige, die niemals vergaß, wer er war, selbst wenn er selbst sich nicht erinnern konnte. Aber sie war fort, wie sein Bruder.

Clara wandte sich zu ihm um. *Was habe ich getan?*, fragten ihre Augen. *Warum hast du es nicht verhindert?* Aber vielleicht las er auch nur seine eigenen Gedanken in ihrem Blick.

»Sollen wir den hier erschießen?«, fragte eine der Wachen und wies mit der Flinte auf ihn.

Hentzau zog die Pistole, die sie Jacob abgenommen hatten, aus dem Gürtel. Er öffnete das Kugellager und betrachtete es wie den Kern einer fremden Frucht.

»Das ist eine interessante Pistole. Wo hast du sie her?«

Jacob wandte ihm den Rücken zu. *Schieß schon,* dachte er. Die Zelle, der Goyl, der Hängende Palast. Alles um ihn her schien so unwirklich. Die Feen und verwunschenen Wälder, selbst die Füchsin, die ein Mädchen war – alles nichts als die Fieberträume eines Zwölfjährigen. Jacob sah sich in der Zimmertür seines Vaters stehen und Will neugierig an ihm vorbeistarren, auf die staubigen Flugzeugmodelle, die alten Revolver. Und den Spiegel.

»Dreh dich um.« Hentzaus Stimme klang ungeduldig. Ihr Zorn war so leicht zu wecken. Er brannte gleich unter ihrer steinernen Haut. Will war schon seit geraumer Zeit einer von ihnen. Eines Tages würde Clara begreifen, dass nicht sie seinen Bruder zum Goyl gemacht hatte.

Jacob regte sich immer noch nicht.

Er hörte den Goyl hinter sich lachen.

»Dieselbe Arroganz wie dein Vater, aber seine konnte man so viel leichter erschüttern, und er ist nicht halb so gut darin, seine Furcht zu verbergen. Dein Bruder sieht ihm kein bisschen ähnlich. Deshalb habe ich nicht gleich begriffen, wessen Söhne ihr seid, obwohl dein Gesicht mir so bekannt vorkam.«

Oh, er war so ein Idiot. »*Die Goyl haben die besseren Ingenieure.*« Wie oft hatte Jacob den Satz hinter dem Spiegel gehört – ob in Schwanstein oder von den Lippen der geschlagenen Generäle der Kaiserin – und doch hatte er sich nie etwas dabei gedacht.

Er drehte sich um.

»Wo bist du ihm begegnet? Ist er hier?«

Hentzau verzog den Mund zu einem spottenden Lächeln. »Hier? Nein. Nicht mehr. Ich hatte gehofft, dass du mir sagen kannst, wo er ist. John Reckless ... Wir haben ihn vor fünf Jahren in Blenheim gefangen. Ich glaube, er sollte dort eine Brücke bauen, weil die Bewohner es leid waren, von den Loreley gefressen zu werden. Der Fluss wimmelte schon damals von ihnen, auch wenn die Weichhäute in Blenheim gern erzählen, dass die Fee sie ausgesetzt hätte. Zu lustig. Dein Vater trug immer ein Foto von seinen Söhnen bei sich, aber ich habe es mir nie angesehen. Kami'en hat ihn eine Kamera bauen lassen, nachdem er das Foto gesehen hatte, lange bevor die Erfinder der Kaiserin darauf kamen. John Reckless hat uns viele Dinge beigebracht. Aber wer hätte gedacht, dass einem seiner Söhne eines Tages eine Jadehaut wächst!«

Hentzau strich der Pistole über den altmodischen Lauf. »Er war nicht halb so störrisch wie du, wenn man ihm Fragen stellte, und was wir von ihm gelernt haben, war sehr hilfreich in diesem Krieg. Doch dann ist er uns davongelaufen. Wir haben Monate nach ihm gesucht. Wir tun es immer noch, aber keine Spur von ihm. Was soll's? Nun haben wir seine Söhne gefangen.«

Er wandte sich zu den Wachen um. »Lasst ihn am Leben, bis ich von der Hochzeit zurück bin. Es gibt viel, was ich ihn fragen will.«

»Und das Mädchen?« Der Wächter, der auf Clara wies, hatte eine Karneolhaut wie sein König.

»Lasst sie ebenfalls am Leben«, antwortete Hentzau. »Und das Fuchsmädchen auch. Die zwei machen ihn wahrscheinlich schneller gesprächig als die Skorpione.«

Das Fuchsmädchen auch … Jacob war übel vor Erleichterung. Sie war am Leben.

Hentzaus Schritte verhallten auf dem Korridor und durch das vergitterte Fenster drang der Lärm der unterirdischen Stadt herein.

Fuchs war am Leben.

Und sein Bruder war fort.

40

DIE STÄRKE DER ZWERGE

Jacob hörte Clara in der Dunkelheit schluchzen, aber seine Tränen wollten nicht kommen. Der Wahnsinn des Lerchenwassers, die Insel der Feen, die Kugel, die ihm das Herz zerrissen hatte ... nichts davon hatte noch Bedeutung. Sein Bruder hatte eine Haut aus Jade.

Er fragte sich, ob der Feensee Miranda gezeigt hatte, dass er versagt und ihre dunkle Schwester seinen Bruder gestohlen hatte.

Clara lehnte den Kopf gegen die kalte Zellenwand. Sie weinte immer noch. Jacob wollte sie trösten, aber das Lerchenwasser hätte selbst eine Umarmung verdächtig gemacht. Würden sie jemals wieder Freunde sein können? Selbst das schien so unwichtig. Sie hatten Will nicht retten können.

Jacob starrte zu dem vergitterten Fenster und dem Hängenden Palast dahinter. Vermutlich war Will inzwischen dort, in den Quartieren der Fee, bewacht von ihren Schlangen ...

Ein dumpfes Scharren drang von draußen herein, als kletterte etwas die Mauer herauf. Jacob kam auf die Füße. Ein bärtiges Gesicht erschien hinter den Fenstergittern. Valiants Bart spross fast so üppig wie in den Tagen, in denen er ihn noch mit Stolz getragen hatte.

»Euer Glück, dass die Goyl selten Zwerge einsperren!«, flüsterte er, während seine kurzen Finger die Eisenstäbe so mühelos auseinanderbogen, als wären es Pfeifenreiniger. »Die Kaiserin lässt allen Zellengittern Silber zusetzen.«

Er zwängte sich durch das verbogene Eisen und ließ sich geschickt wie ein Wiesel von dem Fenster herab.

»Was starrst du mich so an?«, sagte er zu Jacob. »Es sah zu komisch aus, als die Schlangen dich gepackt haben. Absolut unbezahlbar.«

»Ich bin sicher, die Goyl haben dich sehr gut für den Anblick bezahlt!« Jacob warf einen Blick auf den Korridor hinaus, aber es waren keine Wachen zu sehen. »Wo genau hast du mich verkauft? Als ich stundenlang vor dem Juwelierladen gewartet habe? Oder bei dem Schneider, den du unbedingt wegen eines Risses in deiner Weste sehen musstest?«

Valiant schüttelte nur den Kopf, während er die Eisenschellen an Claras Handgelenken ebenso selbstverständlich auseinanderbog wie die Gitter vor dem Fenster. »Hör sich das einer an!«, flüsterte er Clara zu. »Er kann einfach niemandem trauen. Ich habe ihm gesagt, dass es eine idiotische Idee ist, wie eine Kakerlake zu den Fenstern hinabzuklettern. Aber hat er auf mich gehört? Nein.«

Der Zwerg stemmte die Gitter zwischen den Zellen auseinander. »Ich nehme an, du gibst mir auch die Schuld dafür, dass sie die Mädchen gefunden haben?«, sagte er, als er vor Jacob stand und zu ihm aufblickte. »Darf ich dich daran erinnern, dass es nicht meine Idee war, sie allein in der Wildnis zu lassen? Und es war sicher nicht Evenaugh Valiant, der den Goyl erzählt hat, wo sie sind.« Er zwinkerte

Jacob zu. »Sie haben die Skorpione auf dich losgelassen, stimmt's? Oh, ich gebe zu, das hätte ich zu gern gesehen.«

Aus einer der Nachbarzellen schrie jemand den Goylwachen Beleidigungen zu. Ein Posten schrie zurück, aber der Korridor blieb leer.

»Ich habe deinen Bruder gesehen«, flüsterte Valiant, während er Jacobs Handschellen auseinanderbog. »Falls du ihn noch so nennen willst. Jeder Zentimeter Haut ist nun Goyl und er folgt der Dunklen Fee wie ein Hund. Sie hat ihn mitgenommen zur Hochzeit ihres Liebsten. Die Hälfte der Wachen ist mit ihnen gezogen. Nur deshalb konnte ich riskieren, hier einzusteigen.«

Clara starrte auf die Sandsteinbank, auf der Will gelegen hatte. Valiant griff nach ihrer Hand und zog sie auf das Fenster zu.

»Hinaus mit Euch, Prinzessin«, raunte Valiant, während er ihr so mühelos zu dem Fenstersims hinaufhalf, als wöge sie nicht mehr als ein Kind. »Da draußen wartet ein Seil, das das Klettern fast allein besorgt, und zum Glück ist dieses Gebäude nicht von Schlangen bewacht.«

»Was ist mit Fuchs?«, flüsterte Jacob. »Wir können nicht ohne sie fort! Weißt du, wo sie ist?«

Valiant wies zur Decke. »Gleich über uns. Und ja, mir ist klar, dass du dich nicht ohne sie fortmachen würdest. Aber eins nach dem anderen.«

Im Unterschied zu dem Palast war die Fassade des Gefängnisstalaktiten zerklüftet wie Tropfstein und bot reichlich Halt, aber Claras Hände zitterten, als sie sich aus dem Fenster schob. Sie klammerte sich an die Brüstung, während ihre Füße Halt zwischen den Steinen suchten. Valiant dagegen bewegte sich an der Mauer so flink wie ein Insekt.

»Sieh einfach nicht nach unten«, flüsterte er Clara zu, während er nach ihrem Arm griff. »Es ist leichter, als du denkst.«

Clara warf dem Seil einen zweifelnden Blick zu. Der Zwerg hatte sich nicht wie Jacob von der Hauptbrücke abgeseilt, sondern von einer schmalen Brücke, die kaum mehr als ein eiserner Fußweg war. Das Rapunzelseil spannte sich straff zwischen ihren Eisenträgern und dem Gefängnisstalaktiten. Es waren zehn steile Meter.

»Valiant hat recht!«, flüsterte Jacob, während er Claras Hände um das Seil schloss. »Sieh nur nach oben. Und bleib unter der Brücke, bis wir mit Fuchs nachkommen.«

Das goldene Seil war kaum mehr als ein Spinnenfaden in der riesigen Höhle und Clara kletterte quälend langsam. Jacob folgte ihr mit den Augen, bis sie endlich eine der Metallstreben der Brücke erreicht hatte und sich im Schatten darunter verbarg. Dann folgte er Valiant die Gefängniswand hinauf. Zwerge und Goyl waren bekannt für ihre Kletterkünste, doch Jacob fühlte sich nicht mal an Berghängen wohl, geschweige denn an der Fassade eines Baus, der Hunderte von Metern über einer feindlichen Stadt hing. Zum Glück mussten sie nicht weit klettern. Valiant hatte die Wahrheit gesagt. Fuchs war in der Zelle gleich über ihnen.

Sie war in Menschengestalt und bedeckt mit Prellungen und Schrammen. Sie hatte es den Goyl bestimmt nicht leicht gemacht, sie gefangen zu nehmen. Ihre Arme und Knöchel bluteten, als Valiant sie von den Ketten befreite, und als Jacob sich neben sie kniete, schlang sie die Arme um ihn und schluchzte wie das junge Mädchen, das bei der Ruine zum ersten Mal seine Menschengestalt offenbart hatte.

»Ich dachte, sie hätten dich umgebracht.«

»Du weißt, das haben sie schon mal versucht!« Er strich ihr das rote Haar aus der zerschrammten Stirn. Er war so erleichtert, sie zu sehen, und darüber, dass sie nicht mehr zornig auf ihn war. Sie zu halten, fühlte sich an, als hätte er einen Teil von sich selbst verloren und wiedergefunden. Den besseren Teil.

»Sie haben gesagt, sie werden es dich büßen lassen, wenn ich mich verwandle.« Sie wischte sich die Tränen mit dem schmutzigen Ärmel vom Gesicht. Es war ihr peinlich, dass er sie weinen sah. Die Füchsin weinte nicht. Sie biss und kämpfte.

Natürlich las sie ihm die Verzweiflung vom Gesicht ab, als sie sich die Tränen aus den Augen gewischt hatte.

»Du hast Will nicht gefunden.«

»Doch. Aber er ist nun einer von ihnen.« Die Worte klangen falsch, so falsch. »Die Dunkle Fee hat ihn mit sich genommen. Er steht unter ihrem Bann.«

Irgendwo schlug eine Tür zu. Valiant spannte die Flinte, doch die Wächter zerrten einen anderen Gefangenen auf den Gang hinaus.

Fuchs kletterte ebenso gut wie der Zwerg, und Clara sah sehr erleichtert aus, als sie alle sich neben ihr auf den Eisenträger zogen. Valiant schwang sich schon über das Brückengeländer, während Jacob das Rapunzelseil zwischen den Fingern rieb, bis es erneut nichts als ein goldenes Haar war. Ein Trupp Goyl marschierte über eine der Brücken über ihnen und unter ihnen keuchte ein Güterzug beim Überqueren des Abgrunds schmutzigen Rauch in die gewaltige Höhle. Es schien eine Ewigkeit zu dauern, bis Valiant sie endlich zu sich hinaufwinkte. Bis auf zwei Schächte, durch die ein Abglanz von Tageslicht fiel, war nichts zu entdecken, wodurch die Goyl sich der Abgase entledigten, die ihre Welt produzierte. Vielleicht hatte sein Vater sie auch das gelehrt.

»Was ist mit Pferden?«, fragte Jacob den Zwerg, als sie sich in einem der Bogengänge verbargen, die sich an der Höhlenwand entlangzogen.

»Vergiss es. Die Ställe sind zu nah beim Haupteingang. Zu viele Wachen.«

»Das heißt, du willst zu Fuß durch die Berge?«

»Hast du einen besseren Plan?«, zischte der Zwerg zurück.

Nein, hatte er nicht. Sie konnten sich glücklich schätzen, wenn sie jemals das Licht der Sonne wiedersahen. Und alles, was sie hatten, um sich zu verteidigen, waren Valiants Flinte und ein Messer, das er Jacob mitgebracht hatte – natürlich nicht ohne dafür einen Goldtaler zu verlangen.

Während Fuchs sich in die Füchsin verwandelte, trat Clara hinter eine der Säulen und blickte hinunter auf die Goylstadt. Jacob war sicher, dass sie die Häuser nicht wirklich sah. Sie blickte drein, als wäre sie zurück in der anderen Welt, in dem schäbigen Krankenhauscafé, in das Will sie bei ihrer ersten Verabredung mitgenommen hatte, oder auf dem Flur vor dem Zimmer ihrer sterbenden Mutter, wo die zwei sich geküsst hatten. Es war ein weiter Weg zurück zu der Ruine, und jede Meile würde sie daran erinnern, dass Will nicht bei ihnen war.

Fenster und Türen hinter Vorhängen aus Sandstein, Häuser wie Schwalbennester, Goldaugen überall … Um nicht zu sehr aufzufallen, nahm Valiant zuerst nur Clara mit sich, während Jacob sich mit Fuchs zwischen den Häusern verbarg. Dann holte der Zwerg sie nach und Clara versteckte sich in irgendeinem dunklen Winkel. Valiant hatte den Buchstaben auf Jacobs Stirn nachgezogen und genoss es immer noch ungemein, ihn wie seinen Sklaven zu behandeln, während er an Claras Seite einherstolzierte, als führte er den Goyl seine frisch angetraute Frau vor. Hinunter waren die steilen Straßen und Treppen für Menschen noch unbegehbarer als hinauf, und jedes Mal, wenn Jacob sich an einer Goyluniform vorbeischob, erwartete er einen scharfen Zuruf oder eine steinerne Hand auf der Schulter. Aber niemand hielt sie an, und nach ein paar endlosen Stunden erreichten sie endlich den Tunnel, durch den sie zum ersten Mal in die Höhle geblickt hatten.

Eine Stunde später verließ sie das Glück.

Sie waren inzwischen so erschöpft, dass sie zusammenblieben. Ein dummer Fehler. Die ersten Goyl, die ihnen begegneten, kamen von der Jagd. Es waren sechs, und sie hatten eine Meute zahmer Wölfe dabei, die ihnen selbst in die tiefsten Höhlen folgten. Zwei Pferde waren beladen mit ihrer Beute: drei der großen Echsen, deren Stacheln die Goylkavallerie auf den Helmen trug, und ein Dutzend Albino-Fledermäuse, deren Herzen angeblich Kami'ens bevorzugte Delikatesse waren. Keiner der Jäger warf Jacob mehr als einen schnellen Blick zu, als sie ihre Pferde an ihm vorbeitrieben. Doch die Goylpatrouille, die plötzlich aus einem der Seitentunnel auftauchte, war neugieriger. Es waren drei Soldaten. Zwei Jaspis- und ein Mondsteingoyl – die Hautfarbe, die ihre Spione meist hatten, weil sie der Hautfarbe ihrer Menschengegner am nächsten kam.

Als Valiant ihnen den Händler nannte, dem Jacob angeblich gehörte, wechselten sie einen raschen Blick, und der Mondsteingoyl griff nach der Pistole, während er Valiant eröffnete, dass sein Handelspartner wegen illegaler Mineraliengeschäfte verhaftet worden war. Valiant erschoss ihn, bevor er den Finger um den Abzug krümmen konnte, und Jacob warf dem zweiten das Messer in die Brust. Valiant hatte es in einem der Läden auf der Palastbrücke gekauft und die Klinge fuhr ohne Mühe durch die steinerne Haut. Jacob wurde übel, als er spürte, wie sehr er sie alle töten wollte. Gleichzeitig kam es ihm vor, als tötete er seinen eigenen Bruder. Die Füchsin versuchte, das Pferd des Dritten zum Scheuen zu bringen, damit es seinen Reiter abwarf, doch der Goyl brachte es unter Kontrolle und galoppierte davon, bevor Jacob einem der Toten die Waffe aus dem Gürtel ziehen konnte.

Valiant stieß einen Fluch aus, den selbst Jacob noch nie gehört hatte, und während die Hufschläge noch in der Dunkelheit verhallten, füllte sich der Tunnel mit einem Geräusch, das dem Zirpen von tausend Grillen glich. Die Felswände um sie her erwachten zum Leben. Schwärme von Käfern krochen aus Rissen und Löchern, Tausendfüßler, Spinnen, Kakerlaken. Motten schwirrten ihnen ins Gesicht. Mücken, Schnaken und Drachenfliegen setzten sich ihnen ins Haar und krochen ihnen in die Kleider. Der Alarm der Goyl ließ die Erde Leben ausatmen – krabbelndes, flatterndes, beißendes Leben.

Sie stolperten weiter, fast blind in den lichtlosen Tunneln, um sich schlagend und zertretend, was ihnen entgegenkroch. Nicht einmal Fuchs konnte sich noch erinnern, aus welcher Richtung sie gekommen waren, während sie nach den Käfern in ihrem Fell schnappte, oder in welcher Richtung der Tunnel lag, der zurück in die Menschenfresserhöhle führte. Um sie her zirpten die Wände lauter und lauter und das Licht der Taschenlampe war nur ein hilflos tastender Finger in der Finsternis. Jacob glaubte, Hufe in der Ferne zu hören. Stimmen … Die Goyl würden nicht lange brauchen, um sie einzuholen. Sie waren für alle Zeit ihre Gefangenen in dem endlosen Labyrinth ihrer Tunnel. Aber plötzlich bellte die Füchsin und Jacob sah sie in einem Seitengang verschwinden. Ein kühler Windzug strich ihm übers Gesicht, als er Clara mit sich zerrte. Licht fiel durch den Eingang einer weiten Höhle, und da waren sie: die roten Drachen, vor denen der Fährmann sie gewarnt hatte. Aber sie waren aus Metall und Holz und die erwachsenen Brüder der Modellflugzeuge, die über dem Schreibtisch seines Vaters hingen.

41

FLÜGEL

Der Alarm war auch in der Flugzeughöhle zu hören, aber dort kroch nichts aus den Wänden. Der Fels war geglättet und versiegelt und durch einen weiten Tunnel drang Tageslicht herein. Die zwei Goÿl, die an einem der Flugzeuge arbeiteten, waren Mechaniker und unbewaffnet.

Sie ballten die Fäuste, als Valiant die Flinte auf sie richtete, aber sie hoben die Hände. Jacob fesselte sie mit Kabeln, die Clara zwischen den Flugzeugen fand. Als der Jüngere sich losriss, glaubte Jacob schon, dass seine Krallen ihm dasselbe Schicksal bescheren würden wie seinem Bruder, aber der Goyl ließ die Hände sinken, als Valiant die Flinte spannte. Jacob wollte dem Mechaniker sein Messer in die Brust stoßen, obwohl er sich ins Gedächtnis rief, dass sein Bruder von einem Goylsoldaten verletzt worden war. Er hatte nie Spaß am Töten gehabt, aber die Verzweiflung, die er spürte, seit Will

237

der Dunklen Fee gefolgt war, ließ ihn Angst vor den eigenen Händen haben.

Fuchs nahm Menschengestalt an, als hätte sie seine Furcht gewittert. Die Goyl reagierten kaum, als die Füchsin sich in eine junge Menschenfrau verwandelte – sie hatten keine Angst vor Gestaltwandlern wie die meisten Menschen –, und Fuchs trat ohne ein Wort an Jacobs Seite. Sie griff nur nach seiner Hand, als wollte sie sichergehen, dass er nicht das Messer zog. Nichts verband sie tiefer miteinander als das Wissen um die Dunkelheit des anderen.

Valiant hielt die Flinte weiter auf die Goyl gerichtet, aber seine Augen wanderten immer wieder zu den Flugzeugen. Draußen hallten Stimmen durch die Tunnel, lauter und lauter, näher und näher, aber der Zwerg schien sie nicht zu hören.

»Oh, das ist fabelhaft!«, murmelte er. »So viel besser als ein stinkender Drache. Aber wie fliegen sie? Durch Zauber? Und was haben die Goyl mit ihnen vor?«

»Sie lassen sie Feuer spucken«, sagte Jacob. »Wie alle Drachen.«

Es waren Doppeldecker, wie man sie im frühen zwanzigsten Jahrhundert in seiner Welt gebaut hatte. Ein gewaltiger Sprung in die Zukunft für die Spiegelwelt – weiter als alles, was in den Fabriken von Schwanstein oder von den Ingenieuren der Kaiserin entwickelt wurde. Zwei der Maschinen waren Einsitzer, die die Kampfpiloten im Ersten Weltkrieg geflogen hatten. Die dritte war eine Junkers J 4, ein Zweisitzer, der als Bomber und Erkundungsflugzeug konstruiert war. Jacob hatte ein Modell desselben Flugzeugs vor vielen Jahren und in einer anderen Welt mit seinem Vater gebaut.

Fuchs gefiel es gar nicht, als er sich an einem der Flügel hinaufhangelte und in das enge Cockpit kletterte. Sie musterte die Maschine wie ein metallenes Ungeheuer, das im nächsten Augenblick zum Leben erwachen und sie alle zerreißen würde.

»Was hast du vor?«, rief sie. »Lass es uns mit dem Tunnel versuchen. Wir müssen bloß dem Licht folgen!«

Jacob strich über die Kontrollinstrumente und prüfte die Ventile. Die Junkers war relativ leicht zu fliegen. Nur am Boden war sie plump und schwierig zu lenken. *Das weißt du aus einem Buch, Jacob, und vom Spielen mit Modellflugzeugen. Du kannst nicht ernsthaft glauben, dass du diese Maschine deshalb fliegen kannst?* Er war ein paarmal mit seinem Vater geflogen, als John Reckless der anderen Welt noch in einem Sportflugzeug statt durch den Spiegel entflohen war. Aber das war so lange her, dass es ebenso unwirklich schien wie die Tatsache, dass er einmal einen Vater gehabt hatte.

Der Alarm schrillte immer noch in die Höhle, als hätte man Grillen in einer frisch gemähten Wiese aufgescheucht.

Jacob pumpte den Benzindruck hoch. Wo war die Zündung? Valiant blickte ungläubig zu ihm hinauf.

»Warte! Du kannst dieses Ding fliegen?«

»Sicher!« Jacob hätte sich selbst fast überzeugt, so selbstverständlich kam ihm die Antwort über die Lippen.

»Unsinn, wir müssen fort!« Fuchs wies auf den Eingang der Höhle. »Sie kommen!«

Sie hatte recht. Die Stimmen klangen beunruhigend nah, aber Jacob war die endlosen Tunnel leid, und er war sicher, dass sie den Goyl niemals zu Fuß entkommen würden.

»Ich versprech es! Ich kann diese Maschine fliegen!«, rief er den anderen zu. »Also steigt ein! Alle!«

Valiant war der Erste, der seine Zweifel besiegte und auf einen der Flügel kletterte. Aber es gab nur noch einen Sitz und Fuchs musterte das Flugzeug immer noch sehr misstrauisch. Aber schließlich verwandelte sie sich und zwängte sich in den engen Raum unter dem Pilotensitz, während Clara sich den Rücksitz mit Valiant teilte. Jacob sandte ein schnelles Stoßgebet zum Gott der Piloten und Flugzeuge, dass vier Passagiere die Junkers nicht zum Absturz bringen würden, während seine Finger die Zündung fanden.

Der Motor sprang an. Der Propeller begann sich zu drehen, und während Jacob noch einmal die Kontrollinstrumente durchging, erinnerte er sich daran, wie er die Hände seines Vaters bei denselben Handgriffen beobachtet hatte. In einer anderen Welt. In einem anderen Leben. *»Sieh dir das an, Jacob! Ein Aluminiumrumpf auf einem Stahlskelett. Nur das Flugruder ist noch aus Holz.«* John Reckless hatte nie leidenschaftlicher geklungen, als wenn er über alte Flugzeuge gesprochen hatte. Oder über Waffen.

Jacob spürte die Füchsin hinter seinen Beinen schaudern. Maschinen. Gebaute Bewegung. Mechanischer Zauber für die, denen kein Fell und keine Flügel wuchsen. Jacob steuerte das Flugzeug auf den Tunnel zu. Ja, es war plump am Boden. Er konnte nur hoffen, dass es besser flog.

Schüsse hallten ihnen nach, als die Maschine in den Tunnel rollte. Der Lärm des Motors fing sich zwischen den Felswänden. Öl spritzte Jacob ins Gesicht und ein Flügel streifte fast die Felsen. *Schneller, Jacob.* Er beschleunigte, auch wenn es dadurch nicht leichter wurde, den Tunnelwänden fernzubleiben, und atmete auf, als die schwerfällige Maschine hinaus auf eine schotterbedeckte Startbahn schoss. Über ihr trieb eine blasse Sonne zwischen regenschweren Wolken. Ein Schwarm Krähen erhob sich aus den nahen Bäumen, als er das Flugzeug nach oben zog, aber zum Glück flatterten sie nicht in den Propeller.

Fuchs hatte ihr Fell, sein Bruder eine Haut aus Jade und er hatte nun ein Paar Flügel.

Maschinenzauber. John Reckless hatte Drachen aus Metall hinter den Spiegel gebracht. Und wie damals, als er die Notiz in den Büchern seines Vaters gefunden hatte, die ihm das Geheimnis des Spiegels verriet, ertappte er sich bei demselben irrationalen Gedanken – dass sein Vater ihm vielleicht doch ein paar Dinge hinterlassen hatte.

Das Flugzeug stieg höher und höher, und Jacob sah unter sich Straßen und Gleise, die durch riesige Tore im Innern eines Berges verschwanden. Vorbei waren die Zeiten, in denen die Goyl sich vor der oberen Welt versteckt hatten. Die Tore waren aus Silber, und hoch über ihnen war Kami'ens Wappen in die Bergflanke eingelassen: der Umriss einer schwarzen Motte auf einem Vollmond aus Karneol. Das Wappen war so riesig, dass man es sicher noch Meilen entfernt sehen konnte. Die Sonne zeichnete den Schatten des Flugzeugs auf den Karneolmond, als Jacob daran vorbeiflog.

Er stahl dem König der Goyl einen seiner Drachen.

Eine klägliche Rache für den Diebstahl seines Bruders.

ZWEI WEGE

Zurück. Über den Fluss, auf dem sie fast von den Loreley gefressen worden waren, die Berge, in denen Jacob gestorben war, das geplünderte Land, in dem die tote Prinzessin immer noch zwischen Rosen schlief und Will sich den Goyl zum ersten Mal fast angeschlossen hatte … Kami'ens Flugmaschine brachte die Meilen, für die sie mehr als eine Woche gebraucht hatten, in wenigen Stunden hinter sich, aber Jacob hätte schwören könne, dass sie monatelang in der Luft waren.

»Jacob, wo ist Will?«

Als sie Kinder waren, hatte er ihn oft verloren, weil er sich dafür geschämt hatte, die Hand seines kleinen Bruders zu halten. Will war fort gewesen, sobald man seine kurzen Finger losließ. Einem Eichhörnchen nach, einem streunenden Hund, einer Krähe … Ihre Mutter hatte nie von diesen Abenteuern erfahren. Sie hatten einander niemals verraten, obwohl Jacob bisweilen sehr versucht gewesen war, Will im Park oder den belebten Straßen ihrer Kindheit einfach zu verlieren. Will hatte jedes Mal, wenn er ihm davongelaufen war, sehr erleichtert dreingeblickt, wenn er ihn schließlich gefunden hatte – als ob etwas in ihm von Zeit zu Zeit so sehr verloren ging, dass nur sein Bruder es zurückbringen konnte. Was war mit ihm passiert, als Jacob immer länger hinter dem Spiegel geblieben war und ihn allein gelassen hatte? Vielleicht hatte Will sich in jenen Jahren verloren, ohne eine andere Welt, in die er entkommen konnte wie sein älterer Bruder.

Keiner von ihnen sprach viel in der Maschine des Goylkönigs. Der Lärm der Propeller hielt sie alle in ihren eigenen Gedanken gefangen. Fuchs war die Einzige, die die Erschöpfung der vergangenen Tage fortschlief. Es war bitterkalt in dem offenen Flugzeug, obwohl Jacob nicht allzu hoch flog, und sie waren alle erleichtert, als sie in der Ferne die vertraute Silhouette von Schwanstein ausmachten. Jacob landete auf einem brachliegenden Feld unweit der Schienen, die es inzwischen so viel leichter machten, nach Vena zu reisen. Der Zug brauchte mehr als acht Stunden in die Hauptstadt, aber die Reise war wesentlich bequemer als auf einem Pferderücken oder in einer der Kutschen, die Jacob früher genommen hatte, wenn die Kaiserin ihn für einen Auftrag zu sich rief.

Es war kein Zufall, dass er das Flugzeug so nah bei den Schienen landete. Fuchs wusste das natürlich sofort. Die Füchsin ließ ihn nicht aus den Augen, während sie die pelzigen Glieder streckte, damit ihr Körper die Enge des Flugzeugs vergaß.

Valiant dagegen hatte natürlich nur einen Gedanken.

»Wo ist er?«, fragte er, während er suchend die umliegenden Felder und Wiesen musterte.

»Was?«

»Mein Goldbaum! Spiel nicht den Dummkopf, Jacob Reckless!

Ich hab dich in die Festung gebracht, das war der Handel. Er schloss nicht ein, dass wir deinen Bruder zurückbringen! Aber ich werde großzügig sein und nichts extra dafür berechnen, dass ich deinen Hals gerettet habe.«

Eine Rauchsäule stieg in den Himmel. Sie stammte von einem Zug. Jacob hatte ihn von oben gesehen.

»Fuchs wird dir den Baum zeigen«, sagte er.

Die Füchsin starrte auf den näher kommenden Zug. Der Wind sträubte ihr das Fell.

Jacob kniete sich an ihre Seite. »Wirst du Clara zu der Ruine zurückbringen?«

Sie fragte nicht, wohin er gehen würde.

»Dein Bruder ist fort«, sagte sie. »So wie du, als du bei der Roten warst. Er gehört nun der Dunklen Fee, und ihm gefällt die Haut, die sie ihm gegeben hat.« *Auch wenn du das nicht zugeben willst,* setzten ihre Augen hinzu.

Clara stand ein paar Schritte entfernt. Jacob konnte ihr nicht vom Gesicht lesen, was sie als Nächstes tun wollte. Alles, was er sah, war Erschöpfung. Und dieselbe Leere, die er selbst im Innern spürte.

»Du weißt, ich war noch nie gut darin, aufzugeben«, flüsterte er der Füchsin in das spitze Ohr. »Ich weiß einfach nicht, wie, Fuchs. Ich kann nicht mal aufgeben, wenn es um einen Glasschuh oder einen Zauberring geht. Wie soll ich es da bei meinem Bruder können?«

»Und ich nehme an, du willst auch diesmal nicht, dass ich mitkomme?«

»Du hasst die Stadt!« Sie wussten beide, dass das nicht der Grund war, warum er sie nicht mitnahm. Er würde nach der Dunklen Fee suchen, und er konnte den Gedanken nicht ertragen, dass er Fuchs vielleicht auch noch verlieren würde.

Die Füchsin blickte zu Clara.

»Was, wenn sie nicht zurückgehen will?«

Sie hatte recht. Clara würde bleiben wollen. Er war nicht der Einzige, der Will noch nicht aufgegeben hatte.

»Sag ihr fürs Erste einfach nicht, wohin ich gehe. Und bitte Chanute, ihr eins seiner Zimmer zu überlassen. Bis …«

Bis was geschieht? Du glaubst doch nicht ernsthaft, dass du zurückkommen wirst, Jacob!

»Chanute?« Die Füchsin ließ ein belustigtes Schnurren hören. »Das wird interessant.«

Der Zug kam näher. Sein Rauch hing wie ein schmutziger Brautschleier über den Feldern und Wiesen. Acht Stunden bis Vena.

Jacob richtete sich auf. *Und dann was, Jacob?* Er wusste nicht mal, wann genau die Hochzeit war.

Valiant rief ihm entgeistert nach, als er auf die Schienen zuging, aber Jacob blickte sich nicht um. Die Luft füllte sich mit Rauch und dem Lärm des Zuges. Er begann zu rennen und sprang auf einen der Waggons.

43
HUND UND WOLF

Tramwagen, Kutschen, Karren und Reiter … Jacob hatte die Straßen von Vena noch nie so überlaufen gesehen. Es schien, als wäre ganz Austrien für die Hochzeit in die Stadt gekommen, Reich und Arm, Jung und Alt. Man hörte die Sprachen Lothringens, Albions und Lombardiens in den Gassen und sah die traditionellen Trachten von Varangia, Parsien, ja sogar die von Zhonggua in der Menge. Viele der Besucher von weit her waren sicher von der Kaiserin eingeladen worden, aber auch Kami'en hatte sein diplomatisches Netz inzwischen weit gespannt, und seine Verbündeten waren nicht nur Menschen. Zwerge ließen sich von ihren menschlichen Dienern durch das Gedränge tragen, Rieslinge und Trolle ragten wie Türme daraus hervor und natürlich fand sich jede Art von Goyl.

Jacob brauchte fast eine Stunde vom Bahnhof zum Grand Hotel, wo er immer abstieg, wenn er nach Vena kam. Die Zimmer hatten mehr mit der Schatzkammer eines Prinzen gemein als mit den kargen Kammern in Chanutes Gasthaus, aber Jacob gefiel es, ab und zu hinter den goldbestickten Vorhängen eines Himmelbetts zu schlafen. Er bezahlte eins der Zimmermädchen dafür, stets ein paar frische Kleider für seine Audienzen bei der Kaiserin bereitzuhalten. Das Mädchen verzog keine Miene, als er ihm seine mit Blut und Schmutz bedeckten Hemden gab. Sie war solche Flecken von ihm gewohnt und flickte seine zerrissenen Ärmel und Hosen so selbstverständlich, als reisten alle Gäste des Hotels mit so übel zugerichteten Kleidern an.

Die zahllosen Glocken der Stadt schlugen zwölf, als Jacob sich auf den Weg zum Palast machte. An vielen Hauswänden waren die offiziellen Fotos des Brautpaars mit Anti-Goyl-Parolen beschmiert. Sie wetteiferten mit den pompösen Schlagzeilen, die die Zeitungsjungen an jeder Ecke verkündeten: *Ewiger Frieden ... Historisches Ereignis ... Zwei mächtige Reiche ... Unsere großen Völker ...* Dieselbe Vorliebe für große Worte auf beiden Seiten des Spiegels.

Jacob hatte Gregor Fenton, dem Hoffotografen, der das Brautpaar verewigt hatte, vor einem Jahr selbst Modell gestanden. Fenton war ein Meister seines Faches, aber Amalie von Austrien machte es ihm nicht leicht. Die Schönheit, zu der die Feenlilie ihr verholfen hatte, war kalt wie Porzellan, und ihr Gesicht war im echten Leben ebenso ausdruckslos wie auf den Plakaten. Ihr Bräutigam dagegen sah selbst auf den Fotos aus wie eine Skulptur, die jemand aus steingewordenem Feuer gemeißelt hatte.

Die Menschen drängten sich so dicht vor dem Palast, dass Jacob versucht war, sich den Weg zu dem schmiedeeisernen Tor mit dem Säbel zu bahnen. Die kaiserlichen Garden richteten die Bajonette auf ihn, als er sie durch das Gitter aufforderte, ihn einzulassen, doch einer von ihnen war ein alter Bekannter. Justus Kronsberg war der jüngste Sohn eines Landadligen, der seinen Reichtum der Tatsache verdankte, dass es in den Wiesen seines Vaters Schwärme von Graselfen gab, deren Garn und Glas so viele Kleider am kaiserlichen Hof schmückten. Therese von Austrien verlangte von Mitgliedern der kaiserlichen Garde, dass sie mindestens zwei Meter groß waren, und der jüngste Kronsberg-Sohn war keine Ausnahme. Justus Kronsberg überragte Jacob um fast einen Kopf, den federbesetzten Helm nicht mitgerechnet, aber sein spärlicher Schnurrbart konnte nicht verbergen, dass er immer noch das Gesicht eines Jungen hatte.

Jacob hatte vor Jahren einen von Justus' Brüdern vor einer Hexe gerettet, die es dem Jungen sehr übel genommen hatte, dass er ihre Tochter abgewiesen hatte. Der Vater sandte Jacob zum Dank immer noch jedes Jahr so viel Elfenglas, dass es Knöpfe für all seine Kleider lieferte. Dass diese vor Stilzen und Däumlingen schützten, hatte sich allerdings nicht bewahrheitet.

»Jacob Reckless!« Der jüngste Kronsberg sprach den weichen Dialekt, den man im Süden Austriens hörte. »Mir hat erst gestern jemand erzählt, dass die Goyl dich erschossen haben.«

»Tatsächlich?« Jacob fragte sich, was Justus von dem Abdruck gehalten hätte, den er seit Hentzaus Schuss über dem Herzen trug. Die Motte war kaum verblasst, seit die Rote Fee ihn vom Tod zurückgeholt hatte. »Ich nehme an, du siehst dieser Tage reichlich Goyl im Palast. Wo hat die Kaiserin den Bräutigam einquartiert? Im Nordflügel?«

Die anderen Wachen musterten Jacob misstrauisch, als Justus Kronsberg ihm das Tor öffnete.

»Wo sonst?« Kronsberg senkte die Stimme. »Kommst du von einem Auftrag zurück? Ich habe gehört, dass die Kaiserin dreißig Goldtaler auf einen Wünschsack ausgesetzt hat, seit der Krumme sich damit brüstet, einen zu besitzen.«

Ein Wünschsack. Chanute behauptete, einen zu besitzen, aber selbst Jacobs alter Lehrmeister war nicht gewissenlos genug, ein solches Zauberding Therese von Austrien zu überlassen. Man musste nur den Namen eines Feindes nennen und der Sack ließ ihn spurlos verschwinden. Der Krumme, wie jedermann den König von Lothringen nannte, obwohl er sich den Buckel schon lange von einer Hexe hatte austreiben lassen, war auf die Art angeblich schon Hunderte von Feinden – und Freunden – losgeworden.

»Nein, wegen eines Wünschsacks bin ich nicht hier.« Jacob blickte hinauf zu dem Balkon, auf dem die Kaiserin am nächsten Tag ihren Untertanen das Brautpaar präsentieren würde. »Es ist eine private Angelegenheit. Grüß deinen Bruder und deinen Vater von mir.«

Justus Kronsberg war sichtlich enttäuscht, nicht mehr über den Anlass von Jacobs Besuch zu erfahren, aber das Tor zum ersten Palasthof öffnete er ihm trotzdem. Schließlich verdankte ihm sein Bruder, dass er keine Kröte am Grund irgendeines Brunnens war oder, was viele Hexen inzwischen bevorzugten, eine Fußmatte oder ein Tablett für ihr Teegeschirr.

Es war drei Monate her, dass Jacob zuletzt im Palast der Austrischen Kaiserin gewesen war. Therese hatte ihn rufen lassen, damit er in ihren Wunderkammern eine Zaubernuss auf ihre Echtheit prüfte. Die weiten Höfe des Palastes nahmen sich nach dem, was er in der Goylfestung gesehen hatte, fast bescheiden aus, und die Gebäude, die sie umgaben, schienen trotz ihrer Kristallbalkone und vergoldeten Dachfirste fast gewöhnlich im Vergleich zu Kami'ens Hängendem Palast. Die Pracht im Innern dagegen war immer noch beeindruckend.

Die austrischen Kaiser hatten besonders im Nordflügel an nichts gespart, da er fast ausschließlich dazu diente, Staatsgäste zu beherbergen, Verbündete ebenso wie Feinde, und sie mit dem Reichtum und der Macht des Kaiserreichs zu beeindrucken. An den Säulen der Eingangshalle rankten Früchte und Blüten aus Gold empor. Der Fußboden war aus weißem Marmor – vielleicht, weil die Erbauer des Palastes sich allzu bewusst gewesen waren, dass kein menschliches Mosaik sich mit der Steinkunst der Goyl messen konnte – die Wände waren bemalt mit Austriens Sehenswürdigkeiten, den höchsten Bergen, ältesten Städten, schönsten Schlössern. Das Jagdschloss, dessen Ruine den Spiegel beherbergte, war noch in alter Pracht abgebildet, mit Schwanstein als Märchenidyll zu seinen Füßen. Weder Straßen noch Eisenbahngleise durchzogen die gemalten Hügel. Stattdessen wimmelten sie von all dem, was die Vorfahren der Kaiserin mit Leidenschaft gejagt hatten: Riesen, Drachen, Hexen, Wassermänner, Loreley und Menschenfresser.

Entlang der Treppe, die in die oberen Stockwerke führte, hingen weniger friedliche Bilder. Der Großvater der Kaiserin hatte sie in Auftrag gegeben: Sie zeigten See-, Land-, Sommer- und Winterschlachten, Schlachten gegen seinen Bruder in Lothringen und seinen Vetter in Albion, gegen rebellische Zwerge und die Wolf- und Bärenfürsten im Osten. Jeder Gast, wo immer er herkam, fand mit Sicherheit ein Gemälde, auf dem das Kaiserreich den Armeen seines Heimatlandes eine vernichtende Niederlage beibrachte. Nur die Goyl waren diese Treppen hinaufgestiegen, ohne ihre Vorfahren auf einem gemalten Schlachtfeld untergehen zu sehen, denn seit ihr König seinen menschlichen Nachbarn den Krieg erklärt hatte, waren sie ohne Ausnahme die Sieger gewesen.

Die beiden Wachen, die Jacob auf der Treppe entgegenkamen, hielten ihn nicht an, obwohl er bewaffnet war, und der Diener, der ihnen nachhuschte, nickte ihm ehrerbietig zu. Jeder im Nordflügel kannte Jacob Reckless, denn Therese von Austrien ließ ihn oft rufen, damit er wichtige Gäste durch ihre Wunderkammern führte und ihnen wahre und unwahre Geschichten über die dort ausgestellten Schätze erzählte.

Die Goyl waren im zweiten und prächtigsten Stock untergebracht. Jacob sah ihre Posten, sobald er in den ersten Korridor spähte. Sie blickten zu ihm herüber, aber sie folgten ihm nur mit den Augen, als er sich nach links wandte, wo gleich neben der Treppe ein Saal lag, in dem die Kaiser Austriens ihr Interesse am Rest der Welt demonstrierten, indem sie die Reiseandenken ihrer Familie ausstellten.

Der Saal war leer, wie Jacob gehofft hatte. Die Goyl waren nicht an der Trollfellkappe interessiert, die der Urgroßvater der Kaiserin aus Jetland heimgebracht hatte, oder an Leprachaunstiefeln aus Albion, und was immer in den Büchern, die die Wände säumten, über ihresgleichen zu lesen war, es war ganz sicher nicht schmeichelhaft.

Der Nordflügel war weit entfernt von den Gemächern, in denen die Kaiserin residierte, was ihren Gästen die Illusion gab, unbeobachtet zu sein. Aber hinter den Wänden gab es ein Netz von Geheimgängen, mit dem sich jedes Zimmer beobachten und in einigen Fällen sogar betreten ließ. Jacob hatte der Tochter eines Botschafters auf die Art ein paar nächtliche Besuche abgestattet. Man betrat die Gänge durch getarnte Türen und eine davon verbarg sich hinter einem kaiserlichen Reiseandenken aus Lothringen. Der Vorhang war bestickt mit Perlen, wie man sie im Magen von Däumlingen fand, und die Tür, die der schwere Stoff verbarg, sah aus wie ein Teil der Holztäfelung.

Jacob stolperte über den Kadaver einer Ratte, als er den dunklen Gang dahinter betrat. Therese von Austrien ließ sie regelmäßig vergiften, aber die Nager liebten die kaiserlichen Geheimgänge. In die Wände waren alle drei Meter Gucklöcher von der Größe eines Daumennagels eingelassen, die auf der anderen Seite durch Stuckornamente oder falsche Spiegel getarnt waren. Im ersten Raum, in den Jacob blickte, staubte ein Kammermädchen die Möbel ab. Im zweiten und dritten hatten die Goyl provisorische Büros eingerichtet, und Jacob hielt unwillkürlich den Atem an, als er Hentzau hinter einem der Tische sitzen sah. Er hatte sicher von ihrer Flucht gehört und von dem gestohlenen Flugzeug. Aber Jacob war nicht für den Jaspisgoyl gekommen.

Das Singen einer Zofe drang durch die dünnen Wände und das Klirren von Geschirr, aber Jacob schaltete hastig die Taschenlampe aus, als er plötzlich direkt vor sich ein Husten hörte. Natürlich. Therese von Austrien ließ all ihre Gäste belauschen. Warum sollte es bei ihrem größten Feind anders sein, auch wenn sie ihm ihre Tochter zur Frau gab?

Eine Gaslampe leuchtete vor ihm auf. Sie beschien einen Mann, der so blass war, als verbrächte er sein ganzes Leben in den lichtlosen Gängen. Jacob verbarg sich mit angehaltenem Atem in der Dunkelheit, bis der kaiserliche Spion an ihm vorbeigeschlurft und durch die getarnte Tür verschwunden war. Er würde sicher bald zurück sein – oder jemand würde ihn ablösen. Es blieb nicht viel Zeit.

Der Spion hatte genau den Raum beobachtet, nach dem Jacob gesucht hatte. Er erkannte die Stimme der Dunklen Fee, bevor er sie durch das winzige Loch sah. Nur ein paar Kerzen beleuchteten das Zimmer dahinter. Die Vorhänge waren zugezogen, aber das Sonnenlicht sickerte unter dem blassgoldenen Brokat hervor. Die Fee stand vor einem der verhängten Fenster, als wollte sie ihren Geliebten vor dem Licht beschützen. Ihre Haut leuchtete selbst in dem abgedunkelten Raum wie fleischgewordenes Mondlicht. *Sieh sie nicht an, Jacob.*

Kami'en stand an der Tür, Feuer im Dunkeln. Jacob glaubte, seine Ungeduld selbst hinter der Wand zu spüren.

»Du verlangst, dass ich an ein Märchen glaube.«

Jedes Wort füllte den Raum. Seine Stimme verriet seine Stärke –

und die Fähigkeit, sie in Zaum zu halten. »Ich gebe zu, es amüsiert mich, dass anscheinend alle, die daran glauben, auch verlangen, dass wir zurück unter die Erde kriechen. Aber erwarte nicht, dass ich so naiv bin. Kein Mann kann mir nur durch die Farbe seiner Haut verschaffen, was die beste Armee nicht erkämpfen kann. Ich bin nicht unbesiegbar und kein Jadegoyl wird mich dazu machen. Selbst diese Hochzeit wird mir den Frieden nur für eine Weile erkaufen.«

Die Dunkle Fee wollte etwas erwidern, aber Kami'en ließ sie nicht zu Wort kommen.

»Es gibt Aufstände im Norden, und im Osten haben wir nur Ruhe, weil sie sich lieber gegenseitig erschlagen. Im Westen nimmt der Krumme König meine Bestechungsgelder und rüstet hinter meinem Rücken auf, von seinem Vetter auf der Insel ganz zu schweigen. Den Onyxgoyl gefällt meine Hautfarbe nicht. Meine Munitionsfabriken produzieren nicht so schnell, wie meine Soldaten schießen. Die Lazarette sind überfüllt und die Partisanen haben zwei meiner wichtigsten Schienenwege gesprengt. Soweit ich mich erinnere, ist von alldem in den Märchen, die meine Mutter erzählt hat, nicht die Rede. Lass das Volk an den Jadegoyl und an heilige Steine glauben. Aber die Welt ist inzwischen aus Eisen gemacht.«

Er legte die Hand auf die Klinke und musterte die Goldbeschläge, die das Türblatt schmückten. »Sie machen schöne Dinge«, murmelte er. »Ich frage mich nur, warum sie so besessen von Gold sind. Ich habe schon immer Silber bevorzugt.«

»Versprich, dass er an deiner Seite bleibt. Selbst wenn du ihr das Jawort gibst. Bitte!« Die Fee streckte die Hand aus und alles Gold in dem dunklen Raum wurde zu Silber.

»Er ist ein Menschengoyl! Selbst die Jade lässt meine Offiziere diese Tatsache nicht übersehen. Und er ist unerfahrener als jeder andere meiner Leibwächter.«

»Er hat sie trotzdem alle geschlagen! Versprich es.«

Er liebte sie. Jacob sah es auf Kami'ens Gesicht. So sehr, dass es ihm Angst machte.

»Ich muss gehen.« Er wandte sich um, aber als er die Tür öffnen wollte, gehorchte sie ihm nicht.

»Versprich es«, wiederholte die Fee.

Die Tür sprang auf, als sie die Hand senkte. Aber ihr Geliebter ging ohne eine Antwort und sie war allein.

Jetzt, Jacob!

Er tastete nach einer geheimen Tür, aber seine Finger fanden nichts als eine hölzerne Wand, und die Fee ging auf die Tür zu, durch die ihr Geliebter sie verlassen hatte. *Nun mach schon, Jacob! Noch ist sie allein. Draußen wird es Wachen geben.* Vielleicht konnte er die Wand eintreten. Und dann? Schon der Lärm würde ein Dutzend Goyl herbeirufen. Jacob stand immer noch in dem engen Gang, unsicher, was er nun tun sollte, als die Fee einen Goylsoldaten zu sich in das dunkle Zimmer winkte.

Jadehaut.

Es war das erste Mal, dass Jacob seinen Bruder in der grauen Goyluniform sah. Will trug sie, als hätte er nie etwas anderes getragen. Er sah immer noch wie sein Bruder aus, aber alles an ihm war Goyl. Vielleicht waren seine Lippen im Vergleich etwas voller und sein Haar etwas feiner, aber sein Körper sprach ihre Sprache. Und er blickte die Dunkle Fee an, als wäre sie Anfang und Ende der Welt.

Es gibt für ihn nichts als sie, Jacob. Erinnere dich. Ein ganzes Jahr, und er hatte nicht ein Mal an Fuchs gedacht und daran, dass sie am Ufer des Sees auf ihn wartete. Oder an Will. Oder an seine Mutter. Er hatte sich nicht mal an seinen eigenen Namen erinnert. Feenzauber. Es gab nichts Mächtigeres in dieser Welt.

»Ich habe gehört, dass du Kami'ens besten Leibwächter entwaffnet hast.« Die Dunkle Fee strich Will übers Gesicht, das Gesicht, das ihr Zauber in Jade verwandelt hatte.

»Er ist nicht halb so gut, wie er denkt.«

Klang das nach seinem Bruder? Nein. Will war nie auf einen Kampf aus gewesen oder darauf, seine Kräfte mit jemandem zu messen. Will kämpfte nur aus einem Grund: um jemanden oder etwas zu beschützen, das er für verletzlich oder hilfsbedürftig hielt. Wie einen streunenden Hund. Oder ihre Mutter. *»Du hast sie zum Weinen gebracht!«* Ja, es hatte Gelegenheiten gegeben, bei denen Will sich mit ihm hatte schlagen wollen. Und diese Kämpfe hatte Jacob ihn nicht gewinnen lassen …

Die Dunkle Fee lächelte, als Will die Finger fast zärtlich um den Griff seines Säbels schloss.

Finger aus Jade.

Du wirst ihn mir zurückgeben!, dachte Jacob, während er in hilfloser Wut ertrank. *Und deine Schwester wird ihre Rache bekommen!*

Den Spion hatte er vollkommen vergessen. Der Mann riss entsetzt die Augen auf, als seine Lampe Jacobs Gestalt aus der Dunkelheit löste. Jacob schlug ihm die Taschenlampe gegen die Schläfe und fing den zusammensackenden Körper rasch auf, aber eine der mageren Schultern streifte die Holzwand, und die Gaslampe fiel zu Boden, bevor Jacob sie auffangen konnte.

»Was war das?«, hörte er die Fee fragen.

Jacob löschte die Lampe und hielt den Atem an.

Schritte.

Er tastete nach der Pistole, bis ihm einfiel, wer da auf die Holzwand zukam.

Will trat sie ein, und Jacob wartete nicht ab, bis sein Bruder sich durch das zersplitterte Holz zwängte. Er rannte bereits zurück zu der getarnten Tür, als die Dunkle Fee nach den Wachen rief. *Bleib stehen, Jacob.* Aber nichts hatte ihm je so viel Angst gemacht wie die Schritte, die ihm folgten. Was, wenn die Fee Will sein Gesicht hatte vergessen lassen? Sein Gesicht, Claras ... alles, was sein Bruder vor der Jade gewesen war ...

Jacob riss den Vorhang herunter, als er durch die getarnte Tür ins Freie stolperte. Das plötzliche Licht blendete Wills goldene Augen. Als er schützend den Arm vors Gesicht hob, schlug Jacob ihm den Säbel aus der Hand.

Nein, er erinnerte sich nicht an ihn. Jacob sah es in seinen Augen. Seinen goldenen Augen.

Es fühlte sich so falsch an, die Pistole auf ihn zu richten.

»Lass den Säbel da, wo er ist, Will!«

Warum sprach er ihn mit seinem Namen an? Die Dunkle Fee hatte ihm vermutlich einen neuen gegeben. Einen, der zu seiner neuen Haut passte.

Natürlich bückte er sich nach dem Säbel. Jacob versuchte, ihn mit dem Fuß fortzustoßen, doch sein Bruder war schneller, und er hatte immer noch das vertraute Gesicht, auch wenn es aus Jade war. Jacob senkte die Pistole. Er kannte den Zauber allzu gut, der seinen Bruder dazu brachte, ihn anzugreifen, als wäre er ein Fremder.

Er schaffte es nur mit Mühe, den Säbel seines Bruders abzuwehren. Wills nächster Hieb schnitt ihm den Unterarm auf. Die Fee hatte recht. Sein Bruder kämpfte wie ein Goyl, kalt und präzise, ohne Furcht. *»Ich habe gehört, dass du Kami'ens besten Leibwächter entwaffnet hast.«* *»Er ist nicht halb so gut, wie er denkt.«*

Noch ein Hieb. Diesmal fuhr ihm die Klinge fast in die Brust. *Wehr dich, Jacob.*

Klinge auf Klinge, geschliffenes Metall statt der Spielzeugschwerter, mit denen sie sich als Kinder geschlagen hatten. So lange her. Über ihnen fing sich das Sonnenlicht in den Glasblüten eines Kronleuchters, und der Teppich unter ihren Füßen trug das Muster der Hexen, auf dem sie den Frühling herbeitanzten. Will atmete schwer. Sie keuchten beide so laut, dass sie die kaiserlichen Garden erst bemerkten, als sie die langen Flinten auf sie richteten. Will wich vor den weißen Uniformen zurück, und Jacob stellte sich unwillkürlich schützend vor seinen jüngeren Bruder, so wie er es immer getan hatte. Aber dieser Bruder brauchte seine Hilfe nicht mehr. Die Goyl hatten sie auch gefunden. Sie kamen aus der getarnten Tür, ein Offizier und drei Soldaten. Will senkte den Säbel und trat zurück, bis er zwischen ihnen stand.

»Dieser Mann hat versucht, in die Gemächer des Königs einzudringen!« Der Offizier war ein Malachitgoyl. Er sprach Austrisch fast akzentfrei.

Jacob versuchte, Wills Blick einzufangen. Sein Bruder erwiderte ihn. Fremde. O ja, die Fee hatte sichergestellt, dass er ihr und nur ihr gehörte. *Und vielleicht will er sich auch nicht erinnern, Jacob.*

Er hielt den Garden den Säbel hin. »Jacob Reckless. Ich muss mit der Kaiserin sprechen.«

Der Gardist, der den Säbel entgegennahm, raunte dem Offizier etwas zu. Jacobs Porträt hing immer noch in einem der Palastsäle. Die Kaiserin hatte es malen lassen, nachdem er ihr den Gläsernen Schuh gebracht hatte.

Will wandte sich um und folgte den Goyl, als die Garden Jacob abführten. Er blickte sich nicht um.

44

ZU SPÄT

Es war eine ganze Weile her, dass Jacob im persönlichen Audienzsaal von Therese von Austrien gestanden hatte. Üblicherweise
handelte Auberon, ihr bevorzugter Hofzwerg, die Bezahlung aus
oder übermittelte einen neuen Auftrag. Die Kaiserin gewährte bloß
dann eine persönliche Audienz, wenn die Aufgabe sich, wie beim Gläsernen Schuh oder dem Tischleindeckdich, als besonders gefährlich
herausgestellt hatte und die Geschichte, die man ihr erzählen konnte,
ausreichend Blut und Todesangst enthielt. Therese von Austrien hätte
eine gute Schatzjägerin abgegeben, wäre sie nicht als Tochter eines
Kaisers geboren worden.

Sie saß hinter ihrem Schreibtisch, als die Garden Jacob herein-
brachten. Die Seide ihres Kleides war bestickt mit Elfenglas und
es war ebenso goldgelb wie die Rosen auf ihrem Schreibtisch. Ihre
Schönheit war legendär, doch Krieg und Niederlage hatten Spuren

258

auf ihrem Gesicht hinterlassen. Die Linien auf der Stirn waren schärfer, die Schatten unter den Augen dunkler und ihr Blick war noch etwas kühler geworden.

Einer ihrer Generäle und drei ihrer einflussreichsten Minister standen vor den Fenstern, durch die man auf die Dächer und Türme der Stadt blickte – und auf die fernen Berge, die die Goyl bereits erobert hatten. Jacob erkannte den Adjutanten, der mit ihnen redete, erst, als er sich umwandte. Leo von Donnersmarck. Er hatte Jacob auf drei Expeditionen für die Kaiserin begleitet. Zwei davon waren sehr erfolgreich gewesen und hatten Jacob sehr viel Geld und Donnersmarck einen Orden eingebracht. Sie waren alte Freunde, aber der Blick, den Donnersmarck Jacob zuwarf, verriet davon nichts. An seiner weißen Uniform steckten ein paar Orden mehr als bei ihrer letzten Begegnung, und als er zu dem General trat, sah Jacob, dass er das linke Bein nachzog. Verglichen mit dem Krieg war die Schatzsuche ein harmloses Handwerk.

»Unerlaubtes Eindringen in den Palast. Bedrohung meiner Gäste. Einen meiner Spione bewusstlos geschlagen?« Die Kaiserin legte die Schreibfeder zur Seite und winkte Auberon zu sich. Der Zwerg ließ Jacob nicht aus den Augen, während er den Stuhl seiner Herrin zurückzog. Die Hofzwerge der austrischen Kaiser hatten mehr als ein Dutzend Mordanschläge verhindert, seit sie der Dynastie dienten, und Therese hatte mindestens drei von ihnen stets an ihrer Seite. Angeblich nahmen sie es sogar mit Rieslingen auf.

Therese wartete, bis Auberon ihr das Kleid zurechtgezupft hatte, bevor sie hinter dem Schreibtisch hervortrat. Sie war immer noch schlank wie ein junges Mädchen.

»Ich dachte, du würdest für mich nach einem Stundenglas suchen. Soweit ich mich erinnere, hattest du mir die Lieferung bis zu meinem Geburtstag versprochen. Stattdessen duellierst du dich in meinem Palast mit dem Leibwächter meines künftigen Schwiegersohns.«

Jacob senkte den Kopf. Therese mochte es nicht, wenn man ihr in die Augen sah. »Ich hatte keine Wahl, Euer Majestät. Kami'ens Leibwächter hat mich angegriffen. Ich habe mich nur verteidigt.«

Kami'ens Leibwächter. Die Kaiserin durfte niemals erfahren, dass er von seinem Bruder sprach. Sie würde auf der Stelle überlegen, wie sie Will für ihre Zwecke benutzen konnte.

»Ihr müsst ihn ausliefern, Euer Majestät.« Der Minister, der das äußerte, verabscheute Thereses Leidenschaft für Schatzjagden.

»Ich schlage vor, Ihr lasst ihn erschießen, Euer Hoheit.« Das war der General. »Um Euren Friedenswillen zu beweisen.«

»Unsinn«, erwiderte die Kaiserin gereizt. »Als ob mich dieser Krieg nicht schon genug gekostet hat. Er ist der beste Schatzsucher, den ich seit Jahren hatte – er ist sogar besser als sein Lehrer Albert Chanute.«

Sie trat so dicht an Jacob heran, dass er ihr Parfüm roch. Angeblich ließ sie das Öl von Zaubermohn hineinmischen, das den Effekt hatte, dass, wer den Duft allzu tief einatmete, weit gewogener war, ihren Befehlen und kaiserlichen Wünschen zu gehorchen.

»Hat dich jemand bezahlt?«, fragte sie. »Jemand, dem dieser Frieden nicht gefällt? Falls ja, richte ihm etwas aus: Mir gefällt er auch nicht.«

»Majestät!« Die drei Minister blickten so alarmiert zur Tür, als lauschten die Goyl daran.

»Oh, seid still!«, fuhr die Kaiserin sie an. »Ich bezahle mit meiner Tochter für diesen Frieden.«

Jacob blickte zu Donnersmarck, aber der mied seinen Blick.

»Es hat mich niemand bezahlt, Euer Majestät«, sagte er. »Und der Kampf hatte nichts mit Eurem Frieden zu tun. Sie haben mich dabei erwischt, als ich versucht habe, zu der Dunklen Fee vorzudringen.«

Das Gesicht der Kaiserin wurde fast so ausdruckslos wie das ihrer Tochter.

»Zu der Fee?« Therese gab sich Mühe, gleichgültig zu klingen, aber ihre Stimme verriet sie. Hass und Abscheu. Jacob hörte beides heraus. Und Zorn. Therese von Austrien war stolz auf ihre Furchtlosigkeit und die Dunkle Fee machte ihr Angst.

»Was willst du von ihr? Reicht es nicht, dass du der Geliebte ihrer Schwester gewesen bist?«

»Verschafft mir fünf Minuten mit ihr allein. Ich verspreche, Ihr werdet es nicht bereuen. Oder gefällt es Eurer Tochter, dass ihr Bräutigam seine dunkle Geliebte mitgebracht hat?«

Vorsicht, Jacob. Doch er war zu verzweifelt, um vorsichtig zu sein. Die Kaiserin wechselte einen Blick mit ihrem General.

»Genauso respektlos wie sein Lehrmeister«, sagte sie. »Chanute hat in demselben impertinenten Ton mit meinem Vater gesprochen.«

»Fünf Minuten«, wiederholte Jacob. »Sagt Kami'en, ich muss die Fee persönlich sprechen, um eine Überraschung zu besprechen, die Ihr für ihn plant. Oder was immer sonst Ihr ihm erzählen wollt!«

Therese von Austrien war eine begnadete Lügnerin.

»Ihre Zauberei hat Euch den Sieg in diesem Krieg und zigtausend Euer Untertanen das Leben gekostet. Ihretwegen werdet Ihr Eure Tochter an den Goyl verlieren! Wollt Ihr dafür keine Rache? Benutzt mich! Niemand wird je erfahren, dass ich mit Eurem Wissen gehandelt habe.«

Rache. Ein gefährliches Wort. Therese wünschte sich sicher nichts mehr, aber sie wollte diesen Frieden auch. Sie brauchte diesen Frieden.

»Eure Majestät.« Der General verstummte, als Therese ihm einen warnenden Blick zuwarf.

»Du kommst zu spät, Jacob«, sagte sie. »Ich wünschte, du wärst

eher zu mir gekommen, aber ich habe den Vertrag bereits unterzeich-
net.«

Sie wandte sich um und kehrte zu ihrem Schreibtisch zurück.

»Richtet den Goyl aus, dass er Elfenstaub eingeatmet hatte«, befahl
sie, während eine der Garden nach Jacobs Arm griff. »Bringt ihn zum
Tor und gebt Befehl, ihn nicht wieder einzulassen.«

»Und, Jacob«, rief sie, als die Zwerge die Türen öffneten, »vergiss
das Stundenglas! Ich will einen Wünschsack!«

45
VERGANGENE ZEITEN

Jacob wusste nicht, wie er zum Hotel zurückfand. In jedem La-
denfenster, an dem er vorbeikam, glaubte er das Jadegesicht seines
Bruders zu sehen, und jede Frau, die ihm entgegenkam, verwandelte
sich in die Dunkle Fee. Es konnte nicht vorbei sein. Er würde ihren
Zauber brechen. Bei der Hochzeit, am Bahnhof, wenn sie mit ihrem
frisch verheirateten Geliebten in den Goylzug stieg. Er würde ihr
zurück zu dem Hängenden Palast folgen, falls er musste. Auch wenn
er nicht länger wusste, was ihn antrieb: die Hoffnung, seinen Bruder
zurückzubekommen, der Wunsch nach Rache oder einfach nur sein
verletzter Stolz.

In der Eingangshalle des Hotels wartete zwischen Koffern und
umherhastenden Pagen eine Gruppe frisch eingetroffener Gäste an
der Rezeption. Hochzeitsgäste. Eine Goylfamilie zog mehr Blicke auf
sich als die jüngste Schwester der Kaiserin, die ohne den Wolf-Lord

263

angereist war, mit dem ihr Vater sie verheiratet hatte. Sie trug einen Mantel aus schwarzem Bärenpelz, der sie aussehen ließ, als wäre sie in Trauer wegen der Heirat ihrer Nichte.

Die Hochzeit würde am nächsten Tag stattfinden, so viel wusste Jacob inzwischen. In der Kathedrale, in der auch Therese von Austrien getraut worden war und vor ihr ihre Mutter und ihre Großmutter.

Das Zimmermädchen hatte Jacobs Kleider geflickt und gewaschen, und er trug sie unter dem Arm, als er sein Zimmer aufschloss. Er ließ sie fast fallen, als er einen Mann vor dem Fenster stehen sah. Donnersmarck war in Uniform. »Man muss es zugeben«, spottete Albert Chanute gern über das kaiserliche Weiß, »keine andere Uniform lässt Blutflecken so spektakulär aussehen.«

»Gibt es irgendeinen Raum, in den der Adjutant der Kaiserin nicht hineinkommt?«, fragte Jacob, während er seine Kleider aufs Bett warf.

»Die Höhle eines Menschenfressers, die Rote Kammer eines Blaubarts. Dort helfen deine Talente immer noch besser als die Uniform.«

Leo von Donnersmarck hatte seine Schwester an einen Blaubart verloren. Sie hatten gemeinsam versucht, sie zu retten, aber sie waren zu spät gekommen.

»Was hast du mit der Dunklen Fee zu schaffen?«

Sie hatten sich fast ein Jahr nicht gesehen, aber zusammen einen Blaubart zu jagen, knüpft ein Band, das nicht so leicht zerreißt, und sie hatten mehr als das gemeinsam erlebt. Nach dem Teufelshaar, das der Kaiserin in ihrer Wunderkammer noch fehlte, hatten sie vergebens gesucht, aber Jacob hatte ihr ein Tischleindeckdich liefern können, weil Donnersmarck gemeinsam mit Fuchs den Braunen Wolf abgelenkt hatte, der es bewachte. Und Jacob hatte ihn in einer schäbigen Schenke davor bewahrt, von einem Knüppelausdemsack erschlagen zu werden.

»Was ist mit deinem Bein passiert?«

»Was denkst du? Wir hatten Krieg.«

Unter dem Fenster lärmten die Droschken. Pferde wieherten, Kutscher fluchten. Nicht so anders als der Straßenlärm der anderen Welt. Aber über einem Strauß Wicken, der auf dem Nachttisch neben dem Bett stand, schwirrten zwei hummelgroße Graselfen. Viele Hotels setzten sie in den Zimmern aus, weil ihr Staub den meisten Gästen schöne Träume bescherte. Allerdings machte er leicht abhängig. Man sagte dem Kronprinzen von Lothringen nach, dass er erstaunliche Mengen davon konsumierte.

»Ich bin hier, um dich etwas zu fragen. Du kannst dir sicher vorstellen, in wessen Auftrag.« Donnersmarck scheuchte eine Fliege von seinem makellos weißen Ärmel. »Wenn du die fünf Minuten bekämst, würde Kami'ens Feengeliebte ihn immer noch zu seiner Hochzeit begleiten?«

Jacob brauchte ein paar Augenblicke, um zu begreifen, was Donnersmarck ihm anbot. Therese würde ihm also die fünf Minuten verschaffen. Was, wenn er, um zu der Fee zu gelangen, erneut an seinem Bruder vorbeimusste? Das Risiko musste er wohl eingehen – in der Hoffnung, dass Kami'en vielleicht doch auf seine Geliebte hören und Will an seiner Seite behalten würde.

»Nein«, antwortete er. »Ich würde der Kaiserin das Versprechen geben, dass ihre Tochter in Zukunft nicht mit einer unsterblichen Geliebten wird konkurrieren müssen. Allerdings kann ich nichts an der Tatsache ändern, dass Kami'en mindestens zwei Goylehefrauen hat.«

Donnersmarck musterte ihn so eindringlich, als wollte er ihm von der Stirn lesen, was er ihm nicht erzählte.

»Du trägst das Medaillon nicht mehr.« Er wies auf Jacobs Hals. »Hast du mit ihrer roten Schwester Frieden geschlossen?«

Sie hatten eine Menge übereinander erfahren, während sie gemeinsam auf Schatzjagd gegangen waren.

»Ja. Es ist zu gefährlich, nicht in Frieden mit ihr zu leben.«

»Gefährlich … seit wann interessiert dich das?« Donnersmarck schenkte ihm ein spöttisches Lächeln. Er rückte sich den Säbel zurecht. Er hatte ihn von dem verfallenen Schloss zurückgebracht, in dem sie das Tischleindeckdich gefunden hatten. Leo von Donnersmarck war ein meisterhafter Fechter, aber das steife Bein hatte das vermutlich geändert.

»Du schließt Frieden mit der einen Schwester, nur um der anderen den Krieg zu erklären. So ist das immer mit dem Frieden, oder? Immer gegen jemanden, immer schon die Saat legend für den nächsten Krieg.«

Er setzte sich auf die Bettkante. »Entschuldige. Das ständige Stehen bei Audienzen und Empfängen macht das Bein nicht besser. Ich schätze, die Kaiserin hat das nicht bedacht, als sie mich zu ihrem Adjutanten machte.«

Er rieb sich das Knie und scheuchte eine Graselfe fort, als sie sich auf seine Schulter setzte. Da war noch etwas, was er sagen wollte, aber Leo von Donnersmarck war vorsichtig mit Worten. Er traute ihnen nicht wirklich. Das Leben am Hof mit all seinen wohlformulierten Schmeicheleien und wortgewandten Lügen hatte daran bestimmt nichts geändert.

»Ich weiß, ich sollte nicht fragen«, sagte er schließlich. »Aber ich muss. Als dein Freund. Warum, Jacob? Warum die Dunkle Fee?«

Eine Lüge wäre sicher die angemessene Antwort gewesen. Aber Jacob hatte seit der verstörenden Begegnung mit seinem Bruder mit niemandem reden können. Fuchs. Er hätte Fuchs bitten sollen, mit ihm zu kommen. *Nein, das hättest du nicht, Jacob.*

»Hast du den Jadegoyl gesehen?«, fragte er. »Er ist einer von Kami'ens Leibwächtern.«

»Natürlich. Jeder am Hof redet über ihn. Es heißt, er war mal einer von uns. Nun ist er der legendäre Goyl, der Kami'en unbesiegbar machen wird. Vielleicht sollten wir uns erneut zusammentun und statt der Fee ihn töten. Gemeinsam haben wir vielleicht eine Chance.«

»Für die Aufgabe musst du dir jemand anderen suchen. Der Jadegoyl ist mein Bruder.«

Donnersmarck blickte Jacob so ungläubig an, als hätte er ihm gestanden, dass die Dunkle Fee seine Schwester war.

»Dein Bruder? Ich wusste nicht, dass du einen Bruder hast. Aber wenn ich's mir überlege – es gibt vermutlich viel, was ich nicht über dich weiß.«

Ja. Allerdings. Jacob fragte sich, ob Donnersmarck ihm geglaubt hätte, wenn er ihm von der anderen Welt erzählt hätte. Vielleicht. Er starrte mit so abwesendem Blick aus dem Fenster, als wäre er zurück auf den Schlachtfeldern, auf denen die Goyl seine Kaiserin geschlagen hatten.

»Ohne die Fee hätten wir diesen Krieg gewonnen.«

Nein, das hättet ihr nicht, dachte Jacob. Weil Kami'en mehr vom Krieg versteht als ihr alle, weil sie die Zwerge zu ihren Verbündeten gemacht haben und weil ihr ihren Zorn seit Jahrhunderten schürt. Donnersmarck wusste das alles, aber es war so viel bequemer, der Fee die Schuld zu geben.

»Sie ist jeden Abend nach Sonnenuntergang in den kaiserlichen Gärten.« Donnersmarck erhob sich mühsam von dem Bett. »Kami'en lässt das ganze Gelände vorher durchsuchen, aber seine Männer sind dabei nicht allzu gründlich. Selbst die Goyl fürchten die Fee. Und sie wissen, was du eigentlich auch wissen solltest: dass ihr niemand etwas anhaben kann.«

»Es gibt einen Weg.«

Warum erzählst du es ihm nicht, Jacob? Auf die Art kann er es versuchen, falls du scheiterst? Nein. Falls die Dunkle Fee ihn umbrachte,

267

würde sie dasselbe mit Donnersmarck tun, und Jacob wollte, dass er am Leben blieb.

»Ich bin kein Narr, Leo«, sagte er. »Das solltest du eigentlich noch wissen. Und ich hab auch nicht den Verstand verloren. Ich will nur meinen Bruder zurück.«

Donnersmarck nickte. Er hatte seine Schwester zurückgewollt. Er hätte die Dunkle Fee herausgefordert, um sie zu retten, aber der Blaubart hatte ihnen eine solche Chance nicht gegeben.

»Was, wenn du die Fee tötest und dein Bruder ist immer noch ein Goyl?«

»Und? Ihr König wird bald mit der Tochter deiner Kaiserin verheiratet sein. Vielleicht wird es in dieser Welt schon bald schwerer sein, ein Mensch als ein Goyl zu sein.«

Darauf erwiderte Donnersmarck nichts.

Draußen auf dem Flur waren Schritte zu hören. Sie beide lauschten, bis sie verklangen.

»Sobald es dunkel wird, schick ich dir zwei meiner Männer.« Donnersmarck hinkte zur Tür. »Sie werden dich in die Gärten bringen.«

Er wandte sich noch einmal um.

»Habe ich dir den je gezeigt?« Er wies auf einen der Orden an seiner Jacke, einen vergoldeten Stern mit dem Wappen der Kaiserin in der Mitte. »Sie haben ihn mir verliehen, nachdem wir das Tischleindeckdich gefunden hatten. Nachdem du es gefunden hattest.«

Er schloss die Hand um den Türknauf.

»Du wirst sterben, Jacob«, sagte er. »Du weißt, ich hätte mein Leben für meine Schwester gegeben, und ich verstehe, warum du es versuchen musst. Schließlich bist du der einzige sterbliche Mann, der es überlebt hat, der Liebhaber ihrer roten Schwester zu sein. Aber diese Fee ist anders. Die Dunkle Fee ist gefährlicher als alles, was dir oder mir je begegnet ist, und dein Bruder ist fort. Ich hab ihn gesehen. Er ist ein Goyl. Nichts wird das ändern. Geh und such den Wünschsack, um den die Kaiserin den Krummen so sehr beneidet, oder das Drachenei, von dem du immer geträumt hast. Irgendetwas. Was immer es ist. Aber bitte! Schick mich zurück zum Palast mit der Antwort, dass du es dir überlegt hast. Schließ Frieden mit der Dunklen Fee. So, wie wir alle Frieden mit den Goyl schließen, obwohl es das Letzte ist, was wir tun wollen.«

»Ich werde hier sein, wenn es dunkel wird.«

»Natürlich wirst du das«, erwiderte Donnersmarck. Und schob sich aus der Tür.

46

DIE DUNKLE SCHWESTER

Es war seit einer Stunde dunkel, und Jacob wartete immer noch auf die Männer, die Donnersmarck versprochen hatte zu schicken. Er befürchtete schon, dass sein alter Freund ihn vor sich selbst beschützen wollte, als es endlich an der Tür klopfte. Aber als Jacob öffnete, sah er keine kaiserlichen Soldaten, sondern eine Frau auf dem Hotelflur stehen.

Er erkannte Fuchs erst, als sie den Schleier zurückschlug, den sie über dem roten Haar trug. Jacob hatte sie noch nie in Stadtkleidern gesehen. Wenn sie reisten, bevorzugte sie Hosen oder schlichte Kleider, wie Bauerntöchter sie bei der Feldarbeit trugen. Aber das seidene Kleid, in dem sie nun vor ihm stand, war mit Blüten bestickt und schmiegte sich ihrer schlanken Gestalt so vollkommen an wie das Fell der Füchsin.

Sie sah so viel älter aus, *so viel ... was, Jacob?*

»Starr mich nicht so an«, sagte sie. »Es war nicht meine Idee, herzukommen. Clara will deinen Bruder ein letztes Mal sehen.«

Sie schob sich an ihm vorbei und musterte das Himmelbett, die Graselfen, die seidenen Tapeten.

»Warum hast du es ihr nicht ausgeredet?«

»Ausgeredet? Hab ich das jemals bei dir gekonnt? Ich kann verstehen, dass sie ihn noch mal sehen will.«

Sie strich über eine der gestickten Blumen, die die Bettvorhänge bedeckten. »Ich hab ihr erklärt, wie Feenzauber wirkt. Dass Will vermutlich alles vergessen hat. Dass ich dasselbe bei dir erlebt habe. Sie sagt, es ist ihr egal. Und der Zwerg hat versprochen, sie mit auf die Hochzeit zu nehmen.«

Na großartig.

Fuchs musterte seinen Arm. Jacob zuckte zusammen, als sie ihn genau da berührte, wo Wills Säbel ihm die Haut aufgeschlitzt hatte.

»Was ist passiert? Jacob!« Sie nahm sein Gesicht zwischen ihre Hände. Sie waren so viel kräftiger, als ihre schlanke Form vermuten ließ. »Du bist hier, um die Dunkle Fee zu finden, stimmt's? Hast du sie schon gesehen? Nein.« Sie stieß ihn unsanft zurück. »Warum frag ich das? Du wärst tot.«

Sie durchschaute ihn so mühelos, und sie wusste immer, wann er log. Aber diesmal musste er es schaffen, sie zu täuschen, oder sie würde ihm folgen, und falls die Fee sie tötete, würde er sich das niemals verzeihen. Auch wenn er das gewöhnlich so leicht tat.

»Ich habe Will gesehen. Er ist der Grund, warum ich hier bin.« Die besten Lügen blieben nah bei der Wahrheit. »Wir haben gekämpft und er hat mich fast umgebracht. Er ist einer von ihnen. Du hattest recht. Es gibt kein Zurück.«

Glaub mir, Fuchs. Bitte.

Es klopfte erneut.

»Jacob Reckless? Leutnant von Donnersmarck schickt uns.« Die zwei Soldaten, die vor der Tür standen, waren kaum älter als Will.

»Ich komme.« Jacob winkte Fuchs mit sich auf den Korridor.

»Ich geh mich mit Donnersmarck betrinken«, flüsterte er ihr zu. »Es gibt nichts mehr, was ich für Will tun kann, also warum nicht … Ich seh dich morgen auf der Hochzeit. Du hast vermutlich recht. Clara sollte Will noch einmal sehen. Vielleicht begreift sie dann auch, dass es keine Hoffnung mehr gibt.«

Ihre Augen wanderten von ihm zu den zwei Soldaten.

Sie glaubte ihm nicht. Natürlich nicht. Sie kannte ihn besser als er sich selbst.

Sie sprach kein Wort, als sie ihm und den Soldaten zum Aufzug folgte. Sie würde so zornig sein, noch zorniger als an dem Bach mit dem Lerchenwasser.

»Ich wünschte, du wärst nicht gekommen«, sagte er, als sie vor dem Aufzug standen. Es war ein furchtbarer Gedanke, dass sie auf diese Art auseinandergehen und er sie vielleicht nie wiedersehen würde. Aber er wollte, dass sie lebte. Es gab nichts, was ihm wichtiger war.

»Sie darf mir nicht folgen«, sagte er zu den Soldaten. »Einer von euch muss bei ihr bleiben.«

Fuchs versuchte, sich zu verwandeln, doch Jacob griff nach ihrem Arm. Haut auf Haut, das hielt das Fell meist zurück. Sie versuchte verzweifelt, sich zu befreien, aber Jacob ließ sie nicht los.

»Sorg dafür, dass sie mein Zimmer nicht vor morgen früh verlässt.« Der Soldat, dem Jacob seinen Zimmerschlüssel in die Hand drückte, war breit wie ein Schrank, trotz seines Kindergesichts. »Aber sei vorsichtig. Sie ist eine Gestaltwandlerin.«

Der Soldat sah nicht sonderlich glücklich aus über den Auftrag, aber er nickte und griff nach Fuchs' Arm. Es tat so weh, den Zorn in ihren Augen zu sehen, doch der bloße Gedanke, sie zu verlieren, schmerzte mehr.

»Ich wusste es! Du willst die Dunkle Fee treffen.« Sie kämpfte wie die Füchsin, als der Soldat sie zurück zu Jacobs Hotelzimmer zerrte. »Tu es nicht! Jacob! Sie wird dich töten!«

Er konnte ihre Stimme immer noch hören, als der Aufzug unten in der Eingangshalle hielt, und für einen Moment wollte er tatsächlich wieder hinauffahren, nur um ihr den Zorn vom Gesicht zu wischen. Aber die Dunkle Fee war sicher schon in den Kaiserlichen Gärten.

Der andere Soldat war sichtlich erleichtert, dass Jacob nicht ihn auserwählt hatte, auf Fuchs aufzupassen. Jacob erfuhr auf dem Weg zum Palast, dass er aus einem Dorf im Süden kam und das Soldatenleben immer noch aufregend fand.

Das große Tor auf der Rückseite des Palastes wurde nur einmal im Jahr für das Volk geöffnet. Sein uniformierter Begleiter brauchte eine Ewigkeit, bis er das Schloss endlich aufbekam, und Jacob vermisste einmal mehr den magischen Schlüssel und all die anderen Dinge, die er in der Goylfestung verloren hatte. Der Soldat legte die Kette wieder vor, sobald Jacob sich durch das Tor geschoben hatte, aber er blieb mit dem Rücken dazu auf dem Gehsteig stehen. Donnersmarck würde wissen wollen, ob Jacob von seinem nächtlichen Ausflug zurückgekommen war.

Aus der Ferne hörte man die Geräusche der Stadt, Kutschen und Pferde, Betrunkene, Straßenverkäufer und die Rufe der Nachtwächter. Aber hinter den kaiserlichen Gartenmauern rauschten die Brunnen, und in den Bäumen sangen die künstlichen Nachtigallen, die Therese zu ihrem letzten Geburtstag von einer ihrer Schwestern geschenkt bekommen hatte. Im Palast brannte hinter einigen Fenstern noch Licht, doch auf den Balkonen und Treppen war es gespenstisch still für den Vorabend einer kaiserlichen Hochzeit, und Jacob versuchte, sich nicht zu fragen, ob Will hinter einem der Fenster stand. Solange er nur nicht bei der Fee war …

Es war eine kalte Nacht, und Jacobs Stiefel hinterließen dunkle Spuren auf den raureifweißen Rasenflächen, aber das Gras verschluckte das Geräusch seiner Schritte weit besser als die kiesbestreuten Wege. Jacob hielt nicht Ausschau nach den Fußspuren der Dunklen Fee. Er wusste, wohin sie gegangen war. Im Herzen der Kaiserlichen Gärten lag ein Teich, dessen Oberfläche so dicht mit Lilien bedeckt war wie der See der Feen, und wie dort beugten sich Weiden über das dunkle Wasser.

Die Fee stand zwischen ihnen, auf ihrem bernsteinbraunen Haar das Licht der Sterne. Die zwei Monde liebkosten ihr die Haut, und Jacob spürte, wie sein Zorn in ihrer Schönheit ertrank. Er musste seinen verletzten Arm berühren, um sich daran zu erinnern, wozu er gekommen war.

Sie fuhr herum, als sie seine Schritte hinter sich hörte, aber er trug Schwarz über dem weißen Hemd, wie ihre Schwester ihn instruiert hatte. *»Weiß wie Schnee. Rot wie Blut. Schwarz wie Ebenholz.«*

Ihre Motten schwärmten aus, um ihn anzugreifen, aber Jacob hatte sich bereits den Arm aufgeschnitten, die Wunde öffnend, die das Schwert seines Bruders geschlagen hatte. Er wischte das Blut auf sein weißes Hemd, und die Motten taumelten zurück, als hätte er ihnen die Flügel verbrannt.

»Weiß, rot, schwarz … Schneewittchenfarben«, sagte er, während er die Messerklinge am Ärmel abstrich. »So hat mein Bruder sie immer genannt. Es war eins seiner Lieblingsmärchen. Aber wer hätte gedacht, dass diese Farben so mächtig sind?«

Die Fee machte einen Schritt zurück. »Und woher weißt du von den drei Farben?«

»Deine Schwester hat sie mir verraten.«

Sie lächelte.

»Sie verrät dir unsere Geheimnisse als Dank dafür, dass du sie verlassen hast?«

Sieh sie nicht an, Jacob.

»Ja, das klingt nach meiner roten Schwester. Sie belohnt ihren verflossenen Liebhaber dafür, dass er sie verlässt, indem sie ihm all unsere Geheimnisse verrät. Sie ist so schwach.«

Sie streifte die Schuhe ab und trat näher ans Wasser. Jacob spürte ihren Zauber so deutlich wie die kalte Nachtluft. »Das, was du getan hast, ist offenbar schwerer zu verzeihen.«

Sie lachte leise.

»Ja, sie sind immer noch empört darüber, dass ich fortgegangen bin. Aber was glaubt meine Schwester damit zu gewinnen, dass sie dir von den drei Farben erzählt? Als ob ich die Motten bräuchte, um dich zu töten.«

Sie trat zurück, bis das Wasser des Teichs sich über ihren nackten Füßen schloss, und die Nacht begann zu flirren, als verwandelte die Luft selbst sich in schwarzes Wasser.

Jacob spürte, wie ihm das Atmen schwer wurde.

»Gib mir meinen Bruder zurück.«

»Warum? Ich habe ihn nur zu dem gemacht, der er immer sein sollte.« Sie strich sich das schimmernde Haar zurück. »Weißt du, was ich glaube? Meine rote Schwester ist immer noch zu verliebt in dich, um dich selbst zu töten. Also hat sie dich zu mir geschickt!«

Jacob spürte, wie ihr Zauber begann, ihn alles vergessen zu lassen. Will, Fuchs, den Zorn, der ihn in diese Gärten gebracht hatte, ja sogar sich selbst.

Sieh sie nicht an, Jacob! Er umklammerte erneut seinen verletzten Arm, damit der Schmerz ihn erinnerte. Die Wunde, die das Schwert seines Bruders geschlagen hatte. Er grub die Finger in den Schnitt, bis ihm das Blut über die Hand rann.

Die Dunkle Fee watete zurück ans Ufer. Sie kam langsam auf ihn zu, wie eine Jägerin, die sich ihrer Beute nähert.

Ja. Komm näher.

»Bist du wirklich so arrogant, zu glauben, dass du herkommen und mir Forderungen stellen kannst?«, sagte sie und blieb dicht vor ihm stehen. »Denkst du, weil eine Fee dir nicht widerstehen konnte, ist es um uns alle geschehen?«

So nah.

»Nein. Das ist es nicht«, sagte Jacob.

Sie erkannte ihren Fehler, sobald er nach ihrem weißen Arm griff. Ihre Augen weiteten sich und die Nacht spann sich ihm wie Spinnweben um den Mund, aber Jacob sprach ihren Namen aus, bevor ihr Zauber ihm die Zunge lähmen konnte.

Sie hob die Hände, als könnte sie die verhängnisvollen Silben noch abwehren. Doch ihre Finger verwandelten sich bereits in Zweige und ihre Füße trieben Wurzeln in die Erde. Ihr Haar wurde zu Blättern, ihre Haut zu Rinde und ihr Aufschrei klang wie das Rauschen des Windes in den Blättern einer Weide.

»Es ist ein schöner Name«, sagte Jacob, während er zwischen die herabhängenden Zweige trat. »Hast du ihn je deinem Liebhaber verraten?«

Die Weide seufzte, und ihr Stamm beugte sich über den Teich, als weinte sie herab auf ihr Spiegelbild.

»Du hast meinem Bruder eine Haut aus Jade gegeben. Ich gebe dir eine aus Rinde.« Jacob knöpfte den schwarzen Mantel über dem blutverschmierten Hemd zu. »Das klingt nach einem fairen Handel, denkst du nicht? Ich werde mich jetzt auf die Suche nach Will machen. Ich werde ihn zu dir bringen und du wirst die Jade vertreiben, oder ich lege Feuer an deine Wurzeln.«

Jacob konnte nicht sagen, woher ihre Stimme kam. Vielleicht war sie nur in seinem Kopf, aber er hörte sie so deutlich, als flüsterte sie ihm jedes Wort ins Ohr: »Du kannst meinen Zauber nicht brechen. Du musst mich gehen lassen, wenn du willst, dass dein Bruder seine Menschenhaut zurückbekommt.«

»Deine Schwester hat mir gesagt, dass du das behaupten wirst«, sagte Jacob. »Und dass ich dir nicht glauben soll.«

»Lass mich gehen«, flüsterten die Blätter der Weide, »und ich werde ihm helfen!«

»Nein«, sagte Jacob und griff in die tief herabhängenden Zweige. »Deine Schwester hat mich auch angewiesen, das hier zu tun.«

Die Weide seufzte, als er eine Handvoll der silbergrünen Blätter pflückte und sie in sein Taschentuch einschlug.

»Ich soll diese Blätter deiner Schwester bringen«, sagte Jacob. »Aber ich werde sie behalten. Ich habe den Verdacht, dass sie deiner Schwester Macht über dich geben würden. Vielleicht gilt das auch für mich.«

Ein Schaudern lief durch die Weide. Der Teich unter ihr war ein Spiegel aus Silber.

»Bitte!«, flüsterten die Blätter. »Der Jadegoyl muss an Kami'ens Seite bleiben, bis die Hochzeit vorbei ist.«

»Warum?«

»Ich habe es gesehen.«

»Was hast du gesehen?« Jacob spürte ihren Zauber immer noch. Er war überall, in der Luft, im Wind, in der Erde. Aber sie konnte ihn nicht nutzen, um sich zu befreien, weil ihre Schwester sie verraten hatte. Für einen Augenblick spürte Jacob ihren Schmerz und ihre Angst um ihren Geliebten so stark, dass er sich fast darin verlor. *Zauberei, Jacob. Mach, dass du fortkommst.*

»Was immer du gesehen hast«, sagte er, während er vor der weinenden Weide zurückwich, »mein Bruder wird keinen Anteil daran haben.« Er schloss die Finger um das Taschentuch, in das er die Blätter eingeschlagen hatte. Es fühlte sich an, als berührte er erneut ihren Arm. *Geh!*

»Versprich es!«

Er hörte ihre Stimme auch noch, als der Teich längst hinter den Hecken verschwunden war.

»Bitte! Er muss an Kami'ens Seite sein!«

Selbst die Sterne schienen die Worte zu wispern.

Aber sein Bruder war nicht mal in dieser Welt geboren worden. Wie sollte er der Retter ihres steinernen Königs sein?

Der Schmerz der Fee folgte ihm dennoch. Als spürte die Nacht ihn ebenfalls.

47

DIE WUNDERKAMMERN
DER KAISERIN

Ich werde ihn zu dir bringen. Wie? Jacob stand eine Stunde lang hinter den Stallungen, die zwischen den Gärten und dem Palast lagen, und suchte nach der Antwort. Im Nordflügel fiel durch eins der Fenster noch Licht, flackerndes, gedämpftes Kerzenlicht, wie die Goyl es bevorzugten. Von Zeit zu Zeit erschien eine Silhouette hinter dem Fenster. Der König der Goyl hielt Ausschau nach seiner Geliebten. Fürchtete er, dass sie ihn verlassen hatte, weil er, wenn die Sonne aufging, eine andere heiraten würde?

Ich werde ihn zu dir bringen.

Wie, Jacob?

Es war ein Kinderspielzeug, das ihm die Antwort gab. Ein schmutziger Ball, der zwischen den Eimern lag, mit denen die Knechte die Pferde tränkten. *Natürlich.* Der Goldene Ball. Er selbst hatte ihn vor drei Jahren an die Kaiserin verkauft. Der Ball war einer von Thereses liebsten Schätzen, und Jacob war bei ihr gewesen, als sie ihn höchstpersönlich in ihre Wunderkammern gebracht hatte. Aber dank ihres Befehls würde ihn kein Wächter in den Palast lassen und den Schwindschleim hatten die Goyl ihm abgenommen.

Es kostete ihn eine weitere Stunde, eine der Schnecken zu finden, die den Schleim produzierten. Die kaiserlichen Gärtner töteten alle, die sie fanden, weil sie sie bissen, wenn sie die Blumenbeete vom Unkraut befreiten. Aber Jacob entdeckte schließlich zwei unter dem moosbedeckten Rand eines Brunnens. Sie waren auf der Jagd gewesen, aber ihre Häuser wurden schon wieder sichtbar, und ihr Schleim wirkte, sobald Jacob ihn sich unter die Nase strich. Es war nicht viel, aber für ein, zwei Stunden würde es reichen.

Vor dem Eingang, den Lieferanten und Dienstboten benutzten, lehnte nur ein sachte vor sich hin schnarchender Wächter an der Mauer, und Jacob gelang es, sich an ihm vorbeizuschleichen, ohne ihn zu wecken.

In den Küchen und Wäschekammern wurde selbst nachts gearbeitet. Ein Zimmermädchen, dem man die Müdigkeit ansah, blieb erschrocken stehen, als Jacobs unsichtbarer Ellbogen sie streifte, aber er hatte schon bald die Treppe erreicht, die fort von den Dienern und hinauf zu den Herren führte. Seine Haut wurde bereits taub, weil er den Schleim erst vor ein paar Tagen benutzt hatte, doch zum Glück setzte noch keine Lähmung ein.

Die Wunderkammern lagen im Südflügel, dem jüngsten Teil des Palastes. Die sechs Säle, die sie inzwischen einnahmen, waren mit Lapislazuli verkleidet, weil es von diesem Stein hieß, dass er die magische Potenz der ausgestellten Artefakte schwächte. Die kaiserliche Familie hatte schon immer Geschmack an den Zaubergegenständen dieser Welt gefunden. Sie teilten diese Leidenschaft mit den meisten

Adligen dieser (und der anderen) Welt und im Laufe von sechs Generationen hatten sie eine beachtliche Sammlung zusammengetragen. Es ist nicht leicht, eine Welt zu regieren, in der Bettler von einem Goldbaum zu Fürsten gemacht wurden und sprechende Tiere Waldarbeitern rebellische Weisheiten zuflüsterten. Also hatte der Vater der jetzigen Kaiserin schließlich ein Gesetz erlassen, das verfügte, dass alle Gegenstände, Pflanzen und Kreaturen mit magischen Eigenschaften den Behörden zu melden waren. Die kaiserliche Sammlung hatte sich durch diese Verordnung noch beträchtlich vergrößert.

Es gab keine Wachen vor den vergoldeten Türen der Wunderkammern. Der Schmied, der sie gemacht hatte, war bei einer Hexe in die Lehre gegangen. In die Bäume, die auf den Türblättern goldene Zweige spreizten, waren die Zweige von Hexenbäumen eingelassen, und wer die Türen öffnete, ohne ihr Geheimnis zu kennen, wurde von den Zweigen aufgespießt. Sie schnellten heraus wie Lanzen, sobald man die Klinken berührte, und zielten, wie die Bäume im Schwarzen Wald, zuerst nach den Augen. Aber als regelmäßiger Besucher der Wunderkammern kannte Jacob das Geheimnis, wie man unbeschadet an ihnen vorbeikam.

Man musste sehr dicht vor den Türen stehen, um den Specht zu finden, den der Schmied zwischen den goldenen Blättern versteckt hatte. Sein Gefieder färbte sich bunt wie die Federn eines lebenden Vogels, sobald Jacob auf das Gold hauchte, und die schweren Türen schwangen so lautlos auf, als hätte ein plötzlicher Windstoß sie geöffnet.

Die Wunderkammern von Austrien. Nur die Zaren von Varangia hatten angeblich eine noch beeindruckendere Sammlung.

Der erste Saal war mit Zaubertieren gefüllt, die die Jagdbeute verschiedener Mitglieder der kaiserlichen Familie geworden waren. Ihre Glasaugen schienen Jacob zu folgen, als er an den Vitrinen vorbei-

schritt, die die ausgestopften Körper vor Staub und Motten schützten. Ein Einhorn. Geflügelte Hasen. Ein Brauner Wolf. Menschen-
schwäne. Zauberkrähen. Sprechende Pferde. Natürlich gab es auch
eine Füchsin. Jacob musste den Blick abwenden, als er an der Vitrine
vorbeiging.

Die zweite Kammer enthielt Artefakte, die von Hexen stammten.
Die Wunderkammern machten keinen Unterschied zwischen Heile-
rinnen und Kinderfresserinnen. Messer, die Fleisch von Menschen-
knochen gelöst hatten, lagen neben einer Nadel, die mit einem Stich
Wunden heilte, und Eulenfedern, die Blinde wieder sehen ließen. Es
gab zwei der Besen, auf denen die Heilenden Hexen so schnell und
hoch wie Vögel flogen, und Lebkuchen von den tödlichen Häusern
ihrer kinderfressenden Schwestern.

In den Vitrinen der dritten Kammer waren Nymphen- und Wasser-
mannschuppen ausgestellt, die einem, wenn man sie unter die Zunge
legte, erlaubten, sehr tief und lange zu tauchen. Aber es gab auch
Drachenschuppen in jeder Größe und Farbe zu sehen. In fast jedem
Winkel dieser Welt gab es Gerüchte über angeblich noch lebende
Exemplare, aber Jacob selbst hatte nur einmal hoch im Norden einen Schatten am Himmel gesehen, der verdächtig dem mumifizierten
Körper glich, der in der vierten Kammer ausgestellt war. Allein der
Schwanz nahm fast eine halbe Wand ein, und die gewaltigen Zähne
und Klauen erfüllten viele Besucher der Wunderkammern mit Dankbarkeit, dass die kaiserliche Familie seine Art ausgerottet hatte. Jacob
aber hatte die Hoffnung nicht aufgegeben, dass er eines Tages hinter
dem Spiegel einem lebenden Drachen begegnen würde – oder wenigstens ein Ei finden würde, das noch einen Funken Leben barg.

Der Goldene Ball, für den er gekommen war, lag in der fünften
Kammer auf einem Kissen aus schwarzem Samt. Jacob hatte ihn in
einer Wassermannhöhle neben der entführten Tochter eines Bäckers

gefunden. Der Ball war kaum größer als ein Hühnerei, und die Beschreibung, die auf den Samt geheftet war, klang fast wie ein Zitat aus dem Märchen, das er so oft in der anderen Welt gehört hatte:

Ursprünglich Lieblingsspielzeug der jüngsten Tochter Leopolds des Gutmütigen, mit dem sie ihren Bräutigam (später Wenzeslaus der Zweite) fand und von einem Frosch-Fluch befreite.

Aber das war nicht die ganze Wahrheit. Der Ball war eine Falle. Jeder, der den Fehler machte, ihn aufzufangen, wurde in sein Inneres gezogen, und seine Opfer konnten ihre Freiheit nur wiedererlangen, wenn jemand die goldene Oberfläche polierte.

Jacob brach die Vitrine mit dem Messer auf. Für einen Moment war er versucht, noch ein paar andere Dinge mitzunehmen, die die Truhe in Chanutes Gasthaus hätten auffüllen können, doch die Kaiserin würde über den Ball verärgert genug sein. Jacob schob ihn gerade in die Manteltasche, als in der ersten Kammer die Gaslichter aufflammten. Sein Körper begann schon wieder sichtbar zu werden, und er verbarg sich hastig hinter einer Vitrine, in der ein abgetragener Siebenmeilenstiefel stand, den Chanute dem Vater der Kaiserin verkauft hatte. Der zweite befand sich, sehr zu Thereses Verdruss, im Besitz von Wilfred, dem Walross, dem König von Albion.

Die Schritte, die durch die Säle hallten, kamen näher, und schließlich hörte Jacob, wie jemand sich an den Vitrinen zu schaffen machte. Er konnte nicht sehen, wer es war, aber er wagte nicht, sich zu rühren, um es herauszufinden, aus Angst, seine Schritte würden ihn verraten. Wer immer der späte Besucher war, er blieb nicht lange. Das Licht erlosch, die schweren Türen fielen zu und Jacob war erneut allein mit den Zauberschätzen Austriens.

Ihm war inzwischen speiübel von dem Schleim, aber er konnte nicht widerstehen, noch einmal an den Vitrinen entlangzugehen, um herauszufinden, wofür der andere Besucher gekommen war. Eine der Heilenden Hexennadeln fehlte, zwei Drachenkrallen, die angeblich vor Verletzungen schützten, und ein Stück Wassermannhaut, dem man dieselbe Wirkung zuschrieb. Jacob konnte sich keinen Reim darauf machen, und schließlich gab er sich mit der Erklärung zufrieden, dass die Kaiserin Kami'en ein paar Zauberdinge zur Hochzeit schenken wollte, um sicherzustellen, dass er nicht schon bald von einem weniger friedensbereiten Goyl ersetzt wurde.

Die goldenen Türen fielen so lautlos hinter Jacob zu, wie sie ihn eingelassen hatten. Inzwischen war ihm so übel, dass er sich fast übergeben musste. Er hatte Krämpfe in den Armen und Beinen – die ersten Vorboten der Lähmung, die der Schleim auslöste –, und die Palastkorridore nahmen kein Ende. Jacob beschloss, ihnen zurück in die Gärten zu folgen. Die Mauern, die sie von der Straße trennten, waren hoch, doch das Rapunzelseil ließ ihn auch diesmal nicht im Stich. Wenigstens eine nützliche Sache, die er aus der Goylfestung zurückgebracht hatte.

Donnersmarcks Mann stand wie erwartet noch vor dem Tor, aber Jacob gelang es, sich an ihm vorbeizustehlen. Sein Körper wurde mit jedem Schritt sichtbarer, aber noch war er so schemenhaft wie der eines Geistes, und ein Nachtwächter, der seine Runden in den nächtlichen Straßen zog, ließ bei seinem Anblick vor Schreck die Laterne fallen.

Zum Glück war er wieder sichtbar genug, als er das Hotel erreichte. Jeder Schritt war mühsam und seine Finger wollten sich kaum noch krümmen. Er schaffte es gerade noch in den Aufzug.

Er musste so laut gegen die Tür klopfen, dass zwei Gäste die Köpfe aus ihren Zimmern steckten, bevor der Soldat endlich öffnete. Jacob stolperte an ihm vorbei und übergab sich im Badezimmer.

»Wo ist sie?«, fragte er, als er zurück ins Zimmer kam. Er musste sich gegen die Wand lehnen, damit ihm die Knie nicht nachgaben.

Fuchs war nirgends zu sehen.

»Ich hab sie in den Schrank gesperrt!« Der Soldat hielt anklagend seine mit einem blutigen Taschentuch umwickelte Hand hoch. »Sie hat sich verwandelt und mich gebissen!«

Jacob schob ihn auf den Korridor hinaus.

»Richte Donnersmarck aus, dass erledigt ist, was ich versprochen habe.«

Das runde Jungensgesicht des Soldaten verriet, wie gern er mehr gehört hätte, aber er war es gewohnt, Befehlen zu folgen, ohne Fragen zu stellen. Jacob schaffte es kaum, die Tür hinter ihm zu schließen. Als er sich erschöpft dagegenlehnte, hinterließ eine der Graselfen, die immer noch im Zimmer herumschwirrten, ihren silbrigen Staub auf seiner Schulter. *Süße Träume, Jacob.* Aber er musste immer noch seinen Bruder zu der seufzenden Weide bringen.

Die Füchsin entblößte die Zähne, als er den Schrank öffnete. Falls sie erleichtert war, ihn zu sehen, verbarg sie es gut.

»Ich nehme an, das war die Fee?«, fragte sie beim Anblick seines blutverschmierten Hemdes – und beobachtete mit unbewegtem Gesicht, wie er vergebens versuchte, es auszuziehen. Seine Finger waren inzwischen steif wie Holz.

»Ich rieche Schwindschleim.« Fuchs leckte sich das Fell, als spürte sie immer noch, wo der Soldat sie zu packen versucht hatte.

Jacob setzte sich aufs Bett, solange er es noch konnte. Seine Knie wurden auch schon steif. »Du musst mich beißen. Bitte. Die Zeit läuft mir davon und ich kann mich kaum bewegen.«

Sie musterte ihn so lange, dass Jacob sich fragte, ob die Füchsin das Sprechen verlernt hatte.

»Ja, ein fester Biss könnte vielleicht helfen«, sagte sie schließlich.

»Und ich gebe zu, mir ist sehr danach. Ich habe mich danach gesehnt, dir meine Zähne ins Fleisch zu schlagen, seit du mich dem Soldaten überlassen hast. Aber vorher will ich wissen, was du vorhast. Und keine Lügen! Versuch es gar nicht erst.«

48

HOCHZEITSPLÄNE

Das erste Morgenrot zeigte sich über den Dächern der Stadt, aber Therese von Austrien hatte nicht geschlafen. Sie hatte gewartet, Stunde um Stunde, auf die eine Nachricht, die sie sich sehnte zu hören. Doch als Auberon Donnersmarck endlich in ihr Audienzzimmer führte, verbarg ihr Gesicht all das Warten und Hoffen hinter einer Maske aus Puder.

Ihr Adjutant überbrachte die Neuigkeiten zögernd, auch wenn sie genau die waren, auf die Therese gehofft hatte.

»Er hat es getan, Euer Majestät. Kami'en lässt bereits nach ihr suchen, aber Jacob schwört, dass sie sie nicht finden werden.«

O ja. Ihre Niederlage war noch nicht besiegelt. Zum ersten Mal seit Monaten fühlte Therese ihre alte Zuversicht.

»Sag Jacob, ich bin froh, dass ich ihn nicht habe erschießen lassen.« Sie strich sich über das straff zurückgesteckte Haar. Es wurde grau, aber sie ließ es färben. Golden, wie das ihrer Tochter. Sie würde Amalie behalten. Und ihren Thron. Und ihren Stolz.

Donnersmarck hatte sich nicht gerührt.

»Worauf wartest du? Gib die vorbereiteten Befehle.«

Er senkte den Kopf, wie immer, wenn er von einem Befehl wenig hielt.

»Was?«

»Ihr könnt Kami'en töten, aber seine Armeen stehen immer noch kaum zwanzig Meilen entfernt.«

»Sie werden sich ergeben, sobald Kami'en tot ist.«

»Einer der Onyxgoyl wird ihn ersetzen.«

»Und Frieden machen! Die Onyxgoyl wollen nur unter der Erde herrschen.« Sie stellte sicher, dass Donnersmarck die Ungeduld in ihrer Stimme nicht überhören konnte. Sie wollte nicht denken, sie wollte handeln. Bevor die Gelegenheit verstrich.

»Sie werden ihn rächen wollen, sowohl seine Soldaten als auch sein Volk. Die Goyl vergöttern ihren König! Egal was die Onyx behaupten.«

Himmel, er war so störrisch! Warum hatte sie ihn zu ihrem Adjutanten gemacht? Weil er klüger war als all die anderen. Und unbestechlich. Und weil er es wagte, ihr die Wahrheit zu sagen. Dazu gehörte sehr viel Mut.

»Ich sage es nicht noch einmal. Gib die vorbereiteten Befehle!«

Auberon winkte den Diener herein, der ihr Frühstück brachte. Gut. Sie war hungrig. Zum ersten Mal seit Wochen.

Donnersmarck hatte sich immer noch nicht gerührt.

»Was ist mit Jacobs Bruder?«

»Was soll mit ihm sein? Er ist Kami'ens Leibwächter, also erwarte ich, dass er mit seinem König sterben wird. Hast du die Dinge für meine Tochter?«

Donnersmarck legte sie alle auf den Tisch, an dem Therese als Kind oft gesessen und ihrem Vater dabei zugesehen hatte, wie er Verträge und Todesurteile besiegelte. Inzwischen trug sie den Siegelring. Und ja, Donnersmarck hatte ihr alles gebracht, wonach sie verlangt hatte: eine Heilende Hexennadel, eine Drachenkralle und ein Stück Wassermannhaut. Therese strich über die mattgrünen Schuppen, die einmal die Hand eines Wassermanns bedeckt hatten.

»Lass die Kralle und die Haut ins Brautkleid meiner Tochter einnähen«, befahl sie der Zofe, die wartend neben der Tür stand. »Und die Nadel gebt dem Arzt, der sich in der Sakristei bereithalten wird.«

Donnersmarck reichte ihr eine weitere Kralle.

»Ich habe diese für Euch mitgebracht, Euer Majestät.«

Er salutierte und wandte sich zum Gehen.

»Was ist mit Jacob? Hast du ihn verhaften lassen?«

Donnersmarck wandte sich um, das Gesicht ebenso ausdruckslos wie das ihre.

»Der Soldat, dem ich befohlen hatte, vor dem Tor auf ihn zu warten, schwört, dass er nicht aus den Gärten zurückgekommen ist. Die Palastwachen haben ihn ebenfalls nicht gesehen.«

»Ich nehme an, du lässt sein Hotel beobachten?«

»Selbstverständlich.« Er erwiderte ihren Blick mit großer Gelassenheit. »Ich werde unterrichtet, sobald er dorthin zurückkehrt oder abreisen will.«

Die Kaiserin schloss die Finger um die Drachenkralle, die er ihr in die Hand gelegt hatte.

»Ich will, dass er gefunden wird. Du weißt, wie er ist. Du kannst ihn wieder freilassen, sobald die Hochzeit vorbei ist.«

»Für seinen Bruder wird das zu spät sein.«

»Es ist schon jetzt zu spät für ihn. Er ist ein Goyl. Seit wann muss ich dir erklären, was das bedeutet?«

Draußen brach ein neuer Tag an und die Dunkle Fee war fort. Zeit für Therese von Austrien, sich zurückzuholen, was der gekrönte Goyl ihr gestohlen hatte.

Wer wollte Frieden, wenn man siegen konnte?

49

EINER VON IHNEN

Will versuchte, nicht zuzuhören. Er war der Schatten des Königs, nur da, um zu bewachen und zu beschützen. Doch Hentzau sprach so laut, dass man ihn nur schwer überhören konnte.

»Ihr müsst die Hochzeit verschieben! Wir haben damit gerechnet, dass die Fee an Eurer Seite ist. Ohne sie muss ich Euren Schutz ganz neu organisieren und die zusätzlichen Truppen können nicht vor morgen hier sein!«

Kami'en knöpfte sich die Uniformjacke zu. Kein Frack für den Bräutigam. Er hatte sie in der Uniform geschlagen, und er würde sie tragen, wenn er eine von ihnen heiratete. Der erste Goyl, der eine Menschenfrau nahm.

»Ihr wisst, ich habe ihr nie getraut. Ich habe Euch das mehr als ein Mal gesagt, aber es sieht ihr nicht ähnlich, ohne ein Wort zu verschwinden!« Aus Hentzaus Stimme klang etwas, das Will dort noch nie gehört hatte. Angst. Angst um seinen König.

»Im Gegenteil. Es sieht ihr sehr ähnlich.« Kami'en ließ sich von Will den Säbel reichen. »Sie hasst unsere Sitte, sich mehrere Frauen zu nehmen. Auch wenn ich ihr oft genug erklärt habe, dass sie ebenso das Recht hat, andere Männer zu haben.«

Er schnallte sich den Säbel an den silberbeschlagenen Gürtel und trat vor den Spiegel, den Hentzau hatte inspizieren lassen, nachdem ein anderer sich als Werkzeug der kaiserlichen Spione erwiesen hatte. Das schimmernde Glas erinnerte Will an etwas. Aber an was?

»Vermutlich hat sie es von Anfang an so geplant«, sagte Kami'en. »Deshalb war es ihr so wichtig, den Jadegoyl vor der Hochzeit zu finden. Weil sie wusste, dass sie nicht hier sein würde. Und da ist er …«, setzte er mit einem Blick auf Will hinzu. »Du siehst, ich bin vollkommen sicher. Solange wir beide an Märchen glauben.«

Kami'en glaubte nicht an sie. Ebenso wenig wie Hentzau. So viel wusste Will inzwischen. Aber die Dunkle Fee glaubte an sie und sie wusste mehr über die Welt als der König der Goyl und sehr viel mehr als sein Jaspishund. Sie wusste alles, weil sie alles war, woraus die Welt gemacht war. Sie war Leben. Und Tod.

»Weiche nie von Kami'ens Seite. Niemals.« Sie hatte ihm das so oft gesagt, dass Will die Worte in seinen Träumen hörte. *»Selbst wenn er dich fortschickt, gehorch ihm nicht!«*

Sie war so schön, schöner als alles, was er je gesehen hatte. Die Goyl wagten nicht, sie anzusehen, nur ihr König tat das. Kami'en sah Gefahr als Herausforderung. Vielleicht liebte er die Fee deshalb mehr als alle anderen Frauen. Schließlich gab es nichts Gefährlicheres in dieser Welt als sie. Hentzau aber verabscheute sie. Ein Schatten konnte all das sehen und verstehen, und Will liebte es, ein Schatten zu sein. Hatte er je etwas anderes getan? Er konnte sich nicht erinnern.

Hentzau hatte ihn hart trainiert – manchmal so hart, dass Will sicher gewesen war, dass er ihn töten wollte. Zum Glück heilte Jadehaut schnell, und erst gestern hatte er es zum ersten Mal geschafft, Hentzau den Säbel aus der Hand zu schlagen. »Was habe ich dir gesagt?«, hatte die Fee ihm zugeraunt. »Du bist zum Schutzengel geboren. Vielleicht lasse ich dir eines Tages Flügel wachsen.«

Ein Schutzengel. Ja. Die Aufgabe gefiel ihm. Aber er hatte die Fee fast enttäuscht, als der Mensch sich hinter der Wand versteckt hatte. Er konnte sein Gesicht nicht vergessen: die grauen Augen, das spinnwebfeine, dunkle Haar und die weiche Haut, die seine Schwachheit verriet …

»Die Wahrheit ist, dass du diesen Frieden nicht willst.« Kami'en klang gereizt. »Du würdest sie am liebsten alle erschlagen. Jeden Einzelnen von ihnen. Männer, Frauen und Kinder.«,

»Richtig«, erwiderte Hentzau heiser. »Weil sie dasselbe mit uns machen wollen. Mein König! Ich beschwöre Euch! Verschiebt die Hochzeit, bis Verstärkung eintrifft.«

Kami'en zog sich die Handschuhe über die Finger. Die meisten Goyl trugen Handschuhe, wenn sie unter Menschen waren, um ihre Krallen zu verbergen, und Kami'en machte keine Ausnahme, auch wenn er die seinen fast so kurz wie menschliche Fingernägel hielt. Seine Handschuhe waren aus dem Leder der Schlangen genäht, die so tief unter der Erde hausten, dass selbst den Goyl auf der Jagd nach ihnen fast die Haut schmolz. Die Fee hatte Will von den Schlangen erzählt. Sie hatte ihm so vieles beschrieben: die Straße der Toten, die Wasserfälle aus Sandstein, die unterirdischen Seen und Blütenwiesen aus Amethyst. Er konnte es nicht erwarten, all diese Wunder endlich mit eigenen Augen zu sehen. Die Festung … sie war alles, an das er sich erinnerte. Und dann hatte der Zug sie hierhergebracht.

»Du weißt genau, was sie sagen würden.« Kami'en wandte sich von dem Spiegel ab. »Der Goyl hat die Hochzeit verschoben, weil er sich nicht länger hinter dem Rock seiner Geliebten verstecken kann. Er hat den Krieg nur gewonnen, weil sie ihn mit ihrer Zauberei gerettet hat.«

Hentzau reichte ihm seinen Helm. Er war mit Echsenstacheln geschmückt.

»Du weißt, dass ich recht habe.« Kami'en drehte Hentzau den Rücken zu, und Will senkte hastig den Kopf, als er auf ihn zutrat.

Kami'en musterte ihn, als wäre er immer noch überrascht, ihn zu sehen. Der Jadegoyl. Seine Soldaten hatten einen anderen Namen für Will: Märchengoyl. Das war als Spott gedacht, aber Will konnte ihre Furcht sehen – vor dem, was nicht sein konnte, obwohl diese Welt mit Zauber durchsetzt war. Ein leichter Abglanz dieser Furcht nistete auch in Kami'ens Augen, aber sie wurde besiegt von seiner Neugier. Kami'ens Neugier war unersättlich und räumte der Furcht niemals das Feld. Will war froh, dass die Fee ihn zu seinem Schatten gemacht hatte. Er hätte keinem anderen König dienen wollen.

»Ich war bei ihr, als sie von dir geträumt hat, wusstest du das?« Will sah sein eigenes Spiegelbild in Kami'ens Augen. »Wie kann man träumen, was noch nicht geschehen, und einen Mann sehen, dem man nie begegnet ist? Oder hat sie dich herbeigeträumt? Hat sie all das Steinerne Fleisch nur gesät, um dich zu ernten?«

Will senkte den Kopf. »Ich bin hier, um an Eurer Seite zu stehen, mein König. Ich werde leben und sterben für Euch.« Denn das war es, was sie wollte, und nichts anderes zählte.

Kami'en lächelte.

»Du hast ihn gehört«, sagte er zu Hentzau. »Es scheint, das Märchen geht weiter. Der König der Goyl hat seine Geliebte verloren, aber sie hat ihm ein Geschenk hinterlassen, das ihn beschützen wird, aus atmendem, heiligem Stein.«

Er wandte sich zu Will um.

»Was waren die genauen Anweisungen, die sie dir gegeben hat? Sollst du selbst beim Jawort neben mir stehen?«

Will spürte Hentzaus milchigen Blick wie Raureif auf der Haut. Er nickte.

»Dann wird es so sein.« Kami'en drehte sich erneut zu Hentzau um. »Lass die Pferde anspannen. Der König der Goyl nimmt sich eine Menschenfrau.«

50
DIE SCHÖNE UND DAS BIEST

Hochzeit. Eine Tochter als Bezahlung und ein weißes Kleid, um darunter all die blutigen Schlachtfelder zu verstecken.

Die Kirchenfenster färbten das Morgenlicht golden, blau, grün und rot, und Jacob stand hinter einer der blumengeschmückten Säulen und beobachtete, wie die Bankreihen der Kathedrale sich mit Goyl, Zwergen und Menschen füllten. Er trug die Uniform der kaiserlichen Garden. Sie war ihm etwas zu groß, aber der Soldat, dem er sie abgenommen hatte, lag fest verschnürt in einer Seitengasse hinter der Kathedrale, und zwischen ihren Säulen standen so viele Gardisten, dass ein fremdes Gesicht niemandem auffiel. Ihre Uniformen bleichten weiße Flecken in das Farbenmeer, das mit den Gästen hereinschwemmte. Die Goyl dagegen sahen in ihren grauen Uniformen so aus, als hätten die Steine der Kathedrale Menschengestalt angenommen. Sie schauderten in der feuchten, kühlen Luft, die sich

zwischen den Säulen fing, aber das Dämmerlicht, das Tausende trop-
fender Kerzen vergoldeten, war wie für sie gemacht.

Jacob tastete nach dem Goldenen Ball in seiner Tasche. Er verfluchte den Schwindschleim immer noch dafür, dass er ihn in den
kostbaren Stunden der Nacht hilflos wie ein Kind gemacht hatte.
Er war nur dank der scharfen Zähne der Füchsin auf den Beinen.
Schmerz war das beste Mittel gegen die Lähmung, die der Schleim
bewirkte. Aber nun würde er seinen Bruder von Kami'ens Seite stehlen müssen, vor Hunderten von Hochzeitsgästen, und selbst wenn
ihm das gelang, konnte er nur hoffen, dass die Blätter in seiner Tasche ihm genug Macht über die Dunkle Fee gaben, um sie zu zwingen, den Jadegoyl zurück in die Märchen zu schicken, aus denen er
stammte.

*»Der Jadegoyl muss an Kami'ens Seite bleiben, bis die Hochzeit vorbei
ist.«*

Ja. Vermutlich war es besser, so lange zu warten. Nach der Hoch-
zeit würden alle Augen an dem Hochzeitspaar hängen, und die
Dunkle Fee würde wesentlich bereiter sein, ihren Fluch aufzuheben.
Aber warum fürchtete sie die Hochzeit so sehr? Sicher nicht der Ja-
worte wegen. Wovor sollte Will ihren Geliebten beschützen? Wovor?
Vor wem, ist vermutlich die richtige Frage, Jacob.

Er sah Valiant mit Fuchs und Clara den Mittelgang herunterkom-
men. Der Zwerg hatte sich rasiert, und selbst die kaiserlichen Minister, die sich in den ersten Bankreihen drängten, waren nicht besser
gekleidet als er. Auch Fuchs und Clara zogen viele bewundernde Blicke auf sich. Die Kleider, die Valiant ihnen gekauft hatte, mussten ein
Vermögen gekostet haben, aber was kümmerte das den Zwerg? Er
war offenbar sehr zuversichtlich, dass er bald der stolze Besitzer eines
Goldbaumes sein würde. Fuchs hatte ihm den Baum wohl zum Glück
noch nicht gezeigt. Sie runzelte die Stirn, als sie Jacob zwischen den

Säulen entdeckte. Sie hielt nichts von seinem Plan. Warum auch? Er selbst hielt auch nicht viel davon, aber dies war seine letzte Chance. Folgte Will Kami'en und seiner Braut erst wieder in die unterirdische Festung, würde es unmöglich sein, ihn zu der Dunklen Fee zu bringen, die dank des Verrats ihrer Schwester den Rest ihres unsterblichen Lebens in den Kaiserlichen Gärten verbringen würde.

Draußen begann die riesige Menschenmenge, die sich seit Sonnenaufgang auf dem Platz vor der Kathedrale versammelt hatte, zu jubeln. Goyl, Zwerge und Menschengäste, sie alle drehten sich in den Kirchenbänken um und starrten zu dem mit Blumen umkränzten Eingangsportal.

Es war der Bräutigam, der zwischen den weißen Lilien und Rosen erschien. Kami'en blieb für einen Moment in der Tür stehen, und ein Murmeln erhob sich, als Will neben ihn trat. Karneol und Jade. Sie schienen so sehr füreinander gemacht, dass selbst Jacob sich in Erinnerung rufen musste, dass sein Bruder nicht immer ein Gesicht aus Stein gehabt hatte.

Mit Will waren es sechs Leibwächter, die Kami'en folgten. Und Hentzau.

Auf der Empore hob die Orgel an mit dem Hochzeitsmarsch, und die Goyl begannen, auf den Altar zuzuschreiten. Bestimmt spürten sie den Hass, der ihnen von den Bänken mit den menschlichen Gästen entgegenschlug, aber der Bräutigam blickte so selbstbewusst drein, als wäre die Kathedrale von seinen Vorfahren gebaut worden und nicht von Thereses Ururgroßvater.

Will ging so dicht an der Bank vorbei, in der Clara saß, dass er fast ihre Schulter mit dem grauen Goylärmel streifte. Claras Gesicht wurde starr vor Schmerz, während sie ihm mit den Augen folgte, und für einen Moment hatte Jacob Sorge, dass sie aufstehen und seinem Bruder nachlaufen würde. Vielleicht hatte Valiant denselben

Gedanken, denn er legte seine Hand auf ihrem Arm, bis Will ein paar Bänke weiter war.

Kami'en hatte die Stufen vor dem Altar gerade erreicht, als die Kaiserin erschien. Ihr elfenbeinfarbenes Kleid hätte selbst der Braut alle Ehre gemacht. Die vier Zwerge, die ihre Schleppe trugen, beachteten den Bräutigam mit keinem Blick, aber die Kaiserin lächelte ihm wohlwollend zu, bevor sie die Stufen hinaufstieg und hinter dem Gitter aus geschnitzten Rosen Platz nahm, das links vom Altar die kaiserliche Loge umgab. Therese von Austrien war schon immer eine sehr begabte Schauspielerin gewesen.

Als Nächstes musste die Braut erscheinen.

Es war einmal eine Kaiserin, die hatte einen Krieg verloren. Aber sie hatte eine Tochter ...

Selbst die Orgel konnte den Jubel nicht übertönen, der von draußen hereindrang und Amalies Ankunft ankündigte. Was immer die Menge über den Bräutigam dachte, die Hochzeit einer Kaisertochter war trotzdem ein Anlass, zu jubeln und von besseren Zeiten zu träumen.

Die Prinzessin trug das puppenschöne Gesicht, das die Feenlilie ihr verschafft hatte, wie eine Porzellanmaske, aber trotzdem glaubte Jacob, in den allzu perfekten Zügen so etwas wie Freude zu entdecken. Amalies Augen hingen an Kami'en, als hätte sie selbst ihn als ihren Ehemann ausgewählt, weder seiner Krone wegen noch um Frieden zu machen oder um die politischen Ambitionen ihrer Mutter zu unterstützen. Nein. Jacob wäre jede Wette eingegangen, dass Amalie von Austrien in den König der Goyl verliebt war.

Kami'en erwartete sie mit einem Lächeln. Ob er sie auch liebte? Sein Karneolgesicht verriet es nicht. Will stand immer noch direkt neben ihm.

»Der Jadegoyl muss an Kami'ens Seite bleiben, bis die Hochzeit vorbei ist.«

Jacob blickte sich um, aber er konnte nichts entdecken, was die Furcht der Dunklen Fee rechtfertigte. Er wollte nur, dass es vorbei war. Er hatte sich entschieden, Will zu überwältigen, wenn das Brautpaar aus der Kathedrale kam oder wenn sie auf ihre Kutsche warteten. Ja, vielleicht würde das der beste Zeitpunkt sein. *Geh schneller*, wollte er Amalie zurufen. *Bringt es hinter euch.* Aber der höchste General ihrer Mutter führte die Braut zum Altar und er hatte es ganz offensichtlich nicht eilig.

Vier zusätzliche Garden hatten vor der Loge der Kaiserin Posten bezogen. Donnersmarck hatte sich zu ihr gesellt. Er flüsterte Therese etwas zu. Sie beide blickten zur Orgelempore hinauf, aber Jacob begriff immer noch nicht, was vor sich ging. Blind und taub, würde er sich später sagen.

Der erste Schuss fiel, als Amalie kaum ein Dutzend Schritte auf den Altar zugemacht hatte. Er kam von einem verdeckten Schützen auf der Orgelempore und galt offensichtlich Kami'en, aber Will stieß ihn rechtzeitig zur Seite. Der zweite Schuss verfehlte Wills Kopf nur knapp. Der dritte traf Hentzau in die Brust. Er fiel auf die Knie, und die Dunkle Fee, gefangen in einer Haut aus Weidenrinde, stöhnte in hilflosem Zorn in den Kaiserlichen Gärten. *Gut gemacht, Jacob.* Therese von Austrien hatte ihn benutzt wie einen abgerichteten Hund. Therese und Donnersmarck. *Nein, Jacob, er hat versucht, dich zu warnen. Auf seine Art.*

Die Kaiserin hatte ihre Attentatspläne wohl selbst vor ihrer Tochter geheim gehalten. Auch ihre Minister duckten sich entsetzt und sichtlich überrascht, Schutz suchend hinter der dünnen Holzverkleidung ihrer Bänke. Amalie stand da und starrte fassungslos zu ihrer Mutter hinauf, das vollkommene Gesicht verzerrt von Entsetzen. Der General, der sie hereingeführt hatte, wollte sie mit sich zerren, doch sie wurden beide mitgerissen von den schreienden Gästen, die aus den Bänken drängten. Wo wollten sie hin? Das Eingangsportal war längst verriegelt. Offensichtlich hoffte die Kaiserin, sich bei dieser Hochzeit nicht nur des Königs der Goyl, sondern auch ein paar unliebsamer Untertanen zu entledigen.

Jacob versuchte vergeblich, Fuchs und Clara in der panischen Menge zu entdecken. Er erinnerte sich daran, dass Fuchs gewöhnlich sehr viel besser verstand, sich in Sicherheit zu bringen als er, und dass Clara und Valiant keine bessere Beschützerin an ihrer Seite haben konnten. Aber ihm war dennoch übel vor Angst, weil er sie nirgends entdecken konnte. Will stand immer noch schützend vor Kami'en. Dessen Leibwächter hatten einen Ring aus grauen Uniformen um ihren König geschlossen. Die anderen Goyl versuchten, sich zu ihnen vorzukämpfen, doch sie fielen unter den Schüssen der Kaiserlichen wie Hasen, die ein Bauer auf seinem Stoppelfeld schoss.

Jacob hatte mehr Glück. Er schaffte es, die Altarstufen unverletzt zu erreichen. Er musste Will helfen, egal ob sein Bruder ihn erkannte oder nicht. Einer der Hofzwerge griff ihn auf der Treppe an. Jacob stieß ihm den Ellbogen in das bärtige Gesicht und glitt in einer Blutlache aus, als er die letzte Stufe hinaufstolperte. Es war überall, auf seidenen Kleidern und Marmorfliesen, aber die Goyl schlugen sich gut. Es hieß, dass sie ihre Haut vor Kämpfen zusätzlich durch Hitze und den Verzehr einer Pflanze härteten, die sie eigens dafür züchteten. Vielleicht waren sie klug genug gewesen, ähnliche Vorkehrungen auch für die Hochzeit ihres Königs zu treffen, doch auf jeden Goyl kamen mehr als zehn Kaiserliche. Will und Kami'en waren anscheinend trotzdem immer noch unverletzt und selbst Hentzau war wieder auf den Beinen.

Jacob schloss die Finger um den Goldenen Ball, aber es war unmöglich, ihn gezielt zu werfen. Will war umgeben von weißen Uniformen, und Jacob konnte kaum den Arm heben, ohne dass einer der Kämpfenden gegen ihn stolperte. Ein weiterer Goyl fiel. Der nächste war Hentzau. Es waren drei Kugeln nötig, um ihn erneut auf die Knie zu zwingen, und schließlich stand nur noch Will vor dem König. Kami'en wehrte drei Kaiserliche ab, als ihn zwei weitere von der Seite angriffen. Will tötete sie beide, obwohl der eine ihm den Säbel tief in die Schulter stieß. Die Fee hatte recht gehabt. Der Jadegoyl, der Schild ihres Geliebten. Zu dumm, dass er auch sein Bruder war.

Will und Kami'en kämpften inzwischen Rücken an Rücken, umzingelt von weißen Uniformen. Bald würde auch ihre Goylhaut sie nicht mehr retten.

Tu etwas, Jacob. Irgendetwas!

Aber was? Er hatte keine Munition mehr. Für einen Augenblick sah er Fuchsfell zwischen den Bänken und Valiant, der auf dem Gang schützend vor einer geduckten Gestalt stand. Gleich neben ihnen wurde ein Goyl von vier Kaiserlichen niedergestreckt. Und Therese von Austrien saß mit ihren Zwergen hinter den geschnitzten Rosen und wartete auf den Tod des Königs, der sie besiegt hatte.

Donnersmarck stand immer noch gleich neben ihr.

Für einen Moment begegneten sich ihre Augen über all die Kämpfenden und Sterbenden hinweg.

Ich habe dich gewarnt, sagte sein Blick.

Das hatte er.

Will wehrte vier Kaiserliche gleichzeitig ab. Das Blut lief ihm übers Gesicht. Blasses Goylblut. Er war am Ende seiner Kräfte, Jacob sah es ihm an, trotz der Jadehaut.

Jacob schob sich eine blutbefleckte Hand in die Tasche. Einer der kaiserlichen Minister stolperte gegen ihn, eine klaffende Wunde auf der Stirn, gerade als er das Taschentuch herauszog, und die trockenen

Weidenblätter fielen hinab auf die vielen Toten. Jacob sammelte die Blätter von blutgetränkten Hemden, Blusen und Uniformen. Goyl und Menschen. *Auf wessen Seite stehst du, Jacob?* Aber er konnte nicht mehr an Seiten denken, nur noch an seinen Bruder. Und Fuchs. Und Clara. Selbst der Zwerg kam ihm in den Sinn.

Er schrie den Namen der Dunklen Fee in den Kampflärm. Seine Stimme ertrank in dem Ozean aus Geschrei, Schusslärm und Stöhnen, der ihn umgab, aber sie hörte ihn dennoch, weit entfernt, von Weidenwurzeln an die feuchte Erde im Garten der Kaiserin gefesselt.

Die Rinde schälte sich noch von ihren Armen, als sie am Fuß der Altarstufen erschien, das lange Haar durchsetzt mit Weidenlaub. Sie hob die sechsfingrigen Hände und Ranken aus Glas wuchsen um Will und ihren Geliebten. Sie ließen Kugeln und Säbel abprallen wie Spielzeug. Jacob sah, wie sein Bruder zusammenbrach, die Augen auf die Fee gerichtet, und Kami'en ihn in seinen Armen auffing. Die Dunkle Fee aber begann zu wachsen wie eine Flamme, in die der Wind fuhr, und aus ihrem Haar schwärmten die Motten, Tausende von ihnen, und ließen sich auf der Haut von Menschen und Zwergen nieder, wo immer sie sie fanden.

Therese versuchte zu fliehen. Ihre Zwerge bahnten ihr einen Weg, aber sie brachen ebenso wie ihre Garden unter dem Angriff der Motten zusammen, und schließlich bedeckten die schwarzen Flügel auch die Haut der Kaiserin.

Menschenhaut. Fuchs trug hoffentlich ihr Fell, aber wo war Clara?

Jacob stolperte die Altarstufen hinunter und sprang über die Toten und Verwundeten. Seine Augen fanden die Füchsin. Sie stand auf dem Gang zwischen den Bänken und verteidigte zwei zusammengesunkene Körper, indem sie verzweifelt nach den Motten schnappte.

Jacob fiel neben ihr auf die Knie und suchte in seinen Taschen nach dem Rest von den Blättern, aber sie waren alle fort. Valiant regte sich noch, aber Clara war so blass wie der Tod. Und die Fee loderte immer noch wie eine Flamme.

»Ruf sie zurück!«, schrie er, aber ohne die Blätter konnte sie ihn nicht mal hören.

Weiß, rot, schwarz. Jacob scheuchte die Motten von Claras Haut und knöpfte seine weiße Uniformjacke auf. Es war genug Blut darauf, um das Rot zu liefern, aber wo sollte er das Schwarz hernehmen? Die Motten ließen sich auf ihm nieder, als er die Jacke schützend über Clara ausbreitete. Flatternde Flügel und Stachel, die sich ihm wie Splitter in die Haut bohrten. Sie säten Taubheit, die nach Tod schmeckte. Mit letzter Kraft zerrte er eine schwarze Krawatte vom Hals eines Toten und schlang sie Clara um den Arm. Dann brach er neben dem Zwerg zusammen.

»Fuchs!« Er brachte ihren Namen kaum noch über die Lippen.

Sie scheuchte ihm die Motten vom Gesicht, aber es waren zu viele. Er war so froh, dass ihr Fell sie vor ihnen beschützte. So froh.

»Weiß, rot, schwarz«, stammelte er, aber natürlich verstand sie nicht, wovon er sprach. Die Blätter … er tastete auf dem Boden nach ihnen, auf den kalten Fliesen, feucht vom Blut, aber seine Finger waren aus Blei.

»Genug!«

Kami'ens Stimme ließ die Motten aufwirbeln, als wäre der Wind ihren Opfern zu Hilfe gekommen.

Selbst das Gift in Jacobs Adern schien sich aufzulösen, bis nichts blieb als eine bleierne Müdigkeit. Die Dunkle Fee schrumpfte wie ein Feuer, das langsam ausbrannte, bis sie erneut einer sterblichen Frau glich. Man konnte ihren Zauber trotzdem noch spüren wie einen Duft, der die Kathedrale füllte, dunkel und schwer, mit einer Ahnung von Zorn und Liebe. Und Traurigkeit.

Valiant rollte sich stöhnend auf die Seite, aber Clara rührte sich immer noch nicht. Sie schlug erst die Augen auf, als Jacob sich über sie beugte. *Er ist immer noch einer von ihnen.* Jacob musste es nicht sagen. Claras Blick fand Will, als sie sich mühsam aufrichtete, die Hand an eine der Bänke geklammert.

Kami'en und Will standen wieder auf den Füßen. Der Zauber der Fee war bereits dabei, ihre Wunden zu heilen, und die Glasranken wurden zu Wasser, sobald Kami'en einen Schritt auf sie zumachte. Es wusch das Blut von den Altarstufen und die Motten ließen sich auf den gefallenen Goyl nieder.

Die Dunkle Fee stieg die Stufen hinauf zu ihrem Geliebten, während viele seiner toten Soldaten sich bereits unter den Flügeln ihrer Motten regten. Sie wischte Kami'en und Will das blasse Blut vom Gesicht, und Jacob sah, wie sie seinem Bruder etwas zuflüsterte. Vielleicht dankte sie ihm für das Leben ihres Geliebten. Einer von Kami'ens überlebenden Soldaten zerrte die Kaiserin auf die Füße. Auberon griff ihn an, aber das Gift der Motten schwächte ihn noch, und der Goyl stieß ihn zur Seite und zerrte Therese auf Kami'en zu.

Ein paar der anderen Goyl trieben die Überlebenden aus den Bänken. Jacob entdeckte ein paar Weidenblätter zwischen den Toten, doch bevor er sich nach ihnen bücken konnte, schlang ihm ein Rubingoyl unsanft den Arm um den Hals.

»Versteck dich, Fuchs!«, brachte Jacob noch hervor, aber natürlich ignorierte sie ihn und folgte dem Goyl, der ihn und Clara auf die Altarstufen zustieß. Ein anderer packte Valiant, als er versuchte, sich zwischen den Leichen zu verstecken, aber sie alle erstarrten, als sich in der hintersten Bankreihe eine schmale Gestalt erhob.

Weiße Seide, gesprenkelt mit Blut, und ein Puppengesicht, das trotz der Angst immer noch einer Maske glich. Amalie trat mit unsicherem Schritt auf den Mittelgang hinaus. Ihr Schleier war ebenso zerrissen wie ihr Kleid. Sie raffte es, um über den Körper des Generals zu steigen, der sie in die Kirche geführt hatte, und ging wie eine Schlafwandlerin auf den Altar zu, die lange Schleppe feucht und schwer von Blut.

Kami'en blickte ihr entgegen, als wägte er ab, ob er sie selbst töten oder dieses Vergnügen der Dunklen Fee überlassen sollte. Der Zorn der Goyl. Bei ihrem König war er ein kaltes Feuer.

»Bring mir einen von ihren Priestern«, befahl er Will. »Irgendeiner ist bestimmt noch am Leben.«

Therese sah ihn ungläubig an. Sie hielt sich nur mühsam aufrecht, aber Auberon stützte sie, obwohl er selbst kaum stehen konnte.

»Warum so überrascht?« Kami'en trat auf sie zu, den blutigen Säbel in der Hand. »Du hast versucht, mich umzubringen. Hast du gehofft, dass das alle Versprechen löscht, die du und deine Tochter gemacht haben?«

»Nein.« Amalie stand am Fuß der Treppe. Sie räusperte sich, und als sie weitersprach, zitterte ihre Stimme, aber es bestand kein Zweifel daran, dass sie meinte, was sie sagte: »Nein, ich werde das Versprechen, das ich dir gegeben habe, halten. Ungeachtet dessen, was meine Mutter getan hat.«

Therese starrte ihre Tochter an.

»Nun, ich werde …«, sagte sie und richtete sich sehr gerade auf, als könnte sie Kami'en so vergessen lassen, dass sie seine Gefangene war, »… ich werde dazu mein Einverständnis geben. Solange er …«, sie sah weiter nur ihre Tochter an, »… sein Versprechen hält. Frieden.« Diesmal blickte sie Kami'en an. »Frieden ist immer noch der Preis für die Hand meiner …«

»Frieden?«, wiederholte er mit einem Blick auf die Toten, die die Motten nicht ins Leben zurückgebracht hatten. »Ich fürchte, den muss man von diesem Tag an zu den Gefallenen zählen. Ich glaube, ich habe tatsächlich vergessen, was das Wort bedeutet. Aber …«, sagte er, an Amalie gerichtet, »… da es unsere Hochzeit ist, werde ich vorerst der Versuchung widerstehen, deine Mutter zu töten. Du kannst das ganz nach deinem Geschmack als Geschenk oder Strafe betrachten.«

Will hatte einen Priester gefunden, einen mageren alten Mann, der so eilfertig an die Seite des Bräutigams hastete, dass er über einen Toten stolperte. Das Gesicht der Dunklen Fee war weißer als das Kleid der Braut, als Amalie die Stufen hinaufstieg, um gemeinsam mit Kami'en vor den Altar zu treten.

Und so geschah es, dass der König der Goyl der Tochter von Therese von Austrien das Jawort gab, in einer Kirche, die widerhallte von der Stille des Todes. Und der Traurigkeit seiner Geliebten.

51

GEISELN

A ls Amalie von Austrien aus der Kathedrale trat, war ihr Brautkleid mit Blüten bedeckt. Die Dunkle Fee hatte aus den Blutflecken Rosen gemacht – weiße aus dem Goyl-, rote aus dem Men-
schenblut. Auf Kami'ens Uniform verbargen Rubine und Mondsteine
die Flecken und die Risse, die die Säbel der Kaiserlichen hinterlassen
hatten, und die wartende Menge vergaß ihren Hass und bejubelte
den Bräutigam ebenso wie die Braut. Einige der Beistehenden fragten sich, wieso dem Paar so wenige Gäste folgten, einige bemerkten
sogar die Furcht auf den Gesichtern der wenigen, die aus der Kirche traten, aber der Lärm auf den Straßen hatte die Schüsse und die
Schreie in der Kathedrale übertönt, die Toten schwiegen, und der
König der Goyl half seiner Menschenbraut in die goldene Kutsche,
die schon viele gekrönte Paare vor ihnen zum Kaiserpalast zurückgebracht hatte.

Eine endlose Reihe von Kutschen wartete vor der Kathedrale, und die Dunkle Fee blieb oben auf der Treppe stehen, während die Goyl die überlebenden Hochzeitsgäste hinuntereskortierten. Sie alle fühlten, wie der Blick der Fee ihnen folgte, und nicht einer der kaiserlichen Soldaten, die die wartende Menge bewachten, begriff, dass die Goyl die wartenden Kutschen vor ihren Augen mit Geiseln füllten. Von denen eine ihre Kaiserin war.

Therese stolperte fast, als Donnersmarck ihr in den Wagen half. Er hatte das Blutbad ebenso überlebt wie Auberon und zwei weitere ihrer Zwerge. Auberon war berühmt für seine Furchtlosigkeit. Die Kaiserin liebte es, ihren Besuchern von den zahllosen Wassermännern und Menschenfressern zu erzählen, die er getötet hatte, aber seine Kampfkunst hatte ihn nicht vor den Motten der Fee beschützen können. Sein bärtiges Gesicht war so aufgequollen von ihrem Gift, dass er kaum sehen konnte und Donnersmarcks Hilfe brauchte, um der Kaiserin in die Kutsche zu folgen. Jacob wusste nur zu gut, wie der Zwerg sich fühlte. Seine eigene Haut war so taub von den Stichen, als hätte er sie einem toten Mann gestohlen. Clara ging es bestimmt nicht besser, und Valiant stolperte über die eigenen Füße, während sie die Treppe vor der Kathedrale hinabstiegen.

Jacob flehte Fuchs mit den Augen an, sich davonzustehlen, als die Goyl ihn zu einer der Kutschen winkten, aber die Füchsin folgte Clara hinein, bevor die Goyl sie bemerkten. Geiseln … Jacob war sicher, dass die Goyl sie nur am Leben ließen, um sie als menschlichen Schild für Kami'en zu benutzen, der den Anschlag der Kaiserin dank seiner Feengeliebten und dem Jadegoyl überlebt hatte. *Und dank dir, Jacob.* Es waren zwei Brüder nötig gewesen, um den König der Goyl zu retten. Jacob wagte nicht, sich auszumalen, wie Kami'en Rache für Thereses Verrat nehmen würde. Er würde für jeden Toten verantwortlich sein, für jeden Einzelnen von ihnen, und doch wusste er, dass er es wieder getan hätte, für seinen Bruder, für Fuchs und Clara. Aber das machte es nicht leichter, damit zu leben.

Will stieg zu Kami'en in die goldene Kutsche, nachdem er ein letztes Mal zu der Fee hinaufgeblickt hatte, um sich zu vergewissern, dass er tat, was sie wünschte. Ja, Will lebte noch, und obwohl es sich sehr seltsam anfühlte, dass er am Ende auf der Seite der Goyl gekämpft hatte, bereute Jacob nur eins: dass er die Weidenblätter verloren hatte und mit ihnen jede Hoffnung, sich und die anderen vor der Dunklen Fee zu schützen. Von der Hoffnung, ihren Fluch zu brechen, ganz zu schweigen.

Die Augen der Dunklen hingen an der Goldenen Kutsche, als sie schließlich die Treppe herunterstieg. Sie hatte gewonnen und verloren, und Jacob war überrascht, dass er erneut Mitgefühl mit ihr hatte. Sosehr sie es auch versuchte, sie konnte die Liebe, die sie für Kami'en empfand, nicht verbergen. Was das betraf, erwies sie sich als ebenso hilflos wie eine sterbliche Frau, wie ihre rote Schwester. All die Tausenden von Männer, die daran verzweifelt waren, eine Fee zu lieben, und an dieser Verzweiflung gestorben waren ... Offenbar konnten die Feen sich selbst nicht immun machen gegen den Schmerz, den sie anderen so leicht brachten.

Die Dunkle Fee wechselte einen Blick mit Jacob, bevor sie in ihre Kutsche stieg. *Ich erinnere mich*, sagte er. *An die Rinde und die Blätter. Und an den Verrat meiner Schwester. Hüte dich, Jacob Reckless.* Er hatte sich viele Feinde in den vergangenen Tagen gemacht: die Kaiserin, die Goyl und nun die dunkelste aller Feen. Und Will trug immer noch eine Haut aus Jade.

Bevor sie losfuhren, kletterte ein Goyl zu jedem Kutscher auf den Bock. Die kaiserlichen Garden dachten vermutlich, dass das eine Geste war, um die Union von Menschen und Goyl zu demonstrieren, aber sobald die Pferdewagen eine der Brücken erreichten, die aus der Stadt führten, stießen die Goyl die Kutscher von ihren Böcken. Die wenigen Gardisten, die das Brautpaar eskortierten, versuchten sie aufzuhalten, aber die Dunkle Fee ließ ihre Motten los, und die Goyl lenkten die Kutschen über die Brücke, die Amalies Vorfahren erbaut hatten, und schon bald waren sie alle in den Straßen am anderen Flussufer verschwunden.

Ein Dutzend Kutschen, vierzig Soldaten, eine Fee, die ihren Geliebten beschützte, eine Prinzessin, die zwischen Leichen ihr Jawort gegeben hatte, und ein König, der seiner Feindin getraut hatte und von ihr betrogen worden war …

Am Himmel trieben dunkle Wolken, als die Wagen durch ein Tor fuhren, hinter dem eine Ansammlung schmuckloser Gebäude einen weiten Hof umstand. Jeder in Vena kannte die alte Munitionsfabrik – und mied sie. Vor ein paar Jahren war der Fluss über die Ufer getreten und hatte die Gebäude mit Wasser und stinkendem Schlamm gefüllt. Danach war die Fabrik jahrelang verlassen gewesen, bis während der letzten Choleraepidemie viele der Infizierten zum Sterben hergebracht worden waren. Seither traute sich kaum ein Mensch her, aber die Goyl beunruhigten Menschenkrankheiten nicht. Sie waren gegen die meisten immun.

»Was haben sie mit uns vor?«, flüsterte Clara, als die Kutschen zwischen den roten Ziegelmauern anhielten.

Valiant stieg auf die Kutschbank und lugte auf den verlassenen Hof hinaus. »Bestimmt nichts Angenehmes«, knurrte er. »Aber ich denke, ich weiß, warum wir ausgerechnet hierhergekommen sind.«

Will war der Erste, der aus der goldenen Kutsche stieg. Er musterte die leeren Gebäude, während Kami'en und Amalie ihm folgten. Die Goyl waren nicht allzu sanft mit ihren Geiseln, als sie sie aus den Kutschen zerrten und auf dem Hof zusammentrieben. Einer von ihnen stieß die Kaiserin zurück, als sie versuchte, zu ihrer Tochter zu kommen, und Donnersmarck zog sie schützend an seine Seite, während seine Augen nach Jacob suchten. Er hatte gehört, wie er die Fee gerufen hatte. Jacob sah es in seinem Gesicht. Er hatte sich einen weiteren Feind gemacht und bei diesem schmerzte es …

Die Dunkle Fee stand in der Mitte des Hofes, umgeben von ihren Motten wie von schwarzem Rauch. Einige schwärmten auf die leeren Gebäude zu. Ihre Herrin würde nicht zulassen, dass Kami'en in einen weiteren Hinterhalt geriet.

Die Goyl hatten sich um ihren König versammelt. Vierzig Soldaten, knapp dem Tod entkommen, auf dem Gebiet ihrer Feinde. *Was nun?*, fragten ihre Gesichter. Sie verbargen ihre Angst nur mühsam unter ihrem hilflosen Zorn. Kami'en winkte einen von ihnen zu sich. Er hatte die Mondsteinhaut der Goylspione. Kami'en zeigte keine Furcht. Falls er welche hatte, verbarg er sie besser als seine Soldaten.

»Was hast du gemeint, als du gesagt hast, du weißt, warum wir hier sind?«, flüsterte Jacob Valiant zu, als der Mondsteingoyl zwischen den Fabrikgebäuden verschwand.

»Vor drei Jahren«, flüsterte Valiant zurück, »hat einer unserer dümmsten Minister zwei Tunnel von Terpevas nach Vena bauen lassen. Der Idiot glaubte nicht an die Zukunft von Zügen als Transportmittel. Einer der Tunnel sollte als Zulieferweg für diese Fabrik dienen. Es gibt Gerüchte, dass die Goyl ihn mit ihrer westlichsten Festung verbunden haben und dass ihre Spione ihn gern benutzen.«

Ein Tunnel. *Es geht wieder unter die Erde, Jacob.* Falls die Goyl sich nicht entschlossen, ohne ihre Geiseln zu entkommen, und sie einfach erschossen. Er beugte sich zu Fuchs hinab. Er musste sie überzeugen, zu fliehen. Sie war die Einzige von ihnen, die vielleicht entkommen konnte, aber bevor er mit ihr sprechen konnte, zerrte ihn einer der Goyl grob zwischen den anderen hervor. Jaspis und Amethyst. Nesser. Jacob glaubte, erneut die Skorpione unter dem Hemd zu spüren. Fuchs bleckte die Zähne und wollte ihm zu Hilfe kommen, aber Nesser zog die Pistole. Als Clara sich schützend vor die Füchsin stellte, hob die Goyl die Hand, um sie zu schlagen, aber irgendetwas erinnerte sie an den Befehl, wegen dem sie gekommen war, und sie richtete die Pistole auf Jacob.

»Beweg dich!«, zischte sie Jacob zu. »Hentzau ist mehr tot als lebendig! Wieso lebst du immer noch?«

Sie stieß ihn über den Hof, vorbei an Kami'en und seinen überlebenden Offizieren. Will stand gleich neben dem König. Sein Schatten. Jacob senkte den Kopf, als er an ihm vorbeiging. Will erinnerte sich nicht an seinen Bruder, aber er erinnerte sich sicher an den Mann, mit dem er im Kaiserpalast gekämpft hatte. Den Goyl blieb nicht viel Zeit. Die Toten in der Kathedrale waren inzwischen sicher entdeckt worden.

Die Dunkle Fee wartete am Fuß einer steilen Treppe, die zum Fluss hinunterführte. Zu ihrer Linken ragte der steinerne Arm eines Anlegers ins Wasser, auf dem der Abfall der Stadt wie eine schmutzige Haut trieb. Aber die Fee blickte hinein, als sähe sie die Lilien, zwischen denen sie geboren worden war.

»Lass mich mit ihm allein, Nesser«, sagte sie.

Die Goyl zögerte, aber ein Blick von der Fee, und sie stieg die Treppe wieder hinauf.

Die Dunkle Fee strich sich über den Arm. Auf ihrer weißen Haut waren immer noch Spuren von Baumrinde zu sehen. »Du hast hoch gespielt und verloren.«

»Mein Bruder hat verloren.« Wie würde sie ihn töten? Mit ihren Motten? Durch irgendeinen Fluch?

Sie blickte hinauf zu Will. Er stand immer noch neben Kami'en. Will hatte als Kind oft Freunde gehabt, die älter waren als er und die er leidenschaftlich bewundert hatte, mit derselben Ergebenheit, die verlangt war, wenn man einem König diente. Es war einmal ... selbst seinen älteren Bruder hatte Will einst so behandelt. *Als er sich noch an dich erinnert hat, Jacob.*

»Sieh ihn dir an. Dein Bruder ist alles, was ich erhofft habe.« Die Dunkle Fee lächelte. »All das Steinerne Fleisch. Nur für ihn gesät und er war es wert.«

Sie strich über einen Streifen Rinde, der ihr die weiße Haut entstellte, bis er verschwand.

»Ich werde ihn dir zurückgeben«, sagte sie. »Unter einer Bedingung. Bring ihn weit, weit fort, so weit, dass ich ihn nicht finden kann. Denn wenn ich es tue, werde ich ihn töten.«

Jacob konnte nicht glauben, was er hörte. Er träumte. Das war es. Irgendein Fiebertraum. Wahrscheinlich lag er immer noch in der Kathedrale und ihre Motten stießen ihm Gift unter die Haut.

»Warum?« *Warum fragst du, Jacob?*

Die Fee antwortete ihm ohnehin nicht.

»Bring ihn zu dem Gebäude neben dem Tor, aber beeil dich.« Sie wandte sich wieder dem Wasser zu. »Und nimm dich vor Kami'en in Acht. Dieser Tag hat ihn gelehrt, an Märchen zu glauben.«

Sie versucht, dich zum Narren zu halten. Das war Jacobs einziger Gedanke, als er wieder zwischen den Hochzeitskutschen stand. Aber sein Herz glaubte ihr. Er konnte nicht sagen, warum, aber so war es. Er hätte die gute Nachricht zu gern mit Fuchs und Clara geteilt, aber sie waren nirgends zu sehen. Zwei Goyl standen Wache vor einem Gebäude zu seiner Linken, in das sie vermutlich die Geiseln gesperrt hatten. Wenn Fuchs nur geflohen wäre. Jacob verfluchte den Starrsinn der Füchsin, als er den Hof überquerte. Die Fee hatte versprochen, ihm seinen Bruder zurückzugeben, aber von den anderen war nicht die Rede gewesen.

Er hielt den Kopf gesenkt, als er an den Goyl vorbeiging. Bestimmt wusste keiner von ihnen, dass sie ihm ihr Entkommen aus der Kathedrale verdankten, aber zum Glück waren sie alle damit beschäftigt, Instruktionen von ihrem König entgegenzunehmen oder sich um die Verwundeten zu kümmern. Amalie trat auf ihren Ehemann zu und redete auf ihn ein, bis er sie ungeduldig mit sich zog. Will folgte dem König mit den Augen, aber er ging ihm nicht nach.

Jetzt, Jacob.

Wills Hand fuhr an den Säbel, sobald er ihn zwischen den Kutschen hervortreten sah. Was immer die Dunkle Fee ihm versprochen hatte, sein Bruder war immer noch in ihrem Bann. Will musterte ihn wie einen Fremden, aber er erinnerte sich an ihn als den Feind der Fee, den Mann, den er durch den Kaiserpalast gejagt hatte.

Jacob stieß einen Goyl aus dem Weg und begann zu rennen. *Zeit, Fangen und Verstecken zu spielen, Will.* Wie sie es so oft als Kinder getan hatten, einander durch die große Wohnung jagend, um die leeren Räume mit ihrem Lachen zu erfüllen und ihnen die Traurigkeit ihrer Mutter auszutreiben.

Wills Wunden schienen ihn kaum zu behindern. *Nicht zu schnell, Jacob. Lass ihn näher kommen, so, wie du es gemacht hast, als ihr Kinder wart.* Zurück zwischen die Kutschen, an der Baracke vorbei, in die sie die Geiseln gesperrt hatten. Das nächste Gebäude war das neben dem Tor. Jacob stieß die verwitterte Tür auf. Ein dunkler Flur mit vernagelten Fenstern. Die Lichtflecken auf dem schmutzigen Fußboden sahen aus wie verschüttete Milch. Im ersten Raum standen noch die Betten für die Choleraopfer. Jacob versteckte sich hinter der offenen Tür. *Es war einmal ...*

Will fuhr herum, als Jacob die Tür hinter ihm zuschlug. Für einen Atemzug zeigte sein Gesicht dieselbe Überraschung wie früher, wenn Jacob im Park hinter einem Baum hervorgesprungen war. Derselbe

Ausdruck, trotz der Jade. Er erkannte ihn immer noch nicht, aber er fing den Goldenen Ball. Die Hände hatten ihr eigenes Gedächtnis. *Fang schon, Will!* Der Ball verschluckte ihn wie der Frosch die Fliege, und auf dem Hof blickte Kami'en sich vergebens nach dem Jadegoyl um, der aus einem Märchen gekommen war, um ihm das Leben zu retten.

Jacob hob den Ball auf und setzte sich auf eines der Betten. Sein eigenes Gesicht blickte ihm aus dem Gold entgegen, verzerrt wie im Spiegel seines Vaters.

»Ich habe das Mädchen gekannt, das mit dem Ball gespielt hat.« Die Fee erschien so unvermittelt in der Tür, dass Jacob den Ball fast fallen ließ. »Sie hat nicht nur einen Bräutigam damit gefangen, sondern auch ihre ältere Schwester. Sie hat sie zehn Jahre nicht wieder hinausgelassen.«

Ihr Kleid wischte über den staubigen Boden, als sie auf Jacob zutrat. Es war nach Menschenmode geschneidert. Ihre Schwestern verabscheuten sie dafür, dass sie sich wie eine Sterbliche kleidete.

»Ich dachte, du würdest vielleicht meine Hilfe brauchen, um deinen Bruder zu überzeugen, mit dir zu gehen. Mein Zauber ist nicht leicht abzuschütteln.« Sie musterte die leeren Betten. »Der Ball wird ihn sicher verwahren, bis du ihn herauslässt. Mein Zauber wird verblassen und er wird sich erinnern. Die Jade wird nicht so leicht weichen.«

Sie streckte die Hand nach dem Ball aus. Jacob zögerte, doch schließlich legte er ihr den Ball in die Hand.

»Zu schade«, sagte sie, während sie ihn an die Lippen hob. »Dein Bruder ist so viel schöner mit einer Haut aus Jade.« Dann hauchte sie auf die schimmernde Oberfläche, bis das Gold beschlug, und gab Jacob den Ball zurück.

»Was?« Sie lächelte, als er sie zweifelnd ansah. »Du misstraust der falschen Fee.«

Sie trat so nah an ihn heran, dass Jacob ihren Atem auf seinem Gesicht spürte. »Hat meine Schwester dir gesagt, dass jeder Mensch, der meinen Namen ausspricht, des Todes ist? Er wird langsam kommen, wie es zur Rache einer Unsterblichen passt. Vielleicht bleibt dir noch ein Jahr, aber du wirst sterben, denn es ist keinem Sterblichen erlaubt, meinen Namen zu kennen. Sie weiß das sehr gut. Sie hat den Henker sogar auf deiner Brust hinterlassen.«

Jacob spürte einen stechenden Schmerz, als sie die Hand auf sein Hemd presste. Blut sickerte durch den Stoff, und als sie es aufriss, sah er, dass die Motte auf seiner Brust zum Leben erwacht war. Es sah aus, als fräße sie sein Herz, aber als die Fee die schwarzen Flügel berührte, wurde das flatternde Insekt erneut zu einem bloßen Abdruck auf seiner Haut, ein geflügelter Schatten, der vom Tod sprach.

Die Dunkle Fee trat zurück.

»Es tut mir leid«, sagte sie. »Ich verabscheue es, den Henker für meine rote Schwester zu spielen. Aber sie hat mir keine Wahl gelassen und sie wusste es.«

Sie blickte auf die Betten, in denen zahllose Menschen gestorben waren, als versuchte sie zu verstehen, wie es sich anfühlte, sterblich zu sein.

»Lass deinen Bruder heraus, sobald das Gold nicht mehr beschlagen ist«, sagte sie. »Es wartet eine Kutsche am Tor auf dich. Aber vergiss nicht, was ich dir gesagt habe. Bring ihn so weit fort von mir, wie du kannst.«

Dann wandte sie sich um und schritt davon und Jacob blieb allein zurück mit dem Goldenen Ball in seinen Händen und dem Todesurteil ihrer Schwester über seinem Herzen.

52
ZURÜCK

Der Turm und die verbrannten Mauern, die frischen Spuren der Wölfe – es schien, als hätten sie der Ruine gerade erst den Rücken gekehrt. Aber die Räder der Kutsche, die sie, wie die Fee versprochen hatte, vor dem Fabriktor erwartet hatte, zogen dunkle Spuren in frisch gefallenen Schnee. Jacob war nicht allein. Fuchs hatte in der Kutsche auf ihn gewartet, zusammen mit Clara und Valiant. Die Dunkle Fee hatte ihm alles zurückgegeben, was er liebte, vielleicht um das Urteil, das ihre Schwester durch sie vollstrecken ließ, wenigstens etwas wiedergutzumachen. *»Warum hat sie dich gehen lassen?«* Das war alles, was Fuchs gefragt hatte, als er auf den Kutschbock geklettert war. Jacob war der Antwort ausgewichen, indem er zur Eile gedrängt und sie daran erinnert hatte, dass die Fee es sich noch anders überlegen konnte. Fuchs hatte ihn seither nicht aus den Augen gelassen. Sie war der Kutsche die meiste Zeit gefolgt, auftauchend, einen scharfen Blick auf ihn werfend und – wieder verschwindend. *»Warum hat sie dich gehen lassen?«* Fuchs wusste, dass sie die Antwort nicht mögen würde.

Für das Massaker bei der Hochzeit wurden die Goyl verantwortlich gemacht. Natürlich. Sie hatten den Waffenstillstand gebrochen und die Kaiserin und ihre Tochter entführt, das war die einzige Version, die sie unterwegs gehört hatten.

Die Füchsin stand bereits zwischen den Mauern der Ruine, als Jacob vom Kutschbock kletterte, und leckte sich den Schnee von den Pfoten. Sie hob den Kopf, als er den Goldenen Ball aus der Tasche zog. Es war ihr sicher aufgefallen, wie oft er ihn unterwegs angesehen hatte, und Jacob war sicher, dass sie ahnte, wer der Gefangene darin war. Die goldene Oberfläche war inzwischen kaum noch beschlagen, aber er hatte den anderen immer noch nichts vom Geschenk der Fee erzählt. Wie konnte er ihrem Versprechen glauben, wenn ihre rote Schwester ihn zum Tode verurteilt hatte, während sie ihn geküsst hatte?

In den zwei Tagen, die sie gebraucht hatten, um zurück zu der Ruine zu kommen, hatte Clara kaum ein Wort gesprochen, obwohl Valiant sich sehr viel Mühe gegeben hatte, sie aufzumuntern. Jacob hatte bisweilen befürchtet, dass sie aus der Kutsche springen und zurück zu der verlassenen Fabrik laufen würde, und ihr deshalb fast erzählt, was die Dunkle versprochen hatte. Aber ihr vielleicht falsche Hoffnungen zu machen, war ihm noch grausamer erschienen, als sie in dem Glauben zu belassen, dass sie Will bei den Goyl zurückgelassen hatten.

Clara stand da und blickte hinauf zu dem Turmzimmer, in dem der Spiegel stand. Der Atem hing ihr weiß vorm Mund, und sie schauderte in dem Kleid, das Valiant ihr für die Hochzeit gekauft hatte. Die blassblaue Seide war zerrissen und schmutzig und keine Fee hatte die Blutflecken in Blumen verwandelt.

319

»Eine Ruine?« Valiant kletterte aus der Kutsche und blickte sich entgeistert um. »Was soll das?«, fuhr er Jacob an. »Wo ist mein Baum?«

Ein paar verfrorene Heinzel ließen beim Klang seiner zornigen Stimme die Eicheln fallen, die sie aus dem Schnee gesammelt hatten, und huschten davon.

»Fuchs, zeig ihm den Baum«, sagte Jacob.

Sie warf ihm einen verschwörerischen Blick zu, bevor sie Valiant in den verwilderten Garten führte. Er stiefelte ihr so eilig hinterher, dass er fast über die eigenen Beine stolperte.

Clara sah ihnen nicht nach.

»Du willst, dass ich zurückgehe, oder?«, fragte sie Jacob, als er an ihre Seite trat. »Ich soll Will vergessen. So wie er mich vergessen hat.«

Jacob griff nach ihrer Hand und legte den Ball hinein. Die Oberfläche war makellos blank, und das Gold schimmerte, als hätte die Sonne selbst es gemacht.

»Du musst ihn polieren«, sagte er. »Bis du dich so deutlich darin siehst wie in einem Spiegel.«

Dann ließ er sie allein. Er wollte, dass Will zuerst Claras Gesicht sah. *Falls er sich an sie erinnert, Jacob. Falls diese Fee dich nicht auch betrogen hat.*

Jacob schob den Efeu zur Seite, der vor der Tür des Turmes wuchs, und trat hinein. Sein Herz ertrank in Angst und Hoffnung. Über ihm hing das Seil, das hinauf zu dem Spiegel führte. Es war silbern vom Feenstaub. Er hatte es im Arbeitszimmer seines Vaters gefunden. Wo sonst? Er spürte den Abdruck der Motte wie ein Brandmal unter dem Hemd. Die Haut über seinem Herzen war immer noch wund. Hätte er Will gerettet, wenn er gewusst hätte, was es ihn kosten würde? Vielleicht.

Er hörte, wie Clara leise aufschrie. Und dann Wills Stimme, die ihren Namen sagte. Die Stimme seines Bruders hatte schon lange nicht mehr so weich geklungen. Jacob hörte sie flüstern. Und lachen.

Er lehnte sich gegen die Turmmauer, schwarz vom Ruß, feucht von der Kälte, die sich zwischen den Steinen fing. Die Dunkle Fee hatte ihr Versprechen gehalten. Als er aus dem Turm trat, hielt Will Clara in den Armen. Die Jade war fort, und als sein Bruder zu ihm herübersah, waren seine Augen blau. Fort, der Zorn und die Wut. Will ließ Clara los, das Gesicht weich vor Liebe, so wie es ihn immer willkommen geheißen hatte, wenn Jacob zurück in die andere Welt gekommen war. Aber Wills Schritte waren zögerlich, als er mit ungläubigem Gesicht auf Jacob zuging und ihn so fest umarmte, wie er es zuletzt als Kind getan hatte.

»Ich dachte, du bist tot.« Er trat zurück und musterte Jacob, als müsste er sich vergewissern, dass ihm wirklich nichts fehlte. Dann blickte er auf seine eigenen Hände und für einen Augenblick sah Jacob eine seltsame Sehnsucht auf dem Gesicht seines Bruders.

»Du hattest recht«, sagte Clara, während sie an Wills Seite trat. »Dein Bruder findet immer einen Weg.«

Ihre Augen waren weit vor Dankbarkeit, aber Jacob sah, dass sie immer noch Angst hatte, dass Will nicht der Alte war.

Sein Bruder untersuchte seinen Ärmel, wo ein Säbel den grauen Stoff aufgeschlitzt hatte. Erkannte er die Uniform der Goyl? Und dass die blassen Flecken sein eigenes Blut waren? Jacob konnte es nicht sagen. Da war etwas in Wills Gesicht ... als hätte die Jade seinen sanften Zügen eine Festigkeit gegeben, die neu war.

Es war einmal ein Junge, der zog aus, das Fürchten zu lernen.

»Seht euch das an! Ich bin reicher als die Kaiserin! Ach was! Reicher als Wilfred das Walross und der Krumme, selbst wenn sie all ihre Schätze auf einen Haufen werfen würden!«

Vergoldetes Haar. Vergoldete Schultern. Selbst Jacob erkannte Valiant kaum. Das Gold klebte dichter an ihm als der stinkende Blütenpollen, mit dem der Baum Jacob überschüttet hatte.

Der Zwerg lief an Will vorbei, ohne ihn auch nur zu bemerken.

»Gut, ich gestehe es!«, rief er Jacob zu. »Ich war sicher, dass du mich betrügen würdest. Aber für diese Bezahlung bringe ich dich gleich noch mal in die Goylfestung! Was denkst du? Wird es dem Baum schaden, wenn ich ihn ausgrabe?«

Fuchs tauchte hinter dem Zwerg auf. Selbst ihr hingen ein paar Goldflocken im Fell. Sie blieb wie angewurzelt stehen, als sie Will sah. *Was sagst du, Fuchs? Riecht er immer noch wie ein Goyl?*

Will klaubte einen kleinen Klumpen Gold aus dem Schnee, den der Zwerg sich aus den Haaren gewischt hatte. Valiant hatte ihn immer noch nicht bemerkt.

»Nein!«, verkündete der Zwerg. »Nein, das Risiko gehe ich ein, ich grabe ihn aus! Womöglich schüttelt ihr das ganze Gold aus den Ästen, wenn ich ihn hierlasse!«

Er fiel fast über Fuchs, als er erneut davonhastete, und Will stand da und wischte den Schnee von dem winzigen Klumpen in seiner Hand, so golden wie die Augen, die er noch vor ein paar Tagen gehabt hatte.

»Bring ihn weit, weit fort, so weit, dass ich ihn nicht finden kann.«
Clara warf Jacob einen besorgten Blick zu.

»Komm, Will«, sagte sie. »Lass uns nach Hause gehen.«

Will blickte an dem Turm hinauf. Und dann zu der Kutsche. Kami'ens Wappen prangte auf der Tür. Die schwarze Motte auf rotem Karneol.

»Clara hat recht, Will.« Jacob legte ihm die Hand auf die Schulter. Nein, das war kein Gold in seinen Augen. Es war nur das Sonnenlicht.

Fuchs kam ihnen bis zum Turm nach, doch sie ging nicht hinein. Das tat sie fast nie. Sie wechselte die Gestalt, um Clara und Will zum

Abschied zu umarmen. Dann trat sie zurück, den Blick auf Jacob gerichtet. Er sah die übliche Sorge darin. *Wie lange wirst du diesmal bleiben? Wirst du eines Tages nicht zurückkommen?*

»Ich bin gleich zurück!«, sagte er, als Clara Will durch den Efeu zog. »Ich versprech es. Pass auf, dass der Zwerg das Gold aufsammelt, bevor die Raben kommen.«

Zaubergold zog sie in Schwärmen an und das Krächzen von Goldraben konnte einen den Verstand kosten.

»Wie soll ich das anstellen?«, erwiderte Fuchs. »Nicht mal ein Rudel Brauner Wölfe würde den Zwerg von seinem Gold trennen können.«

Das brachte ein Lächeln auf Jacobs Lippen, aber das Gesicht von Fuchs blieb ernst.

»Du hast ihn gerettet«, sagte sie. »Du hast es tatsächlich geschafft.«

»Hab ich das?«

Sie wusste, was er meinte. Sie hatte Will auf der Hochzeit gesehen. Und an Kami'ens Seite. Warum? *Er ist, was er immer sein sollte,* flüsterte die Dunkle Fee in Jacobs Kopf.

»Geh«, sagte Fuchs. »Und sorg dafür, dass sie wirklich zurückgehen. Ich gebe zu, ich bin müde, auf die zwei aufzupassen.«

Dann machte sie sich auf die Suche nach Valiant.

In dem Turmzimmer lag zwischen den Eichelschalen ein toter Heinzel. Der Stilz hatte Vergnügen daran, sie umzubringen. Jacob verbarg den kleinen Körper unter ein paar Blättern. Will und Clara hatten genug Tod gesehen.

Der Spiegel fing sie alle in seinem Glas. Will musterte sein Abbild wie das eines Fremden. Clara trat an seine Seite und griff nach seiner Hand, doch Will wandte sich von ihr ab, als er sah, dass Jacob vor dem Spiegel zurückwich.

»Du kommst nicht mit uns?«

»Nein. Ich muss etwas finden.«

»Natürlich.« Will lächelte. »Und es ist immer etwas, das du in der anderen Welt nicht finden kannst … richtig?«

Jacob war nicht sicher, ob sein Bruder von ihm oder von sich selbst sprach. Er schien weit fort. Bei der Dunklen Fee. Oder an der Seite des Königs, dessen Jadeschatten er gewesen war. Die Dinge, die wir hinter Spiegeln finden …

»Bleib nicht zu lange fort«, sagte Will schließlich. »Versprochen?«

So hatte er sich als Junge immer von ihm verabschiedet. Und Jacob hatte immer mit Ja geantwortet. Und das Versprechen öfter gebrochen, als er es gehalten hatte. Er war sicher, dass Will sich daran ebenso gut wie an die Worte erinnerte.

»Ich versprech es«, sagte er. *Aber geh jetzt! Geh, Will!*, hätte er fast hinzugefügt.

Bring ihn weit, weit fort, so weit, dass ich ihn nicht finden kann. Denn wenn ich es tue, werde ich ihn töten.

Will blickte ihn immer noch an, selbst als er nach Claras Hand griff und seine Finger gegen das Glas presste.

Und dann waren sie beide fort.

Fuchs hatte die Kutschpferde von ihrem Harnisch befreit und sah ihnen dabei zu, wie sie zwischen den Mauern der Ruine grasten. Jacob war überrascht, dass sie noch in Menschengestalt war. Vielleicht war der Schnee der Grund. Die Füchsin hasste ihn in ihrem Fell. Aber das Kleid, das Fuchs immer noch von der Hochzeit trug, hielt sie sicher nicht annähernd so gut warm.

»Sind sie fort?«

»Ja.«

»Und?«

»Und was?«

»Spiel nicht den Dummkopf. Warum hat die Fee ihn gehen lassen? Ihn und uns alle?«

»Ihre rote Schwester hat mir ein Geheimnis der Dunklen verraten.«

Jacob ging zu den Pferden. Er würde eins Chanute überlassen, zum Ausgleich für das Packpferd, das er verloren hatte.

»Was für ein Geheimnis?« Sie spürte, dass etwas nicht stimmte. Natürlich. Sie kannte ihn einfach zu gut.

»Das kann ich nicht sagen. Ich musste versprechen, es für mich zu behalten.« Schon wieder eine Lüge. Um sie zu beschützen. Die Wahrheit würde sie krank vor Sorge machen und sie würde die Feen nur noch mehr hassen und sich rächen wollen. Nein. Fuchs durfte die Wahrheit nie erfahren.

Jacob blickte zum Himmel. Es hatte wieder angefangen zu schneien. »Wir sollten nach Süden gehen. Was denkst du? Nach dem Stundenglas suchen?«

»Vielleicht.« Sie musste lächeln. Wie in alten Zeiten. Nur sie und er. Schatzsucher. Ohne eine Sorge in der Welt …

Fuchs blickte zu den Ställen. Der Garten lag gleich dahinter, verwildert, aber immer noch gut bestückt mit Heilkräutern. Von denen ihm keins helfen konnte …

»Der Zwerg sammelt immer noch sein Gold auf. Obwohl ich ihn vor den Raben gewarnt habe.«

Jacob schlang ihr den Arm um die Schultern. »Noch ein Grund, aufzubrechen. Sollen die Raben ihn ruhig holen.«

»*Vielleicht bleibt dir noch ein Jahr.*« Ein Jahr war eine lange Zeit und in dieser Welt gab es für alles eine Medizin.

Sie mussten sie nur finden.

INHALT

1 Es war einmal 7

2 Zwölf Jahre später 14

3 Goyl 19

4 Clara 27

5 Schwanstein 30

6 Wahrheit oder Lüge 39

7 Das Haus der Hexe 46

8 Unter dem Dach der Hexe 57

9 Der Schneider 60

10 Fell und Haut 66

11 Hentzau 72

12 Seinesgleichen 76

13 Der Nutzen von Töchtern 83

14 Das Dornenschloss 88

15 Weiches Fleisch 94

16 Niemals 99

17 Ein Führer zu den Feen 101

18 Sprechender Stein 106

19 Valiant 109

20 Zu viel 118

21 Seines Bruders Hüter 121

22 Träume 125

23 In der Falle 131

24 Die Jäger 136

25 Der Köder 138

26 Die Rote Fee 146

27 So weit fort 155

28 Nur eine Rose 157

29 Ins Herz 161

30 Ein Leichentuch aus roten Leibern 166

31 Was, wenn ... 174

32 Der Fluss 177

33 So müde 187

34 Lerchenwasser 189

35 Im Schoß der Erde 200

36 Der falsche Name 210

37 Die Fenster der Dunklen Fee 214

38 Gefunden und verloren 219

39 Aufgewacht 225

40 Die Stärke der Zwerge 229

41 Flügel 237

42 Zwei Wege 242

43 Hund und Wolf 246

44 Zu spät 258

45 Vergangene Zeiten 263

46 Die dunkle Schwester 270

47 Die Wunderkammern der Kaiserin 279

48 Hochzeitspläne 287

49 Einer von ihnen 291

50 Die Schöne und das Biest 296

51 Geiseln 308

52 Zurück 318

DAS DUNKLE MÄRCHEN
GEHT WEITER

Cornelia Funke
Reckless 2.
Lebendige Schatten
Einband von Mirada.
416 Seiten. Klappenbroschur.
Ab 14 Jahren.
ISBN 978-3-7915-0096-6

Jacob Reckless' düstere Abenteuer gehen weiter. Seinen Bruder Will hat er retten können, doch der Preis war hoch. Wird sich die Motte auf seiner Brust, Zeichen des Feenfluchs, lösen und zu ihrer Herrin fliegen, ist Jacob dem Tode geweiht. Ein Wettlauf gegen die Zeit beginnt und ein Wettkampf mit dem Goyl Nerron um den einen Schatz. Er kann die Welt auf der anderen Seite des Spiegels ins Verderben stürzen und ist doch Jacobs einzige Rettung. Gemeinsam mit dem Mädchen Fuchs kämpft Jacob nicht nur um sein Leben.

Der zweite Band der Spiegelwelt-Reihe – eine verzauberte Märchenwelt – auch als Klappenbroschur!

DRESSLER

Auch als Hörbuch und als E-Book erhältlich. Weitere Informationen unter:
www.corneliafunke.de, www.funke-reckless.de und www.dressler-verlag.de

DAS SCHICKSALSBAND
DER EINZIG WAHREN LIEBE

Cornelia Funke
Reckless 3.
Das goldene Garn
Einband von Mirada.
464 Seiten. Klappenbroschur.
Ab 14 Jahren.
ISBN 978-3-7915-0097-3

Baba Jagas, Kosaken, Spione und ein Zar, der zu Audienzen in Begleitung eines Bären kommt. Diesmal führt die Reise hinter dem Spiegel Fuchs und Jacob weit nach Osten. Auch Will kehrt zurück in die Welt, die ihm eine Haut aus Jade gab, auf der Spur der Dunklen Fee. Aber den Zweck der Reise bestimmt ein anderer: Der Erlelf hat den Handel nicht vergessen, den Jacob im Labyrinth des Blaubarts mit ihm geschlossen hat, und er lehrt Jacob und Fuchs mehr über seinesgleichen, als sie je erfahren wollten.

Russische Märchen, goldene Türme, düstere Wälder, Cornelia Funkes Sprachzauber ist wieder entflammt.

DRESSLER

Auch als Hörbuch und als E-Book erhältlich. Weitere Informationen unter:
www.corneliafunke.de, www.funke-reckless.de und www.dressler-verlag.de